D1249484

Gramática

WORLD

EDUCATIONAL PROGRAMS LTDA.

EDICION 1998

EDICION ESPECIAL
COLOMBIA, para:
**WORLD EDUCATIONAL
PROGRAMS LTDA.**

© CULTURAL, S. A.

Edita: CULTURAL, S. A.
Polígono Industrial Arroyomolinos
Calle C, núm. 15, Móstoles
MADRID - ESPAÑA

Imprime: Brosmac
ISBN: 84-8055-123-2 (obra completa)
ISBN: 84-8055-118-6
Depósito legal: M. 24.403-1997
IMPRESO EN ESPAÑA - *PRINTED IN SPAIN*

Gramática y ortografía

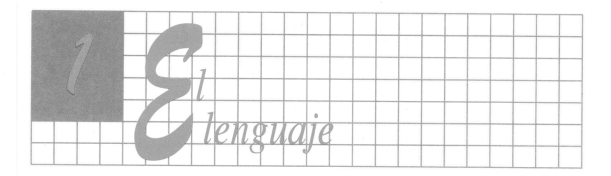

1 El lenguaje

LAS FUNCIONES DEL LENGUAJE

El lenguaje tiene la cualidad de poder transmitir matices informativos adyacentes al contenido del mensaje, según se centre la atención de la información que se intercambia con el oyente en uno u otro de los factores que constituyen el acto de comunicación. Así, cada uno de los seis factores determina una función diferente del lenguaje.

La función referencial

Por medio de ella orientamos la información que contiene el mensaje hacia el contexto. Llamamos función referencial a la capacidad que tiene el lenguaje para referirse o hacer referencia a las cosas del mundo. Cuando decimos «la casa es blanca» hacemos referencia a un objeto, la casa, al que le corresponde un estado concreto, el ser blanca, y tanto el objeto como el estado correspondiente pertenecen al mundo real, son ajenos al lenguaje, en tanto en cuanto existe fuera de él.

La función referencial también se conoce por los términos de FUNCION DENOTATIVA O COGNOSCITIVA. Y aunque constituye la tarea principal de una gran mayoría de mensajes, frecuentemente se da la concurrencia en éstos de una o más del resto de las funciones.

La función emotiva

Conocida también con el nombre de EXPRESIVA, se caracteriza por enfocar el interés del mensaje hacia el emisor. Por medio de esta función se aspira a una expresión directa de la actitud del emisor hacia lo que se está diciendo. Esto tiende a producir la impresión de una cierta emoción, verdadera o fingida. Esta función está representada en su estado más puro por las interjecciones de la lengua, que difieren radicalmente de los medios lingüísticos para referirse al mundo, en dos sentidos:

— *Su caracterización acústica.* Normalmente están constituidas por secuencias de sonidos raras en el resto de los elementos de la lengua dotados de significado. La interjección ¡bah! o un chasquido de lengua que indicara cierto fastidio, son sonidos poco usuales fuera del uso emotivo.
— *Su papel sintáctico.* No constituyen partes de la oración, sino equivalentes a oraciones. ¡Pse! podría ser el equivalente de la oración «¡Me da igual!»

La función conativa

Es aquella que orienta el interés del mensaje hacia el receptor; por medio de ella nos proponemos provocar un cambio de actitud en aquel que recibe la información. La función conativa se encuentra en el modo imperativo de los verbos y en el vocativo. Cuando decimos «¡Callad!», el interés del mensaje se centra en que nuestros interlocutores dejen de hablar, o sea, cambien de actitud. También en construcciones de infinitivo del tipo «¡A callarse!» encontramos la función conativa casi como único componente funcional del mensaje.

La función fática

Llamamos función fática o CONTACTO a la capacidad que tiene el lenguaje para emitir mensajes cuya función primordial consista en establecer, prolongar o interrumpir la comunicación para comprobar el buen funcionamiento del canal; es decir, para asegurarse de que el contacto entre emisor y receptor sigue existiendo, o para atraer o confirmar la atención continua del receptor. Cuando preguntamos a nuestro interlocutor que nos escucha, o cuando entre argumento y argumento usamos construcciones con el valor de nexos como «¿Sabes?», estamos haciendo uso de la función fática del lenguaje.

Las relaciones profesor-alumno desarrollan la función fática.

La función metalingüística

Cuando en el mensaje se centra el interés en el código, porque el emisor y/o el receptor necesitan comprobar si están empleando el mismo, se está haciendo uso de la función metalingüística. Esta función es consecuencia de la capacidad que tiene el lenguaje humano para referirse a sí mismo. Podemos considerarla gemela de la función referencial, si en ésta el referente del contenido del mensaje era el constituido por los objetos del mundo —«lenguaje de objetos»—, en la metalingüística el referente del contenido del mensaje es el lenguaje, constituyendo un «lenguaje del lenguaje», al que denominamos «metalenguaje». Cuando intentamos definir las funciones del lenguaje, estamos usando la función metalingüística.

La función poética

Se conoce con el nombre de función poética a la capacidad del lenguaje para hacer tender la atención del mensaje hacia él mismo. Resulta evidente que el nombre de esta función se debe a que se encuentra especialmente caracterizada en las artes verbales: prosa, poesía, etc. Sin embargo, el dominio de la función poética no se reduce sólo al arte, sino que podemos encontrar multitud de ejemplos de su uso fuera de este ámbito. Cuando decimos «Luis y Federico», en lugar de «Federico y Luis», estamos haciendo uso de ella, puesto que en una secuencia de nombres coordinados preferimos que el más corto preceda al más largo, en virtud de una mejor composición rítmica del mensaje. En el lenguaje publicitario es donde encontramos cotidianamente ejemplos de usos similares. El lema «La salchicha de chicha que sabe chachi» es un buen ejemplo, en el que la repetición de secuencias sonoras y el énfasis rítmico que consiguen, características de la función poética, juegan un papel primordial en la transmisión efectiva de la información contenida en el mensaje.

Las seis funciones que caracterizan el

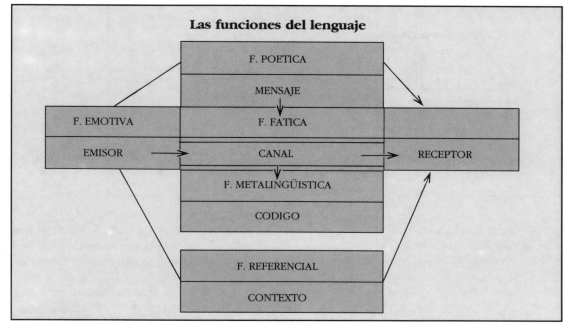

Figura 1.1

acto de comunicación lingüística, podemos representarlas gráficamente, junto a los factores en que se apoyan, en el esquema siguiente (Fig. 1.1).

EL SIGNO LINGÜISTICO

El plano de la expresión y el plano del contenido

Por lo dicho hasta ahora, podríamos entender que la lengua consiste en una lista de términos que se corresponden con otros tantos objetos del mundo. Sin embargo, lo que une el signo lingüístico no es una cosa y un nombre, sino un concepto y una imagen acústica. El proceso se realiza en el interior de nuestra mente: percibida la cosa a través de nuestros sentidos, nos la representamos mentalmente, y no es la cosa lo que tenemos en nuestro interior, sino una representación de ella. Esta representación es la que constituye el PLANO DEL CONTENIDO o SIGNIFICADO del signo lingüístico.

Cuando pensamos interiormente lo que vamos a decir, estamos representándo-nos mentalmente los sonidos que más tarde emitiremos físicamente. A esta realidad queremos hacer referencia cuando hablamos de imagen acústica, y es que nuestra mente no está capacitada para producir sonidos, pero sí para representarlos en la imaginación. Esta representación es la que constituye el PLANO DE LA EXPRESION O SIGNIFICANTE.

De este modo, el signo lingüístico queda constituido por una doble realidad mental, que hemos denominado con el nombre de planos. Estos planos son inseparables, son la cara y la cruz de una misma moneda, el signo lingüístico; de modo que, sin una cualquiera de las dos, sería imposible su existencia (Fig. 1.2).

La doble articulación

Podemos decir, con relación a lo expuesto en el apartado correspondiente al signo, que cualquier elemento de una lengua que tiene sentido es un signo. Consideremos, en consecuencia, dos tipos de signos en toda lengua: *simples*, que son

7

PLANO DEL CONTENIDO

PLANO DE LA EXPRESION

EL SIGNO LINGUISTICO

Figura 1.2

aquellos que, teniendo sentido, no nos es posible descomponer en unidades con sentido más pequeñas, y *complejos* o *compuestos*, también conocidos con el nombre de secuencias de signos. Observemos el signo complejo siguiente: «El avestruz no vuela». Está constituido por diferentes signos simples, es decir: *avestruz* y *vuel-* son signos simples con sentido léxico, mientras que el artículo determinado (*el*), el adverbio de negación (*no*) y la desinencia de tercera persona del singular del presente de indicativo (-*a*) son signos simples con sentido gramatical.

Al conjunto de los que aquí hemos llamado signos simples se le conoce con el nombre de la PRIMERA ARTICULACION DEL SIGNO LINGÜISTICO.

Centrémonos ahora en el plano de la expresión. El sonido de la palabra *avestruz* no nos es posible separarlo en unidades menores que las formadas por las sílabas *a-ves-truz*, no nos es posible pronunciar /t/ o /z/, no podemos emitir un sonido que se corresponda con la imagen acústica que tenemos interiorizada de la letra -*t*-. Sin embargo, sí podemos representarnos ese sonido; es decir, podemos descomponer la expresión «avestruz» en elementos más pequeños que no se corresponden directamente con elementos de contenido. (No entendemos por *a*- el contenido correspondiente a «cabeza de avestruz», ni por -*z* el correspondiente a «cola de avestruz»; sin embargo, podemos aislar estos elementos.) Estos elementos desprovistos de sentido

gramatical o léxico, y por tanto elementos puros del plano de la expresión, sólo tienen función distintiva, se distinguen al oponerse entre sí.

A esta capacidad del signo para descomponerse en unidades desprovistas de sentido se le llama la SEGUNDA ARTICULACION DEL SIGNO LINGÜISTICO. Y debido a esa capacidad que tiene el signo lingüístico para realizarse en ambas articulaciones se dice de él que es articulado.

Características del signo lingüístico

El comportamiento del signo lingüístico en el ámbito más amplio del lenguaje pone de relieve una serie de características que lo definen. Son: arbitrariedad, linealidad, inmutabilidad, mutabilidad y su carácter diferencial.

El signo lingüístico es *arbitrario*. Esta afirmación hace referencia a los mecanismos que asocian un significante a un significado. Decimos que el signo lingüístico es arbitrario, porque significante y significado no están unidos por ningún tipo de relación interior. No existe ninguna razón para asociar a la idea de «pato» la secuencia de sonidos *p-a-t-o* que le sirve de significante. La idea de «pato» y la secuencia *p-a-t-o* se han unido arbitrariamente. (Al contrario de lo que ocurría en sistemas semiológicos, cuyos signos eran iconos: las caricaturas se sirven de la exageración de los rasgos físicos para representar un personaje público. Entre signo y cosa representada existe una relación de semejanza.) Esta arbitrariedad es posible gracias a la convención o acuerdo tácito de los hablantes de una lengua para asignar a cada significado un significante determinado. Por ello, podemos concluir que el signo lingüístico es CONVENCIONAL.

El signo lingüístico es *lineal*. El significante, por ser de naturaleza auditiva, necesariamente tiene que desenvolverse en el tiempo; el signo lingüístico constituye una secuencia de sonidos que necesitan un espacio para ser emitida. A este hecho hace referencia la expresión «El fluir de las palabras», porque del mismo modo como fluye el agua de la fuente, en sentido lineal, así ocurre con los signos del lenguaje. Las expresiones «cadena acústica» o «cadena hablada» se refieren a este mismo fenómeno. En virtud de esta característica del signo lingüístico, no es posible pronunciar dos elementos a la vez, sino que han de alinearse uno tras otro. Además, el orden en que aparecen en la cadena hablada, debido a que la linealidad es característica esencial del signo, es determinante de su asociación con uno u otro significado: no es lo mismo alinear la secuencia acústica *p-a-t-o*, así *t-a-p-o*, o así *a-p-t-o*. A cada una de las secuencias anteriores le corresponde un significado diferente.

El signo lingüístico es *inmutable*. Decimos que el signo lingüístico es inmutable, porque la comunidad lingüística que lo emplea no tiene la capacidad de variar la asociación entre ambos planos del signo. El individuo no puede modificar la elección hecha, esto significaría variar el código que constituye una lengua, y como ya hemos indicado, un código que no es común al emisor y al receptor hace incomprensible el mensaje. Esto ocurre cuando usamos indebidamente una palabra, el contenido del mensaje es malinterpretado por el receptor.

El signo lingüístico es *mutable*. De la aparente contradicción que resulta afirmar que el signo lingüístico es a un tiempo mutable e inmutable tiene la culpa su carácter arbitrario. Y es que, históricamente, el signo es mutable; es decir, lo que en una época anterior concreta fue la asociación entre un significado y un significante determinado ha sufrido, a lo largo de su continuidad a través de la historia, una serie de desplazamientos en su relación hasta el estado actual de dicha asociación, o sea, del signo. Es frecuente encontrar en los textos de los siglos XVI y XVII el uso del adverbio de tiempo *luego* con el sentido de *enseguida*: «Hazlo luego» («Hazlo enseguida»). La relación entre significante y significado ha sufrido una serie de desplazamientos en el plano del contenido, con respecto al de la expresión, hasta alcanzar el sentido actual de *después* o de *cerca* en algunos países hispanoamericanos (Chile, Guatemala y México).

El *carácter diferencial* del signo lingüístico. La lengua se caracteriza por estar dotada de estructura; el signo lingüístico forma parte de esta estructura relacionándose entre sí por oposición. Distinguimos entre *pato* y *cato*; porque /p/ (bilabial, oclusiva, sorda) y /k/ (velar, oclusiva, sorda) se oponen por el rasgo que define su punto de articulación: bilabial/velar. El signo lingüístico toma, por tanto, un valor relativo al resto de signos que integran el sistema de la lengua; por su oposición a ellos, tiene carácter discreto.

EL SISTEMA LINGÜÍSTICO

Debido a la especial caracterización del signo lingüístico y la lengua, las relaciones entre sus elementos pueden darse a dos niveles o planos: el nivel sintagmático o referente al sintagma, y el paradigmático o referente al paradigma. Las relaciones en cada uno de estos planos generan diferente orden de valores.

El plano sintagmático

Como ya se señaló, los elementos de la lengua se alinean uno tras otro en la cadena hablada, debido al carácter lineal del signo lingüístico. A estas combinaciones de elementos podemos denominarlas sintagmas. El sintagma se compone de dos o más unidades consecutivas. El perro del hortelano, las casas pintadas, frente al parque, las barcas tienen siempre remos, etc., son algunos ejemplos de sintagmas. Colocado en un sintagma, un término sólo adquiere su valor porque se opone al que le precede, o al que le sigue, o a ambos a la vez.

El plano paradigmático

El hablante tiene almacenados en su memoria los elementos de la lengua que domina y las reglas que dicta dicha lengua para combinar efectivamene sus elementos. Pero las palabras (en tanto que son signos lingüísticos y se componen, en consecuencia, de significante y significado) que ofrecen algo de común, ya sea con relación a su significante, a su significado o a la relación entre ambos, se asocian en la memoria, formando grupos en los que se dan diversos tipos de relaciones. Así, una palabra como «perro» trae inmediatamente asociadas, de modo intuitivo, palabras como *perrera*, *perruno*, etc., por pertenecer a la misma rama lexemática; *cerro, cencerro*, etc., por cierta relación de semejanza acústica; *cuadrúpedo, carnívoro*, etc., por el contenido léxico de la palabra; *gato, periquito*, etc., por desarrollar el campo semántico de uno de los términos que constituyen su contenido léxico (animal doméstico) (Fig. 1.3). Entre estas palabras se establecen unas relaciones bien distintas de las expuestas en el punto anterior. No se basan en el carácter lineal del signo ni en la característica extensión de la cadena hablada, sino que se encuentran en nuestra mente, en nuestro conocimiento particular de las cosas y su relación con los elementos de la lengua. En este tipo de relaciones, un elemento cualquiera de la lengua toma su valor por la oposición con el resto de los elementos que integran el paradigma de la lengua. Se conocen estas relaciones con el nombre de relaciones en el plano paradigmático o relaciones asociativas.

Ambos planos de relación, sintagmático y paradigmático, son dependientes el uno del otro para la descripción del valor relativo de los elementos de la lengua, es decir: el valor en un sintagma de un elemento no queda determinado por entero si no es reclamando sucesivamente la confrontación con los elementos del paradigma.

Las relaciones sintagmáticas son *in praesentia*, o que se apoya en dos o más

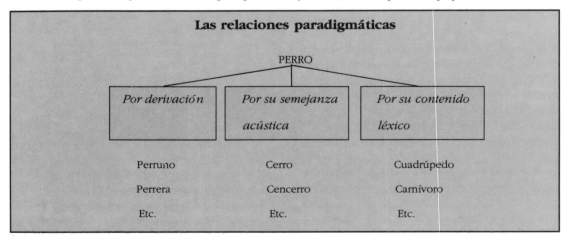

Figura 1.3

términos igualmente presentes en una secuencia efectiva, y las paradigmáticas *in absentia*, es decir, ausentes los términos de la comparación, se encuentran en una serie mnemotécnica virtual en nuestra memoria.

LAS DISCIPLINAS LINGÜISTICAS Y SUS UNIDADES

En el punto en que definimos la doble articulación del signo lingüístico concluimos que existían unos elementos en los cuales era descomponible el signo, y que tenían sentido, a los que denominamos primera articulación. Estos elementos de la primera articulación se sitúan, a su vez, en el plano del contenido o significado del signo lingüístico, debido a que son portadores de caracteres de sentido. Sin embargo, dentro del plano del contenido es necesario distinguir entre los elementos señalados y la representación a modo de imagen del objeto percibido. Ambos niveles se encuentran en el plano del contenido, la imagen visual interiorizada en nuestra imaginación formaría lo que se conoce con el término de SUSTANCIA DEL CONTENIDO (sería el contenido del significado) y los elementos constituyentes de la primera articulación integrarían la FORMA DEL CONTENIDO. Es decir, en la palabra *niño* podemos descomponer, en el nivel de su primera articulación, dos segmentos: *niñ-o*. *Niñ-* sería el portador del contenido léxico de la palabra: «persona que se halla en edad infantil», y *-o*, masculino, singular. Estos dos elementos constituyen la forma en que se organiza el contenido del signo, mientras que la imagen que esta forma produciría en nuestra mente sería el contenido propiamente dicho, lo que hemos llamado sustancia del contenido.

De este modo nos encontramos el plano del contenido organizado según el siguiente esquema (Fig. 1.4):

Llamamos SEMANTICA O CIENCIA DE LA SIGNIFICACION a la disciplina lingüística que se ocupa del estudio de la sustancia del contenido en su doble relación: por una parte, con el objeto del mundo al que se hace referencia; por otra, con el signo lingüístico que permite esa referencia. Las unidades que integran este nivel de la lengua se conocen con el nombre de proposiciones. La PROPOSICION es aquella parte del significado del enunciado de una oración que describe un determinado estado de cosas en el mundo. Las proposiciones son unidades abstractas que no tienen forma material, sino que, como pertenecientes a la sustancia del contenido, tienen su manifestación material en la forma del contenido.

En la forma del contenido nos encontramos con dos niveles del lenguaje y sus disciplinas correspondientes: la *morfología* y la *sintaxis*.

MORFOLOGIA es la disciplina lingüística que se ocupa del estudio de las formas del lenguaje, es decir, de la descripción de las reglas que rigen la estructura interna de las palabras y de las formas diversas que adoptan estas palabras, según las categorías de número, género, tiempo, persona y modo. Las unidades correspondientes a este nivel del lenguaje son los morfemas. El MORFEMA es la unidad mínima dotada de sentido en que se puede descomponer el signo lingüístico. Los morfemas se dividen en tres tipos:

— **Lexemas** o raíces. Son aquellos morfemas poseedores de sentido léxico. En el ejemplo anterior, *niñ-* es un lexema.
— **Morfemas derivativos.** Son aquellos que al unirse al lexema cambian la categoría gramatical de la palabra. Ejemplo: del verbo *limpiar*, por medio del morfema *-ble*, obtenemos el adjetivo deverbal *lavable*.
— **Morfemas flexivos.** Son aquellos que al unirse al lexema añaden un contenido gramatical. Por ejemplo, en el caso de la palabra «niño», *-o* es un morfema flexivo de género masculino y número singular.

PLANO DEL CONTENIDO		SUSTANCIA DEL CONTENIDO	SEMANTICA
	NIÑ- O	FORMA DEL CONTENIDO	MORFOLOGIA SINTAXIS

Figura 1.4

Los morfemas, por su posición, se clasifican tradicionalmente en sufijos, si se unen al lexema por el final; prefijos, si se unen al lexema por su parte anterior, e infijos, si se sitúan en el interior de la palabra.

Conocemos con el nombre de SINTAXIS la disciplina lingüística que se ocupa de la descripción de las reglas por medio de las cuales las unidades significativas se combinan en oraciones; es decir, estudia la mutua relación de los signos lingüísticos exclusivamente con medios de análisis formal. Tradicionalmente, la sintaxis se ha descrito como el estudio de las funciones por oposición a la morfología o estudio de las formas. Las unidades que se distinguen en sintaxis son las oraciones. Llamamos *oración* al enunciado o expresión de sentido completo; cuando decimos que la oración posee sentido completo, queremos señalar que no es susceptible de ser incluida en otra forma lingüística mayor por medio de construcciones gramaticales. Las oraciones son analizables por medio de los sintagmas que las componen.

Dentro del plano de la expresión del signo lingüístico nos encontramos, del mismo modo que en el del contenido, con dos niveles distintos: la *sustancia* y la forma de la *expresión*. La SUSTANCIA DE LA EXPRESION estaría constituida por la realidad sonora del signo lingüístico: los *sonidos*. La FORMA DE LA EXPRESION la ocupan los elementos que constituyen lo que denomina-

mos la segunda articulación del signo lingüístico. Correspondiéndose con la sustancia y la forma de la expresión se definen dos disciplinas lingüísticas (ambas pertenecen al nivel fónico del lenguaje).

La FONETICA es la disciplina lingüística que se ocupa del estudio de la parte propiamente material de los mensajes. Las unidades que encontramos en esta disciplina son los SONIDOS del lenguaje. Estos sonidos han venido dividiéndose tradicionalmente en *vocales* y *consonantes*. Son vocales o sonidos vocálicos aquellas unidades dotadas de sonido en sí mismas; consonantes son aquellas que sólo poseen sonido mediante el apoyo de una vocal. El fonetista estudia cómo los órganos fonadores del hombre producen los sonidos, distinguiendo cuáles son sonidos propios del lenguaje y cuáles no.

Llamamos FONOLOGÍA a la disciplina lingüística que se ocupa del estudio propiamente formal del plano de la expresión; es decir, la fonología estudia la función de los elementos fónicos de las lenguas. Por oposición a la fonética, la fonología estudia los sonidos desde el punto de vista de su funcionamiento en el lenguaje y de su utilización para formar signos lingüísticos. Las unidades que caracterizan dicha disciplina son los fonemas y sus alófonos. Decimos que es FONEMA cada segmento mínimo capaz de distinguir significados; dicho segmento mínimo, para que sea fonema, debe cambiar el sentido del término en el

PLANO DEL CONTENIDO		SUSTANCIA DEL CONTENIDO	SEMANTICA	EL SIGNO LINGÜISTICO
	NIÑ- O	FORMA DEL CONTENIDO	MORFOLOGIA SINTAXIS	
PLANO DE LA EXPRESION	/NIŅO/	FORMA DE LA EXPRESION	FONOLOGIA	
	SONIDOS	SUSTANCIA DE LA EXPRESION	FONETICA	

Figura 1.5

cual se inscriba. Por ejemplo, decimos que /t/ y /p/ son fonemas porque, formando parte de una misma correlación de sonidos lingüísticos y en idéntica posición, distinguen significados: tasa / pasa. El ALOFONO es el segmento mínimo del plano de la expresión que no distingue significados. Este es el caso de la *d* en posición intervocálica, que se realiza como /đ/ fricativa, alófono de la /d/ oclusiva característica de las posiciones implosivas. En la palabra *dedo*, la primera *d* corresponde, por inicio de enunciado, a la /d/ oclusiva; sin embargo, la *d* situada entre las vocales *e, o* corresponde a su alófono /đ/ fricativa y, por tanto, no distingue significados.

Las disciplinas lingüísticas, sus unidades, los niveles del lenguaje a los que cada una pertenece y su relación con los planos de la expresión y del contenido del signo lingüístico, quedan reflejados en la figura 1.5.

LENGUA Y DIALECTO

Tradicionalmente se ha venido considerando que la relación entre lengua y dialecto ha sido siempre de carácter genético; o sea, se llamaría dialecto a toda lengua que tuviera su origen en otra precedente. Así, el castellano sería un dialecto del latín, y el latín dialecto de la rama de lenguas indoeuropeas. Sin embargo, nuestra distin-

ción actual entre lengua y dialecto es debida a la influencia de la cultura griega, puesto que en griego se hizo esta distinción por la cantidad de variedades de lengua que se usaba en cada región para distinguirlas de las hablas regionales que, además, se usaban para determinados géneros literarios. Este uso del término dialecto es diametralmente opuesto al que de él hacemos en español.

Para los hispanohablantes, las diferencias entre lengua y dialecto son de dos tipos: una, que con el término lengua se designa una variedad lingüística de mayor tamaño, puesto que la lengua es más extensa que el dialecto (es decir, que una variedad llamada lengua contiene más elementos que una variedad llamada dialecto); la otra diferencia es una cuestión de prestigio, prestigio que posee la lengua y del cual carece el dialecto. Este prestigio es la resultante de una serie de fuerzas que, siendo muchas de ellas extralingüísticas, actúan sobre la preferencia de uno u otro término para denominar una variedad determinada.

LA REAL ACADEMIA ESPAÑOLA

La Real Academia Española fue creada el 3 de octubre de 1714 por el rey Felipe V,

13

Real Academia de la Lengua.

que concede a la nueva institución el privilegio de trabajar en común para cultivar y fijar las voces y vocablos de la lengua española en su mayor propiedad, elegancia y pureza. Lo que Felipe V concede a la RAE es la capacidad para normativizar la lengua española, hecho que se refleja en el lema de la Academia: «Limpia, fija y da esplendor». Con el mismo objeto se establecieron en todos los países hispanoamericanos academias de la lengua entre 1871, en Colombia, y 1931, en Argentina. Estas academias colaboran estrechamente con la española a fin de coordinar la normativización de un español común.

LAS LENGUAS HISPANICAS

Pocos restos dejaron los pueblos prerromanos que ocupaban antes de la romanización la península Ibérica; sólo la lengua euskera y algunos topónimos son testimonio lingüístico de su presencia. La romanización extendió el uso del latín en el territorio peninsular, pero fue la variedad lingüística conocida con el nombre de latín vulgar —la lengua que usaban comerciantes, soldados y colonos— la que sirvió como base de evolución a las distintas lenguas peninsulares, que fueron perfilando sus caracteres tras la extinción del reino visigodo. Producto de esta evolución fueron las lenguas romances procedentes del latín: el catalán, castellano y gallego.

El catalán

El catalán es la lengua romance resultante de la evolución del latín en la región nordeste de la Península. Algunos lingüistas consideran el catalán como lengua iberorrománica por su parecido con los romances hispanos; otros la consideran de la familia galorrománica. Durante siglos se supuso equivocadamente que el catalán constituía una variedad dialectal del provenzal, debido seguramente al uso que de esta lengua hicieron los trovadores catalanes. Sin embargo, la tendencia actual es considerar la lengua catalana como paso intermedio entre la familia galorrománica y la iberorrománica.

El dominio lingüístico del catalán comprende Cataluña, los valles de Andorra, el antiguo Rosellón (situado en los Pirineos Orientales franceses), una estrecha franja en el límite con Aragón, parte del antiguo reino de Valencia, las islas Baleares y la ciudad de Alguer (debido al anterior dominio catalano-aragonés sobre Cerdeña). Durante los siglos XIV y XV, la condición práctica de la ciudad de Barcelona como ciudad-estado extendió por territorio europeo la lengua catalana, estableciendo pequeñas comunidades gremiales en las que se hablaba el catalán, como aparece en *La lozana andaluza*, de Francisco Delicado, a propósito de la ciudad de Roma.

El gallego

El gallego es la evolución romance del latín en la región noroeste de la Península. Los lingüistas consideran al gallego como perteneciente a la misma rama evolutiva que el portugués; de hecho, al hablar de Edad Media, es necesario recurrir al término galaico-portugués para denominar la lengua literaria del momento. Lo cierto es que el territorio gallego-portugués se extendía hacia el sur, siguiendo caminos evolutivos diferentes.

El euskera

El origen del euskera sigue siendo hoy en día un enigma para los lingüistas. Se han manejado muy diversas hipótesis, y ninguna de ellas muy convincente. La primera fue la opinión de que se trataba de la lengua de toda o gran parte de la Hispania prerromana, hipótesis que se desechó con los hallazgos de restos de otras lenguas prerromanas. Se han señalado algunos parecidos con lenguas no indoeuropeas de la rama finougria e idiomas uralo-altaicos. Otros lingüistas han intentado compararlo con las lenguas camíticas, en especial con dialectos bereberes. Pero la hipótesis más convincente es la que establece su parentesco con las lenguas caucásicas, que se extienden desde el mar Negro al Caspio.

El euskera ha ejercido notable influencia sobre la fijación romance del castellano, de modo que existen algunos parecidos entre sus rasgos lingüísticos. Algunos de éstos son la distinción entre cinco vocales, sin distinción de grados: la pérdida de la /f/ en posición inicial y la oposición entre las grafías r, rr, /r/ y /r̄/ en términos fonéticos.

LAS VARIEDADES LINGÜISTICAS HISPANICAS

El mozárabe

Tras la invasión árabe del 711, existieron zonas de la Península que fueron sometidas y, por tanto, separadas en su evolución natural del habla románica que se mantuvo en el reino astur-leonés. La lengua de la cultura y de la administración era el árabe, con lo que al mozárabe le queda-

ron sólo los dominios del uso coloquial. Según avanzó la reconquista se fue absorbiendo el uso arcaico que del castellano romance hacía el mozárabe.

El leonés

Esta variedad lingüística encuentra su área de distribución en el antiguo reino de León. Asturias, Santander, León, Zamora, Salamanca, Cáceres y Badajoz presentan todavía restos. El rasgo distintivo en cuanto a las vocales se refiere del leonés es la diptongación de las breves latinas e, o (güeyo/ojo - vengo/viengo). En cuanto a las consonantes, rasgos destacables son: la conservación de f inicial, palatalización de l inicial y n inicial, y la evolución de los grupos latinos pl-, cl- y fl- en posición inicial a ĉ, con posterior evolución, según las zonas, a š. La diversidad de las variedades lingüísticas del leonés hace muy dificultosa su exacta descripción, puesto que dentro de su dominio se encontrarían variedades que poseen hoy en día igual prestigio, como el bable.

Portada de la gramática Castellana, de Nebrija.

Acueducto de Segovia, huella de la romanización de la península Ibérica.

El aragonés

Presenta un correlato con el occidente leonés; no obstante, los lingüistas establecen la cordillera como marca fronteriza. No existe acuerdo, sin embargo, respecto de la frontera con la lengua catalana.

Las vocales tónicas del aragonés guardan un estrecho parentesco con las leonesas, diptongando *e, o* breves, incluso ante yod. Se tiende a suprimir el hiato *(carriar/acarrear)*. La *f* inicial se conserva en altoaragonés, aunque se ha perdido en las diferentes áreas, numerosos topónimos la mantienen (Formigales, Figueruelas). El rasgo más destacado de las hablas aragonesas es la conservación de las consonantes oclusivas sordas intervocálicas *(lupu/lobo, capeza/cabeza)*. Es también rasgo característico la asimilación de grupos intervocálicos: *-mb-* a *-m-*, *-nd-* a *-n-* *(intramas/entrambas - demanar/demandar)*.

El andaluz

De todas las hablas peninsulares, el andaluz es la única de orígenes no primiti-vamente románicos. La pervivencia mozárabe en Andalucía y la reconquista conjunta de castellanos y leoneses explican la presencia de numerosos arcaísmos en el habla andaluza.

Entre los rasgos de propiedad común en los hablares andaluces, podemos destacar: El yeísmo, característico ya del dialecto mozárabe. La aspiración de la *h-, f-* iniciales y de la *-s* final de palabra o sílaba. El ceceo, o identificación de /θ/ y /s/ en/θ/. El seseo, o identificación de /θ/ y /s/ en /s/. La *á* tónica de los plurales adquiere máxima apertura y marcado timbre palatal, y en el mismo caso todas las vocales se comportan del mismo modo. Por contra, en hablas populares se cierra la vocal final de los singulares. La *-l* y *-r* en posición implosiva se truecan en *-r* y *-l (arma/alma - pielna/pierna)*.

El extremeño

Es un habla de profunda raigambre leonesa enclavada en Cáceres y Badajoz. Los fenómenos leoneses son más abundantes en Cáceres, mientras que en Badajoz abundan los andaluces.

Son características de las hablas extremeñas la epéntesis de -*j*- *(palicia/paliza)*, la conservación del grupo -*mb*-, la aspiración de *f*- inicial, generalización del sufijo -*ino* para los diminutivos, imperativo en -*ai* y los perfectos en -*òn (mirai/mira - trajon/trajeron)*.

El riojano

Se sitúa entre Navarra, Aragón y Castilla del Norte, en una comarca altamente castellanizada.

Su temprana castellanización, a partir del siglo IX, hace que comparta multitud de rasgos con dicha lengua. La pérdida de *f*- inicial fue temprana, también debido a su contacto territorial con el euskera. Las vocales átonas finales se cierran ya en la lengua de Gonzalo de Berceo. Se conserva la palatal inicial *(yuncir/uncir)* y el grupo -*mb*-. Existe una tendencia muy extremada a la pérdida de la -*d*- intervocálica y, aunque no tan extremada, a la de -*g*-.

El murciano

Sobre la evolución histórica de esta variedad de tránsito operan corrientes históricas castellanas y aragonesas, y modernamente el valenciano, por el este, y el andaluz, por el oeste, dejan sentir su peso sobre el habla cotidiana.

Encontramos influjo aragonés en la conservación de la consonante sorda intervocálica, conservación del grupo -*ns*- *(ansa/asa)* y en la conservación de los grupos latinos *pl*-, *cl*- *fl*- *(flamarada/llamarada)*.

Respecto de los rasgos que ponen el murciano en relación con las hablas meridionales, podemos citar: la gran apertura de la *e*- en el diptongo *ei (azaite/aceite)*, desaparición frecuente de consonantes *(caeza/cabeza)*, aspiración de -*s* final de grupo o sílaba, seseo.

El canario

Iniciada la conquista de las islas Canarias durante el reinado de Enrique III, se cree que la repoblación debió de ser dirigida desde Andalucía, de tal modo que el fondo patrimonial idiomático participa fundamentalmente de los rasgos de las hablas meridionales de la Península. A su vez, el hecho de haber sido la plataforma de los viajes a América y de las expediciones portuguesas alrededor de Africa explica el aire de heterogeneidad en su vocabulario.

Entre sus rasgos más notables, podemos destacar: la aspiración de *f*- inicial latina *(jablar/hablar)*; aspiración de la -*s* final de grupo o sílaba; seseo con *s* no castellana, que vinculan esta variedad con el seseo americano y el andaluz; yeísmo mediopalatal; el tratamiento de segunda persona de plural, vosotros, ha desaparecido del habla general por el uso de ustedes. El léxico registra la variedad de influjos que ha pesado sobre las islas, y aún quedan algunos guanchismos como *baifo* (cabrito), *gánigo* (cacharro de barro), *gofio*, etc.

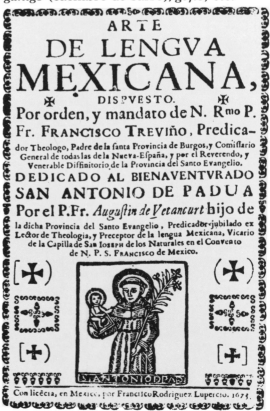

Los primeros vocabularios americanos son obra de misioneros.

EL ESPAÑOL DE AMERICA

El fundamento del español americano está, naturalmente, en el llevado al Nuevo Mundo por los conquistadores. Se trata del castellano preclásico, la lengua de fines del siglo XV. Esta es anterior al esfuerzo unificador de la norma lingüística en los Siglos de Oro y, a pesar de las sucesivas capas de español importado, el fondo patrimonial idiomático aparece vivamente coloreado por el arcaísmo y por la tendencia a la acentuación de los rasgos populares. Si consideramos, por añadidura, el origen de los primeros pobladores y conquistadores, de clases sociales de escaso nivel cultural generalmente, será más comprensible la explicación de esa tendencia americana hacia el léxico y los fenómenos fonéticos de aire popular.

Sin embargo, el español americano presenta una rara homogeneidad, dado la extensión territorial, y las mayores diferencias en el uso lingüístico son mayores desde la perspectiva diastrática que desde la diatópica. Entre los fenómenos que en mayor o menor medida vamos a encontrar en el área hispanoamericana, podemos destacar:

— Paso de *e* átona a *i*: *vistido/vestido - siguro/seguro*.
— Cambio de *e* en hiato a *i*, cambio que en muchos lugares alcanza el habla culta: *tiatro/teatro - pasiar/pasear*. Este cambio se produce en casi todos los verbos en *-ear*.
— Cambio opuesto al anterior, es decir, *i* protónica a *e*, por disimulación: *melitar/militar - cevil/civil*.
— Paso de *o* protónica a *u*: *cuete/cohete - gurrión/gorrión*.
— Paso de *u* protónica a *o*: *josticia/justicia*.
— Abertura total de la *e* en el diptongo *ei*, hasta sonar *ai*: *asaite/aceite*.
— El fenómeno opuesto al anterior: *ai* cierra la vocal *a* para dar *ei*: *beile/baile*.

— Reducción de los grupos cultos de consonantes: *currución/corrupción - ilesia/iglesia*.
— Vocalización del grupo *-ct-*: *aspeito/aspecto*.
— Caída de la *-d-* intervocálica: *piaso/pedazo*.
— Aparición de *-d-* intervocálica por ultracorrección: *vacido/vacío - bacalado/bacalao*.
— Diptongación excesiva: *priesa/prisa*.
— Falta de diptongación: *apreta/aprieta*.
— Cambios acentuales: *cáido/caído*.

El español de América cuenta con un número importante en el léxico de indigenismos, puesto que a la llegada de los colonizadores el conocimiento del Nuevo Mundo impuso el léxico de los indígenas para designar realidades que no existían en España. Lo cierto es que la diversidad idiomática de América era extensa, se documentaron más de 123 familias de idiomas; fueron pocas, sin embargo, las que han dejado restos en el español allí trasplantado: El arahuaco, que se hablaba en Las Antillas; el caribe, que se hablaba en Las Antillas del Sur, Venezuela y Guayanas; el náhuatl, la más extendida dentro del territorio mexicano; el quechua, hablado en el Perú y propagado por los incas a lo largo de los Andes, desde el Ecuador hasta el norte de Chile y noroeste argentino; el araucano o mapuche en el sur de Chile, y el guaraní, hablado en las cuencas del Paraguay y del Paraná y en el Brasil.

Una de las características lingüísticas más destacadas de todo el ámbito hispanohablante de América es el voseo, que consiste en el uso del tratamiento de segunda persona del plural, *vos*, para la segunda persona de singular, cuyo pronombre, *tú*, está olvidado, hasta el punto que en algunas zonas tutearse significa tratarse de vos en lugar de usted. Parece que este fenómeno debe su origen al uso del siglo XVII, que queda reflejado en nuestro teatro, aunque este uso aparece ya ridiculizado:

—Yo os haré
mercedes, andad con Dios.
—¿Os haré? ¿Andad? ¿Ya es vos
lo que tú hasta agora fue?
Pues vive Dios que hubo día,
aunque des en vosearme,
que de puro tutearme
me convertí en atutía.

TIRSO DE MOLINA.
Celos con celos se curan (acto II).

En general, el español de América muestra múltiples semejanzas con el canario, debido a la situación de las islas como puente entre la Península y el Nuevo Mundo.

El arahuaco

Como en el caso del resto de las lenguas indígenas precolombinas, su mayor aportación a la lengua española es en el terreno léxico. Teniendo en cuenta que su dominio lingüístico se situó en zona antillana, no es extraño que de origen arahuaco sea el primer término adoptado por la lengua española, puesto que fueron Las Antillas las que tuvieron el primer contacto con los conquistadores españoles. Este primer término es la palabra *canoa*, que ya se registra en el diccionario de Nebrija. Son también términos arahuacos: *tabaco*, que en arahuaco designaba el instrumento en que se fumaba, y por metonimia (continente por contenido) pasó a designar en español a la planta; *batata*, citada por primera vez en 1516; *caníbal*; *sábana* y *naguas* o *enaguas* (con el significado de prendas femeninas) son algunos de los muchos términos asimilados.

El náhuatl

Es de origen náhuatl el sufijo castellano *-eca*, que procede del sufijo *-ecatl* indígena. Así, términos como *azteca*, *yucateca* o *guatemalteca* deben su sufijo indicador de procedencia, o sea, son gentilicios gracias a la terminación *-ecatl*. El mismo origen

tiene el sufijo *-eco*, usado en México y en América Central para designar defectos físicos: *bireco* (bizco), *chapaneco* (achaparrado), etc.

Son voces náhuatl incorporadas al léxico hispano: *aguacate*, documentada ya en 1541; *tomate* (1532); *camote*, que es el término náhuatl para denominar a la batata. Y algunas voces tan extendidas internacionalmente como *hule* (tela impermeable); *chicle* (resina de un gomero), que pasó a designar la goma de mascar; *chile* (guindilla); *cuate* (mellizo, amigo), etc.

El quechua

Antes de la conquista, la palabra quechua designaba la provincia que actualmente se conoce con el nombre de Ampurímac. La generalización del término para pasar a designar la lengua que se erigía como la principal del imperio incaico fue posterior a la colonización, puesto que el quechua fue usado por los misionesros para la extensión entre los pueblos indígenas. El quechua fue declarada como una de las lenguas oficiales del Perú desde 1975, esto es prueba evidente de que el quechua es una de las lenguas precolombinas más vivas en la actualidad y de las que más influencia ha ejercido, en consecuencia, en la conservación de ciertos fenómenos fonéticos y morfosintácticos en el habla hispana de las zonas del antiguo dominio quechua.

Restos del tipo fonético lo constituyen la vacilación entre *e-i*, *o-u*, mientras la *a* se mantiene inalterable. Indios y bozalones —mestizos de habla muy influida por el quechua— dicen cotidianamente *dolsora* (dulzura), *albañel* (albañil), *Jisós* (Jesús); la explicación más convincente para explicar este fenómeno es el adstrato de la lengua indígena. El quechua sólo cuenta con tres vocales: *a, i, u*. Los sonidos *e, o* son simples variantes de *i, u*, y como tales se interpretan. La distribución en el estrato social es bien clara, el fenómeno se observa con claridad entre indios y bozalones, pero disminuye notablemente en su paso al estrato blanco. Asimismo, las clases económicamente más cercanas al estrato indio revelan un uso sistemático en sus actos de habla de este fenómeno.

Restos de tipo morfosintáctico son los constituidos por la posposición del posesivo quechua -*y* a voces españolas con valor afectivo: *viditay* (vidita mía), *agüelay* (abuela mía). También se documenta el uso del sufijo quechua -*la* para indicar cariño, *vidalitay*, pero estos antiguos morfemas no se sienten como tales hoy en día. Construcciones del tipo *mula corral* (el corral de la mula), *puente bajada* (bajada del puente), que se dan en zonas del Ecuador y norte de Argentina, deben buscar su origen en el sustrato lingüístico indígena.

Son vocablos de origen quechua *cóndor, puma, mate,* entre muchas otras, que, como en todas las lenguas indígenas, dan buena cuenta de la realidad americana y, por ello, su uso se extiende a diferentes lenguas. Pero existen voces que, cambiando su campo de significación, han pasado a designar otras realidades: *carpa* (tienda

III-Irl

◻ Nivelación o contusión

Nivelación o confusión de /l/ /r/.

■ Aspiración
◻ Perdido

Aspiración o pérdida de /s/ final de sílaba.
(Según A. Quilis y colaboradores).

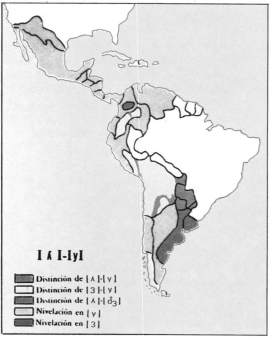

I ʎ I-[y]

■ Distinción de [ʎ]-[y]
◻ Distinción de [ȝ]-[y]
■ Distinción de [ʎ]-[ǰ₃]
◻ Nivelación en [y]
■ Nivelación en [ȝ]

Distinción y nivelación /ʎ/ - /y/.

de campaña, toldo) se usa hoy casi exclusivamente para designar la tienda que resguarda el recinto circense; *cancha* (terreno espacioso y libre), que usamos hoy para referirnos al terreno donde se desarrolla alguna actividad deportiva.

El guaraní

El guaraní es, junto al español, la lengua oficial del Estado de Paraguay; mientras el español es la lengua de la cultura, el guaraní constituye el idioma de uso cotidiano en la comunicación. La lengua guaraní se hablaba en una amplia zona comprendida entre las cuencas de los ríos Paraná y Paraguay, que confluyen en el Plata.

La lengua guaraní ha aportado al léxico castellano numerosos nombres de plantas y animales del Brasil y la Argentina: *tapir, tapioca, mandioca, ñandú, jaguar, ananá,* etc. Muchas de estas voces han pasado a través del portugués-brasileño. Otras deben su incorporación a los usos lingüísticos literarios de los siglos XIX y XX, como *catinga* (olor desagradable de algunos animales), usada por Juan Valera y Valle-Inclán. Gran parte de estas voces tienen su primera documentación española en época moderna, pero ya en el siglo XVI son conocidas en el habla portugués-brasileño.

El araucano o mapuche

El araucano o mapuche nos ha dejado, sobre todo, huellas léxicas: *gaucho* (habitante de las pampas) es la voz más generalizada; *poncho* (prenda de abrigo indígena) y *malón* (expedición dañosa, ataque repentino de los indios) son del mismo origen. *Poncho* aparece atestiguado por primera vez en Alonso de Santa Cruz, en 1530, y *malón* en Tribaldos de Toledo, en 1625-34. Otras voces son: *chope* (instrumento para cavar), *güinca, huinca* (forastero), *chucao* (ave nocturna), etc.

La mayoría de estos vocablos debe su conservación y documentación al auge que el tema gauchesco vivió durante el siglo XIX, de las cuales la obra con más fama sea quizá *El gaucho Martín Fierro,* de José Hernández.

Fonología y fonética

DISTINCION ENTRE FONOLOGIA Y FONETICA

Cuando el hombre habla emite sonidos. Una palabra presenta una parte material o física gracias a la cual podemos pronunciar y escuchar su significado. El lenguaje oral se caracteriza por su carácter eminentemente acústico, lo que le pone en relación con las ciencias que estudian los fenómenos físicos.

Hemos de tener en cuenta que los sonidos no son pronunciados de igual manera por todos los hablantes de una lengua, y que no todos los sonidos siempre se articulan del mismo modo. Por ejemplo, cuando escuchamos /tiza/ o /tisa/, entendemos sin dificultad que en ambos casos se hace referencia a un trozo de arcilla blanca que se utiliza para escribir en un encerado, pero advertimos que en un caso se ha pronunciado una /z/ y en el otro una /s/.

Otro ejemplo: cuando pronunciamos las palabras *mano* y *maletín*, en las dos percibimos la /a/ aparentemente con el mismo tipo de sonido, cuando en realidad cada una tiene una articulación diferente: oronasal en mano [ã] y oral en maletín [a].

Por último, en las palabras *masa, mesa, misa, musa* observamos que únicamente la variación de una vocal, *a, e, i, u,* conlleva un cambio de significado.

De casos como los que presentan los dos primeros ejemplos se ocuparía la *fonética*, ciencia experimental que estudia la realización articulatoria y acústica de los sonidos, operando con hechos materiales y concretos que se producen en el habla, mientras la *fonología* estudiaría cuestiones como las del tercer tipo, es decir, aquellos sonidos que presentan un valor diferenciador en cuanto al significado, estableciendo, por consiguiente, un modelo general y constante para todos los miembros de una misma sociedad lingüística.

Acerca de las unidades en que se centra cada una, la fonética estudia los *sonidos*, entendiendo como tales aquellos que contienen un significado lingüístico, y la fonología se encarga de estudiar los *fonemas* y las *unidades suprasegmentales:* el *acento* y la *entonación*.

EL FONEMA

Las unidades de una lengua se definen a través de las relaciones que las unen, y estas relaciones se establecen a través de dos operaciones: *segmentación* y *sustitución*.

Cualquiera que sea la extensión de un texto, es necesario segmentarlo sucesivamente hasta .encontrar los elementos mínimos indivisibles. Así, por ejemplo en *bata*, podemos segmentar sus unidades hasta llegar a *b-a-t-a*. Estos elementos no son ya susceptibles de una ulterior segmentación. Para identificarlos, los sometemos a la prueba de la sustitución: *bata - baja - bala - pata - gata - lata*, etc.

Con este proceso llegamos a identificar los *fonemas*, las unidades fonológicas mínimas segmentables y sustituibles. El fonema es una entidad abstracta que carece de realidad material: corresponde a la imagen mental de un sonido determinado. La realización concreta de un fonema en un acto de habla determinado es el sonido.

A partir de ahora, cuando queramos representar un fonema, si lo hacemos entre barras, por ejemplo /b/, nos estamos refiriendo a su representación fonológica, y si lo hacemos entre corchetes, por ejemplo [b], aludimos a una representación concreta, fonética.

RASGO PERTINENTE Y RASGO NO PERTINENTE

Un fonema está compuesto por una serie de rasgos. En el ejemplo *bata* distinguimos:

/b/: bilabial, oclusivo, sordo.
/a/: vocal, central, baja.
/t/: dental, oclusiva, sonora.
/a/: vocal, central, baja.

Estos rasgos no son segmentables, pero sí identificables y sustituibles. Así, si en *bata* sustituimos el rasgo oclusivo de /b/ por el rasgo fricativo /ƀ/, obtendremos una variación en el sonido, sin que la sufra el significado.

Pero si sustituimos el rasgo sonoro de /b/ por el rasgo sordo, en este caso, además de obtener una variación en el sonido, también la obtenemos en el significado: *pata*.

En el primer caso se trataría de un *rasgo no pertinente*, y en el segundo estaríamos ante un *rasgo pertinente*.

NEUTRALIZACION

Cuando en ciertas posiciones un rasgo pertinente pierde su capacidad diferenciadora, se dice que se ha *neutralizado*.

Por ejemplo, la distinción entre la vibrante múltiple /r̄/, escrita *rr*, y la vibrante simple /r/, ortográficamente *r*, en interior de palabra es capaz de alterar la significación, como en *cero-cerro, caro-carro*.

Sin embargo, ese mismo rasgo pertinente deja de funcionar como tal en posición final de palabra, como en el caso de los infinitivos, donde en un verbo como *cantar* podemos pronunciar la vibrante final como una *r* simple [cantar̄] o como una doble, *rr* [cantar], sin que varíe la significación de la palabra en absoluto.

Los casos en que el rasgo pertinente se ha neutralizado se realiza fonológicamente un *archifonema*, el conjunto de los rasgos pertinentes de dos fonemas neutralizados. Su transcripción se realiza por medio de una mayúscula: /R/ en /cantáR/.

ALOFONOS

Un fonema puede tener diferentes realizaciones de acuerdo con el contexto en que aparezca. Por ejemplo, en el caso del fonema alveolar nasal sonoro /n/ podemos ver que su realización varía a causa de los sonidos que le rodean, así:

— Ante vocal se articula como alveolar: [n]: *Ana*.
— Cuando le sigue una consonante dental, se dentaliza: [n̪]: *contigo*.
— Cuando antecede a una consonante bilabial, se asimila a esta articulación: [m]: *campo*.
— Si precede a una labiodental, también se labiodentaliza: [m̩]: *confortable*.

— Asimismo varía su articulación ante una interdental: [ņ]: *mención*.
— Precediendo a una palatal, se palataliza: [n>]: *cancha*.
— Por último, ante una velar, se acerca al punto de articulación de ésta: [ŋ]: *congrio*.

Como vemos, en cada caso /n/ cambia su lugar de articulación sin que por ello sufra modificación alguna su significado. Cada una de estas realizaciones es lo que denominamos *alófono*.

EL APARATO FONADOR

Con esta denominación hacemos referencia al conjunto de órganos que intervienen en la producción de los sonidos. Estos órganos podemos clasificarlos en tres grupos: las *cavidades infraglóticas* u

órganos de la respiración, la *laringe* u *órgano no fonador* propiamente dicho y las *cavidades supraglóticas* u *órganos de la articulación*.

CAVIDADES INFRAGLOTICAS U ORGANOS DE LA RESPIRACION

Están formadas por los pulmones, los bronquios y la tráquea (véase figura 2.1). Los movimientos de las cavidades infraglóticas son dos: *inspiración* y *espiración*. Es en este segundo movimiento en el que se produce el sonido, pues el aire contenido en los pulmones, pasando por los bronquios, va a parar a la tráquea, desde donde desemboca en la laringe.

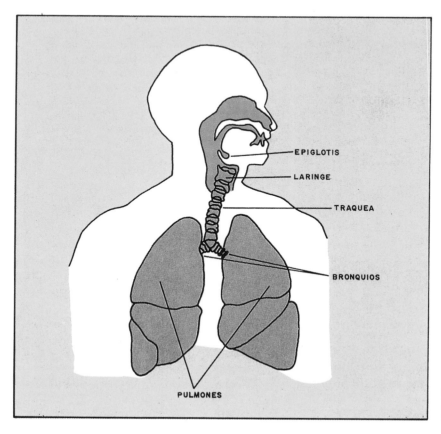

Figura 2.1
Organos de la respiración.

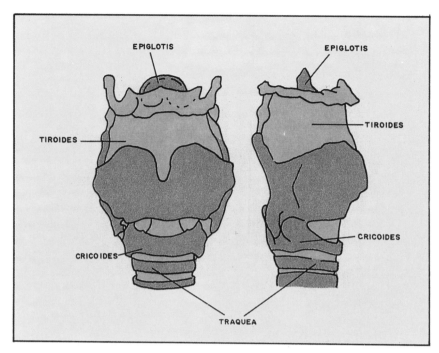

Figura 2.2
La laringe.

LA LARINGE

Está constituida por una serie de cartílagos que envuelven las llamadas *cuerdas vocales*, que son dos tendones unidos por su parte anterior al cartílago tiroides, más conocido como *nuez*, y por la parte posterior a los dos cartílagos aritenoides (véase figura 2.2).

El espacio que queda abierto entre las dos cuerdas vocales se denomina *glotis*.

Es en este punto donde se produce la primera diferenciación del sonido. Si las cuerdas vocales se muestran abiertas (véase figura 2.3) se produce un sonido *sordo*, como la *p*. Si por el contrario las cuerdas vocales se manifiestan cerradas (véase figura 2.4) tendremos la emisión de un sonido *sonoro*, por ejemplo *a*.

Dentro de los sonidos sonoros hemos de distinguir entre el sonido *vocálico* y el *consonántico sonoro*. En la formación del sonido vocálico las cuerdas vocales están más tensas y el grado de abertura de la glotis es mínimo, por lo que también lo es el gasto de aire.

En el sonido consonántico sonoro las cuerdas vocales están más tensas, siendo mayor el grado de abertura de la glotis, con lo que también será mayor el gasto de aire.

CAVIDADES SUPRAGLOTICAS U ORGANOS DE LA ARTICULACION

La corriente de aire que viene de la laringe pasa a la faringe, donde se va a producir la segunda diferenciación del sonido según la relación de la *úvula* o campanilla con la pared faríngea (véase figura 2.5). Si ambos órganos están separados, el aire sale por la nariz, produciéndose un sonido *nasal*, como [m] o [n]. Si la campanilla se adhiere a la pared faríngea, el aire saldrá entonces por la boca, siendo el sonido en este caso oral, como [p], [b] o [d]. Por último, si ambos conductos están simultáneamente abiertos, se producirá un sonido *vocálico nasal* u *oronasal*, como la [ã] de mano o la [ẽ] de menta.

Diferenciación de los sonidos por el punto de articulación

Cuando el sonido es oral, la salida de aire, como hemos visto, se efectúa por la boca. Aquí se producirá una nueva diferenciación del sonido atendiendo al punto en el que articulamos cada fonema. Así, cuando la pronunciación se realiza entre los labios, tendremos un sonido *bilabial*, caso de *b*, *p* y *m*. Si apoyamos el labio inferior en el borde de los dientes incisivos superiores, el sonido será *labiodental*, como la *f*. Cuando colocamos la punta de la lengua entre las dos columnas de dientes incisivos, superior o inferior, se producirá un sonido *interdental*, el fonema que representa a la *z*. En el caso de que la punta de la lengua se apoye en los dientes incisivos superiores, esta vez en su cara interior, se producirá un sonido *dental*, como la *t* y *d*. Si la punta de la lengua se apoya en los alveolos, el sonido realizado es *alveolar*, caso de la *s*, *l*, *r*, *n*. Para la producción de un sonido *palatal*, la lengua se apoya en el paladar, como en los sonidos que transcriben la *y*, *ch*, *ll*, *ñ*. Por último, si la lengua se coloca en el velo del paladar, el sonido será *velar*, como la *g*, *k* y *j* (véase figura 2.6).

Diferenciación de los sonidos por el modo de articulación

Una última diferenciación de los sonidos se basa en el modo de articulación, con lo que hacemos alusión a la administración del aire por los órganos articulatorios, pudiéndose dividir los sonidos articulados de la siguiente manera:

En cuanto a las vocales, se dividen en *altas*, *medias* y *bajas*.

Entre las consonantes podemos señalar cinco posibilidades:

Sonidos *oclusivos*, cuando el aire contenido en los órganos articulatorios «estalla», siendo imposible sujetar su pronunciación, como en el caso de la [p], [t], [k], [b], [d] y [g].

Sonidos *fricativos*, cuando la capacidad de salida del aire es menor que la de entrada, con lo que se produce un roce entre dos órganos articulatorios, que no llegan a juntarse. Es el caso de la [f], [θ], [s], [ĵ] y [x].

Sonidos *africados*, aquellos que inicialmente son oclusivos, pero que al exigir una prolongación del tiempo para sujetar la pronunciación se produce una pequeña abertura de los órganos de articulación por donde escapa el aire, convirtiéndose el sonido en fricativo, como por ejemplo la [ĉ].

Sonidos *nasales*, cuando el conducto bucal se cierra y el aire escapa por la nariz, caso de la [m], [n].

Sonidos *líquidos*, entre los que podemos distinguir dos tipos: *laterales*, en los que el aire sale por uno o por los dos lados del conducto bucal, como la [l], y *vibrantes*, que se articulan con una o varias vibraciones del ápice de la lengua. Es el caso de la [r] y la [r̄].

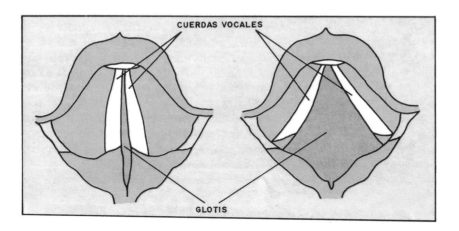

CUERDAS VOCALES

GLOTIS

Figura 2.3
Las cuerdas vocales en la emisión de un sonido sordo.

Figura 2.4
Las cuerdas vocales en la emisión de un sonido sonoro.

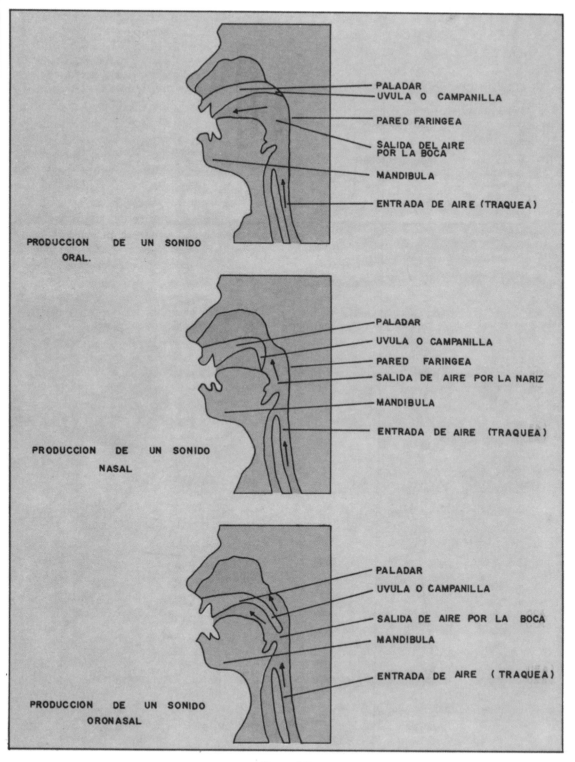

PRODUCCION DE UN SONIDO ORAL.

PALADAR
UVULA O CAMPANILLA
PARED FARINGEA
SALIDA DEL AIRE POR LA BOCA
MANDIBULA
ENTRADA DE AIRE (TRAQUEA)

PRODUCCION DE UN SONIDO NASAL

PALADAR
UVULA O CAMPANILLA
PARED FARINGEA
SALIDA DE AIRE POR LA NARIZ
MANDIBULA
ENTRADA DE AIRE (TRAQUEA)

PRODUCCION DE UN SONIDO ORONASAL

PALADAR
UVULA O CAMPANILLA
SALIDA DE AIRE POR LA BOCA
MANDIBULA
ENTRADA DE AIRE (TRAQUEA)

Figura 2.5

LOS FONEMAS VOCALICOS

/ i /

Ortográficamente se transcribe por las grafías *i* o *y*. Descripción fonológica: alto, anterior. Alófonos:

— [ĩ]: alto, anterior, nasal. Se produce cuando la /i/ es seguida por una consonante nasal implosiva o cuando se encuentra entre dos consonantes nasales: *mínimo* [mínĩmo], *infinito* [ĩɱfiníto].

— [i]: alto, anterior, oral. Se da en el resto de los contextos: *trigo* [trígo], *hijo* [íxo], *tú y yo* [tú i yó].

/ e /

Ortográficamente se transcribe por la grafía *e*. Descripción fonológica: medio, anterior. Alófonos:

— [ẽ]: medio, anterior, nasal. Se pro-

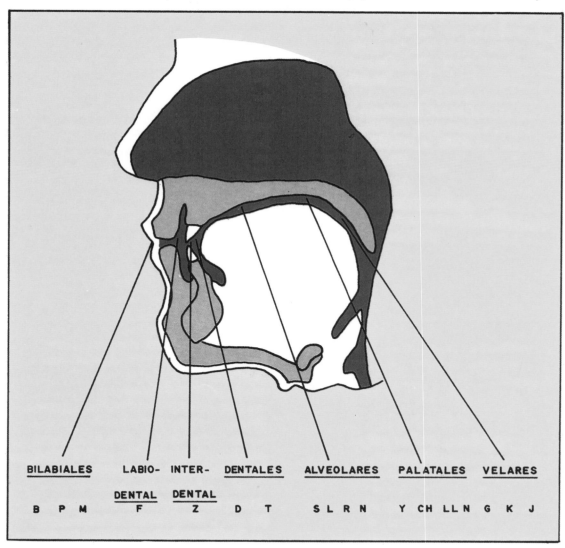

BILABIALES	LABIO-DENTAL	INTER-DENTAL	DENTALES	ALVEOLARES	PALATALES	VELARES
B P M	F	Z	D T	S L R N	Y CH LL N	G K J

Figura 2.6 *Punto de articulación de las consonantes.*

duce cuando la /e/ es seguida por una consonante nasal implosiva o cuando se encuentra entre dos consonantes nasales: *entrar* [/ẽṇtráR/], *en* [ẽn].

— [e]: medio, anterior, oral. En el resto de los casos: *ese* [ése], *peca* [péka].

/ a /

Ortográficamente se transcribe por la grafía *a*. Descripción fonológica: bajo, central. Alófonos:

— [ã]: bajo, central, nasal. Se origina cuando la /a/ antecede a una consonante nasal implosiva o se encuentra entre dos consonantes nasales: *ámbar* [/ãmbaR/], *mano* [mãno].

— [a]: bajo, central, oral. En el resto de los casos: *amor* [/amóR/], *pala* [pála].

/ o /

Ortográficamente se representa por la grafía *o*. Descripción fonológica: medio, posterior. Alófonos:

— [õ]: medio, posterior, nasal. Cuando la /o/ es seguida por una consonante nasal implosiva o cuando aparece entre dos consonantes nasales: *onda* [õṇda], *moneda* [mõnéda].

— [o]: medio, posterior, oral. En el resto de los casos: *oso* [óso], *poeta* [poéta].

/ u /

Ortográficamente aparece por la grafía *u*. Descripción fonológica: alto, posterior. Alófonos:

— [ũ]: alto, posterior, nasal. Aparece cuando la /u/ se encuentra ante una consonante nasal implosiva o entre dos consonantes nasales: *untar* [/ũntáR/], *nunca* [nũnka].

Cuadro 2.1
Triángulo articulatorio de los sonidos vocálicos.

	Anterior	Central	Posterior
Semiconsonante	j		w
Semivocal	i̯		u̯
Alta	i		u
Media	e		o
Baja		a	

— [u]: alto, posterior, oral. En el resto de casos: *unir* [/uníR/], *puro* [púro] (véase cuadro 2.1).

Semiconsonantes

Se denomina así a los fonemas vocálicos /i/, /u/, cuando en un diptongo o triptongo actúan como margen silábico, ocupando una posición primaria. Para indicarlo, y únicamente como convencionalidad fonética, se transcriben como [j], [w]: [djána], [djé θ mo], [pjóxo], [kwádro], [bwéno], [asídwo].

Semivocales

Se designa así, y también desde un punto de vista fonético exclusivamente, a los fonemas vocálicos /i/, /u/, cuando, como margen silábico de un diptongo o triptongo, aparecen en posición secundaria, representándose [i̯], [u̯] : [ái̯re], [léi̯], [ói̯], [áu̯to], [r̃eu̯nír̃], [bóu̯].

LOS FONEMAS CONSONANTICOS

/ b /

Ortográficamente se representa por

las grafías *b* o *v*. Descripción fonológica: bilabial, sonoro. Alófonos:

— [b]: bilabial, oclusivo, sonoro. Se produce cuando /b/ va en posición inicial de grupo fónico o precedido de consonante nasal: *barco* [bárko], *vino* [bíno], *cambio* [kámbio].

— [b̟]: bilabial, fricativo, sonoro. En los demás contextos: *caballo* [kaba̟-ḷo], *carbón* [karb̟ón], *el vino* [el b̟í-no].

— En posición implosiva, según la tensión que se cree en su articulación, puede realizarse como oclusivo, fricativo o incluso neutralizarse, dando por resultado el archifonema de /p/ y /b/, /B/: *absurdo* [absúrdo] [ab̟súrdo] /aBsúrdo/.

/d/

Ortográficamente se representa por *d*. Descripción fonológica: dental, sonoro. Alófonos:

— [d]: dental, oclusivo, sonoro. Se da cuando /d/ aparece en posición inicial de grupo fónico, y cuando está precedido de consonante nasal o de /l/: *diente* [djénte], *andar* [aŋdár], *caldero* [kaldéro].

— [đ]: dental, fricativo, sonoro. En todas las demás situaciones: *codo* [kóđo], *madre* [máđre].

— En posición implosiva puede presentar tres realizaciones dependiendo del modo de articulación, como oclusivo, fricativo o neutralización con la /t/ en el archifonema /D/: *adjunto* [adxúŋto], [ađxúŋto], /aDxúŋto/.

/g/

Ortográficamente escrito *g+a, o, u,* o *gu+e, i*. Descripción fonológica: velar, sonoro. Alófonos:

— [g]: velar, oclusivo, sonoro. Cuando es principio de grupo fónico o le antecede una consonante nasal: *guante* [gwáŋte], *guerra* [géřa], *vengar* [beŋgár].

— [ǥ]: velar, fricativo, sonoro. En el resto de contextos: *daga* [dáǥa], *reguero* [řeǥéro].

— En posición implosiva el fonema /g/ puede presentar las realizaciones oclusiva, fricativa o neutralizarse con el fonema /k/ en el archifonema /G/: *ignorar* [ignorár] [iǥnorár] /iGnoráR/.

/p/

Ortográficamente aparece por la grafía *p*. Descripción fonológica: bilabial, oclusivo, sordo.

— Unicamente presenta el alófono [p] en todos los contextos: *pipa* [pípa], *porra* [póřa].

— En posición implosiva puede conservar su realización sorda, también puede llegar a sonorizarse y convertirse en fricativo, o neutralizarse con el fonema /b/ en el archifonema /B/: *apto* [ápto] [áb̟to] /áBto/.

/t/

Ortográficamente escrito como *t*. Descripción fonológica: dental, oclusivo, sordo.

— Presenta el alófono [t] para todos los contextos: *tema* [téma], *pata* [páta].

— Cuando aparece en posición implosiva puede conservar su carácter sordo, realizarse como fricativo tras sonorizarse, o neutralizarse con el fonema /d/ en el archifonema /D/: *étnico* [étniko] [éđniko] /éDniko/.

/k/

Ortográficamente aparece por *c+a, o, u,* y por *qu+e, i* o por *k*. Descripción fonológica: velar, oclusivo, sordo.

— Tiene un único alófono, [k]: *cama* [káma], *queso* [késo], *copa* [kópa], *poco* [póko], *kilo* [kílo].

— En posición implosiva puede presentar tres variantes, conservar su realización sorda, sonorizarse y convertirse en fricativo, o neutralizarse con el fonema /g/ en el archifonema /G/: *actor* [aktór], [ãgtór] /aGtóR/.

/ f /

Ortográficamente se representa por la grafía *f*. Descripción fonológica: labiodental, fricativo, sordo.

— Presenta un solo alófono, [f]: *fruta* [frúta], *cofia* [kófja], *estufa* [eştúfa].

/ Θ /

Ortográficamente como *z+a, o, u*, o por *c+e, i*. Descripción fonológica: interdental, fricativo, sordo.

— Unicamente presenta un alófono para todos los contextos, [θ]: *tiza* [tíθa], *cazo* [káθo], *cena* [θéna], *cima* [θíma], *zumo* [θúmo].

— Se puede sonorizar cuando precede a un sonido sonoro, [θ]: *jazmín* [xaθmín].

/ x /

Ortográficamente aparece *j+a, e, i, o, u*, o *g+e, i*. Descripción fonológica: velar, fricativo, sordo.

— Presenta sólo el alófono, [x]: *caja* [káxa], *jefe* [xéfe], *jirafa* [xīráfa], *jota* [xóta], *jugo* [xúgo], *gema* [xéma], *giro* [xíro].

/ s /

Ortográficamente se representa por *s*. Descripción fonológica: alveolar, fricativo, sordo.

— Tiene sólo un alófono, [s]: *cosa* [kósa], *sapo* [sápo], *piso* [píso].

— Se puede sonorizar siempre que preceda a un sonido sonoro: *casba* [káşba].

/ y /

Ortográficamente como *y* o como *hi+vocal*. Descripción fonológica: palatal, fricativo, sonoro. Alófonos:

— [y]: palatal, fricativo, sonoro. Se da en todos los contextos salvo en los casos en que se señala [ŷ]: *Mayo* [máyo], *la hierba* [la yérba].

— [ŷ]: palatal, africado, sonoro. Se realiza de esta forma cuando aparece a principio de párrafo fónico, y cuando va precedida de consonante nasal o de [l]: *ya* [ŷa], *hielo* [ŷélo], *yeso* [ŷéso].

/ ĉ /

Ortográficamente se representa por la grafía *ch*. Descripción fonológica: palatal, africado, sordo.

— Presenta sólo un alófono para todos los contextos, [ĉ]: *coche* [kóĉe], *churro* [ĉúŕo], *chacha* [ĉáĉa].

/ m /

Ortográficamente escrito *m*. Descripción fonológica: bilabial, nasal, sonoro.

— Unicamente presenta el alófono [m] para todos los contextos: *cama* [káma], *mesa* [mésa], *moto* [móto].

/ n /

Ortográficamente se representa por la grafía *n*. Descripción fonológica: alveolar, nasal, sonoro. Alófonos:

— [n]: Cuando le sigue inmediatamente una vocal: *nata* [náta], *cana* [kána], *nene* [néne].

En posición implosiva presenta las siguientes realizaciones:

Cuadro 2.2
Los fonemas consonánticos.

	Bilabiales	Labio-dentales	Inter-dentales	Dentales	Alveolares	Palatales	Velares
Oclusivos Sonoros	b			d			g
Oclusivos sordos	p			t			k
Fricativos sonoros						y	
Fricativos sordos		j	θ		s		x
Africados sonoros							
Africados sordos						c	
Nasales	m				n	ɲ	
Laterales					l	ļ	
Vibrante simple					r		
Vibrante múltiple					r		

SIEMPRE SONOROS

— [ņ]: Cuando le sigue una [t] o [d]: *antes* [áņtes], *mundo* [múņdo].

— [m]: Cuando la nasal precede a una bilabial, es decir, [b], [p] o [m]: *bomba* [bõmba], *impar* [ĩmpár], *inmenso* [ĩmmẽnso].

— [m̞]: Cuando precede al sonido labiodental [f]: *ánfora* [ám̞fora].

— [ņ]: Cuando la nasal antecede al interdental [θ]: *encima* [ẽnθíma].

— [n,]: Cuando /n/ aparece ante el sonido palatal [ĉ]: *anchoa* [an,ĉóa].

— [ŋ]: Ante una consonante velar: *manga* [mäŋga], *anca* [áŋka].

/ ņ /

Ortográficamente aparece como *ñ*. Descripción fonológica: palatal, nasal, sonoro.

— Presenta tan sólo un alófono, [ɲ]: *niño* [ɲíɲo], *caña* [cáɲa], *ñoño* [ɲõ-ɲo].

/ l /

Ortográficamente se representa *l*. Descripción fonológica: alveolar, lateral, sonoro. Alófonos:

— [ļ]: dental, lateral, sonoro, cuando precede a una consonante dental: *alto* [áļto], *molde* [móļde].

— [ļ]: interdental, lateral sonoro. Se produce cuando /l/ va seguido de interdental [θ]: *úlcera* [úlθera].

— [l,]: palatalizado, lateral, sonoro. Esta realización, diferente de la palatal, se produce cuando /l/ aparece implosiva ante una palatal: *Elche* [él,ĉe].

— [l]: alveolar, lateral, sonoro. Aparece en los demás contextos: *bola* [bóla], *lema* [léma], *molino* [molíno].

/ ļ /

Ortográficamente aparece escrito *ll*. Descripción fonológica: palatal, lateral, sonoro.

— Presenta siempre la realización [ļ] en todos los contextos: *Lluvia [ļúbia], calle* [káļe].

/ r /

Ortográficamente se presenta como *r*. Descripción fonológica: apicoalveolar, vibrante simple, sonoro.

— Presenta un solo alófono que aparece en posición intervocálica [r]: *puro* [púro].
— En posición implosiva se neutraliza con la vibrante múltiple [r̄], dando por resultado el archifonema /R/: *puerta* /puéRta/, *leer* /leéR/.

/ r̄ /

Ortográficamente aparece como *rr* en posición intervocálica, o por *r* en posición inicial o interior precedida de *l, n o s*.

Descripción fonológica: apicoalveolar, vibrante múltiple, sonoro.

Presenta siempre la realización [r̄]: *perro* [pér̄o], *rosa* [r̄ósa], *alrededor* [alr̄ededór], *Israel* [isr̄aél], *enredo* [ẽnr̄édo].

Se puede neutralizar en el archifone-

Cuadro 2.3
Los alófonos de las consonantes.

	Bilabiales	Labio-dentales	Inter-dentales	Dentales	Alveolares	Palatales	Velares
Oclusivos Sonoros	b			d			g
Oclusivos sordos	p			t			k
Fricativos sonoros	ƀ			đ		y	ǥ
Fricativos sordos		j	θ		s		x
Africados sonoros						ŷ	
Africados sordos						ĉ	
Nasales	m	m̥	n̪	ņ	n	n, ɲ	ŋ
Laterales			ļ	ļ̦	l	l, ļ	
Vibrante simple					r		
Vibrante múltiple				r̄			

SIEMPRE SONOROS

33

ma /R/, según se señala en la descripción de *r* (véanse cuadros 2.2, 2.3 y 2.4a y 2.4b).

DIPTONGOS Y TRIPTONGOS

Cuando se articulan dos fonemas vocálicos dentro de una misma sílaba se constituye un *diptongo*. Uno de estos fonemas, /a/, /e/, /o/, se produce con una mayor tensión articulatoria, es más abierto, y se erige en *núcleo silábico*, mientras que al otro, /i/, /u/, más cerrado, se le denomina *margen silábico*. En el español se pueden articular dos tipos de diptongos:

— *Crecientes,* en los que el fonema que funciona como núcleo silábico aparece en una posición secundaria, presentándose las siguientes posibles combinaciones: *ia, ie, io, iu, ua, ue, ui, uo: feria, ciento, periódico, ciudad, cuadro, bueno, cuidar, antiguo.*

En los casos en que el diptongo está formado por fonemas de la misma abertura, caso de *iu, ui,* el

Cuadro 2.4a

Vocales. Cuadro-resumen de correspondencias: grafías, fonemas y alófonos.

Grafías	Fonemas	Alófonos	Ejemplos
a	/a/	[a] [ã]	sala mano
e	/e/	[e] [ẽ]	tema mente
i	/i/	[i] [ĩ] [j] [i̯]	cine mina viejo rey
o	/o/	[o] [õ]	coma mono
u	/u/	[u] [ũ] [w] [u̯]	lupa nunca nuevo autor

núcleo silábico será la vocal que lleve el acento, aunque algunos hablantes lo colocan indistintamente: [bjúđa] o [bíwđa].

Cuadro 2.4b

Consonantes. Cuadro-resumen de correspondencias: grafías, fonemas y alófonos.

Grafías	Fonemas	Alófonos	Ejemplos
b, v	/b/	[b] [b̶]	bote, vaso cabo, uva
d	/d/	[d] [đ]	ducha poda
g + a, o, u gu + e, i	/g/	[g] [g̶]	garra ciego
p	/p/	[p]	pino
t	/t/	[t]	torero
c + a, o, u qu + e, i k	/k/	[k]	Casa, quemar costa, curar, tequila kilómetro

Cuadro 2.4b *(Continuación).*

Grafías	Fonemas	Alófonos	Ejemplos
f	/f/	[f]	fiesta
c + e, i z + a, o, u	/θ/	[θ]	cine, cesta zarza, pozo zueco
j + a, e, i, o, u g + e, i	/x/	[x]	jarra, jeque perejil, jota juez, gemir página
s	/s/	[s]	suelo
y, hi + v	/y/	[y] [ŷ]	mayor, deshielo yoga, hiena
ch	/ĉ/	[ĉ]	chimenea
m	/m/	[m]	molino
n, m	/n/	[n] [n̦] [m] [m̥] [n̦] [ɲ] [ŋ]	nota andar, entre ímpetu enfado once ancho manguera
ñ	/n̦/	[n̦]	cariño
l	/l/	[l̦] [l̦] [l,] [l]	altar, falda calzado Elche celos
ll	/l̦/	[l̦]	llamada
r	/r/	[r]	cara
rr	/r/	[r̄]	rama, cerrar alrededor Israel, enredo

— *Decrecientes,* cuando el fonema que actúa como núcleo silábico está en una posición primaria, siendo sus combinaciones posibles: *ai, ei, oi, au, eu, ou: fraile, peine, boina, auxilio, deuda, bou.*

El *triptongo* se produce cuando son tres los fonemas vocálicos que se reúnen en una sílaba, actuando como núcleo silábico la más abierta, /a/, /e/, /o/, que estará situada en el centro, mientras que el margen silábico serán los fonemas vocálicos más cerrados, /i/, /u/, que antecederán o precederán al núcleo. Las combinaciones son: *iai, iei, uai, uei: liáis, agenciéis, averiguáis, buey* (véase cuadro 2.5).

SINALEFA E HIATO

A lo largo de un discurso los sonidos se presentan como un continuo, difuminándose sus límites hasta el punto de hacerse prácticamente imperceptibles. Cuando una palabra termina con un fonema vocálico y la que le sigue comienza también de esta forma, frecuentemente ambas se funden en una sola sílaba, ejemplo: *tropezóandando, escuchaaesehombre*.

A este fenómeno se le denomina *sinalefa*, y por este procedimiento se forman grupos similares a los diptongos y triptongos, aunque sus posibilidades combinatorias son mucho más amplias.

El *hiato* es un fenómeno contrario al diptongo. Se produce cuando dos fonemas vocálicos concurren en una palabra, perteneciendo cada uno a una sílaba diferente, y se constituyen ambos como núcleos silábicos. Puede ocurrir en los mismos casos en que se realiza un diptongo, es decir, cuando concurren un fonema vocálico abierto /a/, /e/, /o/ y uno cerrado /i/, /u/, como en los siguientes ejemplos: *día, bienio, río, continúa, actúe, dúo, huir, país, reír, oído, baúl, reúma*.

También se producirá hiato cuando concurran dos fonemas vocálicos abiertos: *ae, ao, ea, eo, oa, oe: paella, caos, real, leo, toalla, poeta*.

LA SILABA

En el uso de la lengua, los fonemas se agrupan formando una unidad inmediatamente superior, que llamamos *sílaba*. Acerca de su definición, los lingüistas no han llegado por el momento a un acuerdo absoluto, debido a la complejidad que encierra su identificación en cada lengua. No obstante, es reconocido por todos su carácter eminentemente fonético, por lo que se la considera una unidad de articulación que viene delimitada por dos depresiones sucesivas en la perceptibilidad, depresiones que no han de confundirse con una pausa. Si, por ejemplo, escuchamos la pa-

Cuadro 2.5
Diptongos y triptongos.

Diptongos crecientes	
ia	*materia*
ie	*serie*
io	*andamio*
iu	*ciudad*
ua	*cuaderno*
ue	*hueso*
uo	*superfluo*
ui	*Luis*

Diptongos decrecientes	
ai	*aire*
ei	*reina*
oi	*Moisés*
au	*náusea*
eu	*Deusto*
ou	*bou*

Triptongos	
iai	*premiáis*
iei	*acariciéis*
uai	*fraguáis*
uei	*atenuéis*

labra estratagema, instintivamente somos capaces de identificar en ella cinco sílabas: *es-tra-ta-ge-ma*, y las segmentaremos precisamente de esta y no de otra forma.

Los fonemas del español presentan dos comportamientos a la hora de funcionar dentro de una sílaba. Así, las vocales poseen la capacidad de constituir por sí solas una sílaba, característica que no presentan las consonantes, para las que es imposible funcionar de esta manera. Por ejemplo, una *a* puede funcionar en un determinado contexto como preposición (*voy a casa*), mientras que si encontramos en cualquier situación, pongamos por caso *m*, comprobamos que esta consonante no nos comunica ningún significado.

Como se puede deducir, para que se forme una sílaba en español es preciso la presencia de una vocal, que es denominada *cima*. La cima puede ser simple, cuando posee una sola vocal (por ejemplo, en *ca-ba-llo*, cada sílaba presenta una cima simple), o compuestas, cuando en la sílaba aparecen dos o tres vocales, caso de los diptongos o triptongos y también de los hiatos. En este segundo tipo se eregirá en *núcleo silábico* aquella vocal que presente una mayor intensidad articulatoria, siendo *satélite* o *marginal* la vocal o vocales que aparecen antecediendo o precediéndole. Por ejemplo, en el caso de *ley*, la *e* actúa como núcleo silábico, siendo la *y* una vocal marginal.

En cuanto al papel de las consonantes, cuando aparece una precediendo a la cima vocálica se la denomina *cabeza*, nombre que también recibe si es un grupo de consonantes. En *pra-de-ra*, *pr* sería la cabeza de la primera sílaba, *d* lo sería de la segunda y *r* de la tercera.

Si a la cima la sigue una consonante implosiva, es decir, una consonante que no se apoya en vocal al estar seguida de otra consonante, ésta recibe el nombre de *coda*. Por ejemplo, en *can-tar*, *n* y *r* funcionan como codas de sus respectivas sílabas.

Cada uno de estos términos se suelen abreviar cuando se utilizan, así se utiliza *Ca* para referirse a la cabeza, *Ci* para la cima y *Co* para la coda.

En español, siguiendo estas pautas, se pueden dar cuatro tipos de sílabas que responden a las fórmulas:

Ci:	como *a* en *ama*.
CaCi:	como *bi* en *billete*.
CiCo:	como *is* en *isla*.
CaCiCo:	como *por* en *portero*.

Dentro de una sílaba se suele denominar *tautosilábicos* a dos sonidos que aparecen contiguos. Por ejemplo, *t* y *r* son sonidos tautosilábicos en *tra-ba-jo*. A los sonidos contiguos que pertenecen a dos sílabas diferentes se les llama *heterosilábicos*, como el caso de *r* y *t* en *car-tel*.

Como nota importante, queremos señalar que en la escritura, cuando al final de una línea se ha de partir una palabra, es preciso mantener la unidad de las sílabas, por lo que la separación tiene que realizarse en un límite silábico. Por ejemplo, *construcción* sólo puede cortarse *cons-trucción* o *construc-ción*, pero nunca *con-strucción*, *constru-cción* o *construcc-ión*.

EL GRUPO FONICO

Así como la unión de varios fonemas da lugar a una sílaba, cuando éstas se enlazan entre sí forman lo que llamamos un *grupo fónico*, concepto que no hemos de confundir con el de palabra.

El grupo fónico viene delimitado por dos pausas tonales, y además constituye un enunciado completo por si sólo, propiedades que no siempre presenta una palabra, a no ser el caso de enunciados del tipo *levántate, fantástico*, en los que coinciden ambos.

Dentro del grupo fónico encontramos sílabas que presentan una mayor intensidad articulatoria que otras. Esto es debido a la *entonación*, la cual señala las variaciones tonales que se integran en el grupo fónico, y al *acento*, que marca la mayor intensidad de determinadas sílabas. Tanto la entonación como el acento son unidades que no permiten ser segmentadas, es por eso que se las denomina unidades suprasegmentales.

EL ACENTO

El *acento* es un rasgo prosódico que tiene por misión realzar la intensidad de una unidad fónica para diferenciarla de otras unidades del mismo nivel. Dependiendo del lugar en que se coloque, se pueden distinguir los siguientes tipos de palabras:

Palabras oxítonas o agudas. Aquellas en las que el acento o tilde recae sobre la última sílaba: *camión, delantal, seguir.*

Palabras paroxítonas o llanas. Cuando el acento de intensidad se sitúa en la penúltima sílaba: *caballo, cárcel, esmalte, éter.*

Palabras proparoxítonas o esdrújulas. El acento se coloca en la antepenúltima sílaba: *fósforo, género, líquido, lingüística.*

Palabras superproparoxítonas o sobresdrújulas. En estas palabras el acento recae sobre una sílaba anterior a la antepenúltima. Todas las palabras de este tipo en español son formas compuestas en las que entra a formar parte un pronombre clítico: *guárdasela, estúdiatelo.*

LA ENTONACION

Como hemos visto, el lenguaje oral se realiza mediante la emisión de sonidos articulados. Una oración, cuando es pronunciada, se estructura melódicamente de acuerdo a unas pautas que marca la *entonación*, la cual depende de las variaciones en la frecuencia de las vibraciones de las cuerdas vocales, de acuerdo con los matices que el hablante quiere incluir en su discurso.

Así, la entonación presenta un valor significativo, pues, según ésta, un mensaje puede adquirir diferentes sentidos dependiendo de la modalidad entonativa que escojamos: por ejemplo, *el enunciado me parece muy bien, puede tener un sentido totalmente irónico si quien lo pronuncia modula su voz con una tonalidad determinada.*

En este sentido, cobra una gran importancia la articulación de la parte final de la frase, generalmente a partir del último acento de intensidad, el *tonema*, donde reside la cumbre tonal y que depende de la dirección que adopte la línea melódica. De esta forma, el tonema puede presentar tres modulaciones distintas en el nivel fonológico: *ascendente, horizontal y descendente*, que se corresponderán en el nivel fonético con la *anticadencia* y *semianticadencia;* la *suspensión*, y con la *cadencia* y *semicadencia*, respectivamente.

En las oraciones enunciativas, por ejemplo, el tonema presenta el nivel más bajo de descenso, la cadencia:

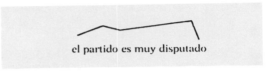

el partido es muy disputado

Cuando el tonema no sufre un descenso tan pronunciado como en la cadencia, hablamos de semicadencia. Se usa cuando pronunciamos enunciados no muy definidos, o cuando afirmamos algo sin mucha convicción:

no creo que pueda ir

Cuando una frase queda cortada o es incompleta, el tonema finaliza al mismo nivel que el resto de la línea tonal en que se encuentra, presentando una modulación en suspensión:

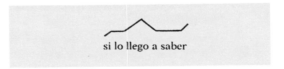

si lo llego a saber

En las frases interrogativas o exclamativas, el tonema sufre una brusca ascensión, una anticadencia:

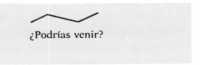

¿Podrías venir?

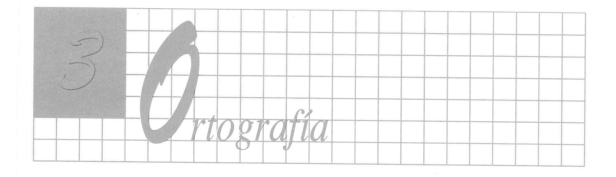

ORTOGRAFIA

El proceso de evolución de la lengua española provocó un considerable distanciamiento en la correspondencia entre los fonemas y las letras o grafías que empleamos para representar los sonidos en la lengua escrita. Casos como la pérdida de sonoridad de la *h*, la identificación de la *qu*, *c* y *k* con un mismo fonema, /k/, o la indistinción articulatoria entre *b* y *v*, entre otros, dieron lugar a una serie de variantes ortográficas que sumían al español escrito en un verdadero caos de formas diferentes para un mismo concepto.

Cuando en 1714 se funda la Real Academia Española de la Lengua (RAE), una de sus principales preocupaciones fue precisamente la de establecer una serie de reglas comunes a todos los hispanohablantes que fijaran unas pautas generales para la escritura.

Así, con la publicación de la primera

Toma de posesión como miembro de la Real Academia Española de la Lengua del general Díez Alegría.

39

Ortografía en 1741, la RAE pretendió unificar las grafías en lo posible de acuerdo con la realización fonética de cada sonido, basándose para ello en la pronunciación real de los hablantes y en el origen etimológico de cada una de las palabras, tomando como ejemplo los textos de autores literarios consagrados por la tradición.

Con el transcurso de los años, la Real Academia Española se ha erigido en el principal centinela para la conservación de la uniformidad de la lengua, y gracias a su labor, en estrecha colaboración con cada una de las academias de la Lengua de todos los países de habla hispana, la lengua española presenta un grado de cohesión y compenetración muy intenso en el terreno de la ortografía.

LAS VOCALES

1. La *a* transcribe en la escritura el fonema vocálico /a/ en todas las ocasiones, reciba o no el acento de intensidad, cualquiera que sea el lugar que ocupe en la palabra.

Ejemplos:
alma, pantano, manzana

2. La *e* es la representación ortográfica del fonema /e/ en cualquier contexto, pudiendo ser tónica o átona, y estar situada en cualquier posición dentro de la palabra.

Ejemplos:
sendero, teléfono, veinte

3. La *o* aparece en la escritura transcribiendo al fonema /o/. Al igual que las anteriores, tanto si recibe el acento de intensidad como si no, independientemente del lugar que ocupa en la palabra.

Ejemplos:
oso, montero, colofón

4. La *i* e *y* transcriben ortográficamente al fonema vocálico /i/, y se emplean cuando /i/ forma parte de los diptongos /ai/, /ei/, /oi/ en palabras monosílabas o agudas que reciban acento de intensidad.

Ejemplos:
hay, ley, soy

También la conjunción copulativa se escribe con *y*: María y Pedro.

i se emplea en la transcripción del diptongo /ui/ en final de palabra: *fui*, salvo en casos muy determinados donde se hace con *y*: *muy, ¡uy!*, o ciertos topónimos : *Tuy* (Pontevedra). En el resto de los casos se emplea *i*:

Ejemplos:
isla, jardín, mínimo

5. La *u* transcribe el fonema /u/ en cualquier posición de la palabra, tanto en sílaba acentuada como átona:

Ejemplos:
cura, ambigú, espuma

Cuando la *u* se encuentra tras la grafía *g* y precediendo a las vocales *e*, *i* en la misma sílaba, se marca con diéresis, *güe, güi*, con lo que se quiere señalar una diferenciación frente a las grafías *gue, gui*. Con la diéresis la *ü* se articula fonéticamente, por lo que su transcripción sería /gu/, mientras que sin ella se pierde realización fonética, representándose /g/.

Ejemplos:
guerra, guiñapo, manguera, monaguillo, vergüenza, argüir

Contracción de vocales

Podemos encontrar en español un considerable número de palabras que presentan en su estructura interna vocales que, pertenecientes a sílabas contiguas, están en contacto, dando lugar a un fenómeno de contracción y simplificación de vocales.

En los casos en que ninguna de las dos vocales posea acento, únicamente en el habla, cuando no se realiza una pronunciación cuidada, y no en la ortografía, ambas se unen en una sola.

Ejemplos:

zoológico/θológiko/
zahareño/θaréɲo/
vehemente/beménte/

En aquellos casos en los que el acento recae sobre la segunda vocal, la contracción y posterior simplificación se produce con gran frecuencia.

Ejemplos:

azahar/aθár/
alcohol/alkól/
rehén/rén/

Si es la primera vocal la que recibe el acento, las vacilaciones entre la forma plena y la contracta son constantes.

Ejemplos:

protozoo/protoθó/, pero también /proto θóo/*lee*/lé/, pero también/lée/

Este fenómeno también se produce en el proceso de composición de palabras, reflejándose en este caso incluso en la escritura cuando el primer componente termina con una vocal, comenzando asimismo el segundo por vocal. Ambas suelen reducirse a una sola.

Ejemplos:

vigésimo + octavo: vigesimoctavo
sobre + entender: sobrentender
re + embolsar: rembolsar
contra + almirante: contralmirante
contra + ataque: contrataque

Aunque la RAE acepta estas formas contractas, se inclina en la mayoría de los casos por las formas plenas.

Ejemplos:

sobreentender
reembolsar
contraalmirante
contraataque

Cuando las vocales en contacto no son iguales, su mantenimiento suele ser general.

Ejemplos:

contra + espionaje: contraespionaje
dermato + esqueleto: dermatoesqueleto
re + alojar: realojar

No obstante, también en estos casos podemos encontrar ejemplos en las que se simplifican.

Ejemplos:

arterio + esclerosis: arteriosclerosis
checo + eslovaco: checoslovaco
yugo + eslavo: yugoslavo

LAS CONSONANTES

La *b* y *v*

La *b* y *v* transcriben el fonema /b/. Para diferenciar el uso de ambas grafías, la RAE estableció un criterio etimológico. De esta forma, las palabras que en latín se escribían con *b* o con *v* se han intentado respetar en su paso al español, aunque no ha ocurrido de esta manera en todas las ocasiones.

Así, se escriben con *b*:

— Los prefijos latinos que representan *b*.

    — *ab*. Ejemplos: *absorber, absolución.*
    — *ob*. Ejemplos: *observar, objetivo.*

— *sub.* Ejemplos: *subterráneo, subteniente, subsuelo.*
— *bi, bis, biz.* Ejemplos: *bicéfalo, bisílabo, bizcocho.*
— *bene, bien.* Ejemplos: *benevolencia, bienvenida.*
— *bio.* Ejemplos: *biotecnología, biólogo.*

— Los grupos consonánticos en los que *b* es seguida de *l* o *r*.

Ejemplos:
embrión, blanco, broma, biblio teca

— Las formas del pretérito imperfecto de indicativo de los verbos de la primera conjugación.

Ejemplos:
cantaba, cantabas, cantábamos, cantábais, cantaban

— Los verbos cuyo infinitivo acaba en *-bir* (salvo *hervir, servir* y *vivir*).

Ejemplos:
concebir, percibir, sucumbir

— Verbos que terminan en *-buir.*

Ejemplos:
distribuir, contribuir

— El pretérito imperfecto de indicativo del verbo *ir.*

Ejemplos:
iba, ibsa, íbamos, íbais, iban

— Palabras con *b* etimológica latina y sus compuestos y derivados.

Ejemplos:
bálsamo < balsamun; balsámico, embalsamar

beber < bibere; bebida, bebedizo, bebedor
fábula < fabula; fabuloso, fabulador

Sin embargo encontramos:

marabilia > maravilloso, maravilla
mobilis > móvil, movilidad, movimiento

— Palabras que en su etimología latina presentan una *p,* pero que en su evolución han tomado una *b.*

Ejemplos:
cabeza < caput
sabere < sapere
lobo < lupum
abeja < apicula

— Préstamos de otras lenguas que poseen *b.*

Ejemplos:
club (del inglés)
adobar (del francés)

Se escriben con *v:*

— El fonema /b/ cuando aparece precedido por los prefijos *ob-, sub-, ad-.*

Ejemplos:
obviar, subvención, adverbio

— El prefijo latino *vice-.*

Ejemplos:
vicepresidente, vicecónsul, viceversa

— Los topónimos que comienzan por *Villa, Villal* o *Villar.*

Ejemplos:
Villamajor, Villalpando, Villárdiga

— Los sufijos que se transcriben con *v:*

— *viro-a:* triunviro
— *voro-a:* carnívoro
— *avo-a:* octavo
— *evo-a:* longevo
— *ivo-a:* permisivo
— *valente:* polivalente

— Palabras terminadas en *ave, eve.*

Ejemplos:

nave, nieve

— Las raíces o lexemas verbales *servar* y *versar.*

Ejemplos:

*conservar, observar, preservar
conversar, tergiversar, malversar*

— Las formas de los presentes de indicativo y subjuntivo del verbo *ir,* así como el imperativo.

Ejemplos:

*voy, vas, va, vamos, vais, van
vaya, vayas, vayamos, vayáis...
ve tú*

— Las formas de los verbos *andar, tener* y *estar* del pretérito perfecto simple de indicativo y el pretérito imperfecto y futuro del modo subjuntivo.

Ejemplos:

*anduve, anduviste, anduvo, anduvisteis, anduvimos...
tuve, tuviste, tuvo, tuvimos, tuvisteis, tuvieron...
estuve, estuviste, estuvo, estuvimos, estuvisteis...
anduviera o anduviese, anduvieras...
tuviera o tuviese, tuvieras o tuvieses...*

*estuviera o estuviese, estuvieras o estuvieses...
anduviere, anduvieres, anduviéramos...
tuviere, tuvieres, tuviéremos, tuviereis...
estuviere, estuvieres, estuviéramos, estuviereis...*

— Palabras que en su etimología latina presentan *v,* por lo que también lo hacen sus compuestos y derivados.

Ejemplos:

vestir < vestio; vestido, vestimenta
huevo < ovum; óvalo, oval
nuevo < novus; novedad, novedoso, renovar

Sin embargo, también tenemos casos en que tomaron *b.*

Ejemplos:

*avus > abuelo
vulturem > buitre
vota > boda*

— Préstamos de otras lenguas que presentan *v.*

Ejemplos:

vals (del francés)
vagón (del inglés)

Queremos señalar que la distinción entre *b* y *v* es meramente ortográfica, no habiendo en la actualidad ninguna diferencia articulatoria entre ambas, por lo que la pronunciación labiodental de la *v* (muy cercana a la *f*) es incorrecta.

Esta coincidencia articulatoria de *b* y *v* en numerosas ocasiones da lugar al fenómeno de la homofonía, consistente en que dos palabras con una misma estructura fonética poseen diferentes significados.

Ejemplos:

sabia (persona de gran sabiduría)
savia (jugo que nutre las plantas)
bienes (hacienda o caudal propio)
vienes (del verbo *venir*)
tubo (cilindro hueco)
tuvo (verbo *tener*)

La *w*

La *w* es una grafía de procedencia germánica que ha sido incorporada a nuestro alfabeto, utilizándose generalmente para transcribir adquisiciones léxicas de otras lenguas. Puede presentar una articulación cercana al fonema /b/ o también pronunciarse como la semiconsonante [w].

Se articula como /b/:

— En antropónimos y topónimos germanos y góticos.

Ejemplos:

Weber, Wagner, Weimar, Waterloo, Wamba, Wenceslao.

— En sustantivos comunes su transcripción puede alternar con la *v*.

Ejemplos:

watio/vatio
wals/vals
wolframio/volframio

Se pronuncia como [w]:

— En nombres de persona y de lugar del inglés.

Ejemplos:

Watson, Williams, Washington

— En préstamos léxicos de origen anglosajón.

Ejemplos:

waterpolo, western, whisky

Distinción de las grafías *c* y *z*

Las grafías *c* y *z* se utilizan para representar ortográficamente el fonema /θ/.

Se emplea *z*

— Cuando va seguida de las vocales *a, o, u,* con las que forma sílaba o comienzo de sílaba, tanto en la posición inicial de la palabra como en su interior.

Ejemplos:

Zamora, zócalo, zumbar, azumbre

— Cuando es final de sílaba o de palabra, cualquiera que sea la vocal que la precede.

Ejemplos:

haz, pellizco, albornoz, tragaluz

— En los sufijos sustantivadores de adjetivos abstractos.

Ejemplos:

pobre > pobreza
bisoño > bisoñez
bello > belleza
viejo > vejez

— En los sufijos patronímicos *-az, -ez, -iz, -oz.*

Ejemplos:

Alcaraz, López, Muñiz, Muñoz

— Los sustantivos que terminan en *-anza.*

Ejemplos:

esperanza, bonanza, tardanza

Se escribe *c*

— Cuando al fonema /θ/ le siguen las

vocales *e, i,* en inicio de palabra o en posición interior.

Ejemplos:

cencerro, cocina, once, cintura

Algunos vocablos procedentes del árabe o que presentan una raíz griega no se ciñen completamente a esta regla, siendo posible la alternancia *c/z.*

Ejemplos:

zéjel, azimut o *acimut, zinc* o *cinc, eczema* o *eccema, zénit* o *cénit*

Ocurre también en algunas palabras de origen popular u onomatopéyico.

Ejemplos:

zipizape, zigzag, zis zas

— En la formación de plurales de palabras acabadas en *z* se emplea la *c.*

Ejemplos:

luz, luces; paz, paces; codorniz, codornices; pez, peces; precoz, precoces

— En la realización de derivados de palabras que terminan en *z.*

Ejemplos:

feliz, felicidad; sagaz, sagacidad; cruz, crucifixión; tapiz, tapicero

— En los sufijos sustantivadores:

-ancia: constancia
-encia: transparencia
-ancio: cansancio
-icio-a: novicia
-icie: calvicie

— En las terminaciones verbales *-cer* y *-cir.*

Ejemplos:

crecer, estremecer, adormecer aducir, producir, decir

— Un caso especial es el de las palabras que presentan la grafía *cc* en su terminación. Ocurre en palabras en las que aparece el grupo fónico [θt] en posición interior. En el proceso de formación del español, estas palabras, procedentes del latín, sufren una variación en su estructura fonética, donde la articulación oclusiva de la /t/ al encontrarse en contacto con la /θ/ (ambos fonemas se producen en puntos muy próximos) se asimila a su valor fricativo, dando por resultado el grupo [θθ].

Ejemplos:

correctionem	corrección
jurusdictionem	jurisdicción
defectionem	defección

Este mismo proceso, por analogía, se desarrolla en la formación de derivados de palabras que presentan el grupo *-ct* en su interior.

Ejemplos:

actor	acción
lector	lección
redactor	redacción

c, qu, k, tres grafías para un mismo fonema

La *c,* la *qu* y la *k* representan en la ortografía al fonema /k/, según la siguiente distribución:

Se emplea *c*

— Cuando seguida por las vocales *a, o, u,* forma una sílaba, tanto en el interior de palabra como en posición inicial.

Ejemplos:

cántaro, cortina, cuña, mercado, cómico, encuesta

— Cuando el fonema /k/ se encuentra en posición implosiva.

Ejemplos:

acné, rector, octavilla, conductor

— Cuando la *c* precede a una *l* o *r* siendo seguidas por una vocal, situación en que las tres forman una sílaba que puede aparecer en posición inicial o en el interior de palabra.

Ejemplos:

esclavo, chicle, clima, cloaca, recluta, cráter, crema, crisis, pulcro, cruzada

Se emplea *qu*

— Cuando antecede a las vocales *e, i,* con las que constituye una sílaba, pudiendo aparecer en la posición inicial o en el interior de la palabra.

Ejemplos:

quemar, quiniela, banqueta, barquillo

Se emplea *k*

— Su aparición es poco frecuente y en general se circunscribe palabras de origen griego o a adquisiciones léxicas de otras lenguas. Seguida de vocal forma sílaba, y puede aparecer tanto en posición inicial como interior.

Ejemplos:

káiser, kilo, euskera, bazoka

La RAE aconseja el empleo de la *qu* o de la *c* en estos casos, aunque también reconoce como válida su utilización.

Ejemplos:

kimono	quimono
bikini	biquini
kermes	quermes

El empleo de *g* y *j*

Las grafías *g* y *j* se utilizan para representar ortográficamente el fonema /x/. El empleo de una u otra obedece en una gran parte de los casos a razones impuestas por la evolución fonética del español, proceso que tiene su origen en la forma etimológica latina de cada palabra, aunque la intervención de factores de muy diversa naturaleza hará que los resultados no sean siempre totalmente regulares.

Se usa *g*

— En las palabras que se escribían con *g-e, i,* en el latín, y nos han llegado por vía culta.

Ejemplos:

gesto, gemelo, dígito, frágil, género

— Cuando *g-e, i* es precedido por *n, l* o *r*, principalmente en palabras de procedencia latina.

Ejemplos:

ángel, álgebra, Argel, angina, álgido

Sin embargo hay palabras procedentes de otras lenguas en las que podemos encontrar *j*.

Ejemplos:

canjear, tarjeta, aljibe

— En palabras procedentes del griego que se escribían con g, de origen culto.

Ejemplos:

geometría, gimnasia, higiene

— Cuando el fonema /x/ aparece implisivo y es seguido por una consonante nasal.

Ejemplos:

ignorancia, segmento, magma, fragmento, diagnosis

— En los verbos cuyo infinitivo termina en *-ger, -gir* e *-igerar*. En su conjugación, cuando le siguen las vocales *a, o, u,* se emplea *j* (como excepción, *tejer* y *crujir*).

Ejemplos:

encoger, afligir, aligerar

— Las palabras que incluyen el lexema *-gente*.

Ejemplos:

convergente, contingente, vigente

— Las palabras que presentan los sufijos:

— *gio, gia*. Ejemplos: *colegio, magia* (excepciones: *bujía, lejía, herejía, apoplejía*).
— *genario*. Ejemplos: *octogenario, sexagenario*.
— *géneo*. Ejemplos: *heterogéneo, homogéneo*.
— *génico*. Ejemplo: *fotogénico*.
— *genio*. Ejemplos: *ingenio, primigenio*.
— *génito*. Ejemplos: *primogénito, unigénito*.
— *gesimal*. Ejemplos: *cegesimal, octogesimal*.
— *gésimo*. Ejemplos: *trigésimo, sexagésimo*.

— *gético*. Ejemplos: *energético, apologético*.
— *ginal*. Ejemplos: *original, marginal*.

También se usa *g* en la transcripción ortográfica del fonema /g/, escribiéndose *gu* ante las vocales *e, i,* y *g* cuando le siguen las vocales *a, o, u*. Puede ser principio de palabra o aparecer en posición interior.

Ejemplos:

guerra, manguera, guía, gato, monaguillo, manga, gota, mago, agua, guante

Cuando la *u* tiene realización vocálica y está seguida por *e, i,* se transcribe con diéresis (¨).

Ejemplos:

cigüeña, pingüino, lingüística

— Ante *l* o *r,* formando sílaba con una vocal; puede aparecer ya en posición inicial o en interior de palabra.

Ejemplos:

globo, siglo, engrudo, gramo, grillo, mugre

Se usa *j*

— Siempre ante las vocales *a, o, u,* con las que forma sílaba, tanto en posición inicial como en interior de palabra.

Ejemplos:

jaula, jota, juego, reja, rojo, ajuste

— Como final de palabra en muy determinadas palabras.

Ejemplos:

boj, reloj, carcaj

— Como resultado del grupo latino /li/

47

cuando le sigue un fonema vocálico.

Ejemplos:

mulier > mujer
alienus > ajeno
filius > hijo

— En palabras que presentan el sufijo *-aje*.

Ejemplos:

salvaje, homenaje, herraje, coraje

— Cuando a los prefijos *ad-, ob-, sub-*, les sigue el sonido /x/.

Ejemplos:

adjunto, objeción, subjuntivo

— Transcribimos también *je, ji* en palabras de origen árabe que presentan este sonido.

Ejemplos:

aljibe, berenjena, alfanje, jeque

— En palabras procedentes del latín que se escribían con *x* en la Edad Media.

Ejemplos:

exe > eje
maxilium > mejilla
proximus > prójimo

— En el pretérito perfecto fuerte de los verbos que presentan este sonido.

Ejemplos:

dije, dijiste, dijo, dijimos, dijisteis, dijeron
traduje, tradujiste, tradujo...

— En palabras procedentes de lenguas autóctonas americanas.

Ejemplos:

jícara (de nahua)
jíbaro (del taíno)

— En derivados de palabras terminadas en *ja, jo*.

Ejemplos:

ojo: ojeras, ojito
viejo: vejestorio
bruja: brujería
oveja: ovejero

— En los sufijos *-jero, jería*, cuando indican profesión u ocupación.

Ejemplos:

cerrar, cerrajero, cerrajería

— En los tiempos verbales cuyo infinitivo no presenta ni *g* ni *j*.

Ejemplos:

distraer, distraje, distrajiste, distrajo
decir, dije, dijiste, dijo, dijimos...

En gran parte del español de América se mantiene en la actualidad la grafía *x* para la representación ortográfica del fonema /x/. Así, palabras como México, Texas, se han de pronunciar Méjico, Tejas. Es un uso hondamente arraigado por la costumbre y que merece el mayor respeto por parte de todos los hispanohablantes. Por ello, la RAE reconoce y toma en cuenta su utilización en estos casos.

La *x*

La grafía *x* representa en la escritura al grupo fónico /ks/. Como tal se ha de pronunciar siempre, pudiendo aparecer en los casos siguientes:

— En posición intervocálica, el primer fonema del grupo, /k/, forma parte de la sílaba primaria, mientras el segundo, /s/, forma otra sílaba con la vocal que le sigue.

Ejemplos:

éxito /ek si to/
examen /ek sá men/
taxi /ták si/

— Cuando a la *x* le sigue una consonante, es decir, ocupa una posición implosiva, el grupo fónico /ks/ forma la sílaba junto a la vocal que le precede.

Ejemplos:

exceso /eks θé so/
exponer /eks po ner/

— Igual ocurre cuando la *x* se encuentra en posición final de palabra.

Ejemplos:

ónix /ó niks/
fénix /fé niks/

— Al principio de palabra, ante *h* seguida de vocal o ante vocal, siempre se escribe *ex*.

Ejemplos:

exhausto, exhortar, exhumación

— ante *a* (salvo *esa*): *exagerar, exánime, examen*
— ante *e* (excepto *ese* y *esencia*): *exégesis, exención*
— ante *i*: *existir, exilio, exigente*
— ante *o* (excepto *esófaga, esotérico, esópico*): *éxodo, exorcismo, exordio*
— ante *u*: *exuberancia, exultar, exudar*

— Se escribe con *x* el prefijo *ex-*, procedente de la preposición latina, que posee diferentes connotaciones según el contexto en que sea empleado:

Lugar o persona de donde o de quien se obtiene o saca algo.

Ejemplos:

extraer, expropiar, expatriar

Antepuesto al nombre de un empleo o dignidad para designar al que lo tuvo y ya no lo tiene.

Ejemplos:

*ex presidente, ex ministro,
ex general*

Por extensión presenta el mismo valor ante cualquier sustantivo que se refiera a estado o condición susceptible de ser desempeñado por el hombre.

Ejemplos:

*ex presidiario, ex marido,
ex sacerdote*

Fuera de o más allá de cierto espacio o límite de lugar o tiempo.

Ejemplos:

excéntrico, extemporáneo, extrínseco

Para expresar encarecimiento o ponderación.

Ejemplos:

exclamar, exaltar, exhortar

ex en locuciones latinas

Ex abrupto: de repente, cuando en una situación se actúa con brusquedad o atropelladamente.

Ex aequo: de igual mérito, cuando en una competición o concurso dos participantes se sitúan en el mismo lugar.

Ex cathedra: desde la cátedra, cuando quien habla o escribe lo hace apoyándose en una autoridad o institución.

Ex libris: cédula que se pega en la tapa de los libros donde se especifica el nombre del dueño.

Ex nihilo nihil fit: de la nada, nada nace. Principio filosófico que también es empleado cuando se quiere dar a entender que todas las cosas tienen un origen.

Ex profeso: a propósito, cuando se realiza una acción destinada exclusivamente a un fin determinado.

— También con *x* se escribe el prefijo *extra-*, que significa *fuera de.*

Ejemplos:
extralimitarse, extraordinario

En el caso de la *x,* cuando se realiza una pronunciación relajada se puede dar lugar a homófonos al coincidir con la *s,* por lo que es aconsejable extremar el cuidado en estas ocasiones.

Ejemplos:
contexto (donde se enmarca el discurso)
contesto (del verbo *contestar*)
extirpe (del verbo *extirpar*)
estirpe (linaje o tronco familiar)
seso (cerebro)
sexo (órgano genital)

La *h*

La *h* en español es una grafía áfona o muda; es decir, no representa la articulación de ningún fonema, lo que no quiere decir que para la ortografía no tenga la misma importancia que el resto de las letras, siendo considerada su omisión como una grave falta.

En los primeros escritos en español, la *h* fue suprimida por la gran mayoría de los escritores, considerándose su utilización innecesaria, situación que se prolonga hasta el siglo XVII, cuando aparecen los primeros testimonios a favor de su restitución de acuerdo con la etimología latina, peticiones que recogerá la Real Academia Española en su edición de la *Ortografía* de 1726, donde se normaliza su uso, llegando hasta nuestros días.

Se escriben con *h*

— Las palabras que presentan *h* en su etimología latina, tanto en posición inicial como en el interior de palabra.

Ejemplos:
honor, hombre, hispano, vehículo, prohibir, anhelo

— Palabras procedentes de otras lenguas, donde la *h* representa una aspiración perdida en el español.

Ejemplos:
historia (del griego)
almohada (del árabe)
herciano (del alemán Hertz)
hurra (del inglés)

— Los prefijos griegos:

hecto- (cien): hectómetro
hema- (sangre): hematoma
hemi- (medio o mitad): hemisferio
hepta- (siete): heptalón
hetero- (otro, diferente): heterodoxo
hidro- (agua): hidroavión
hiper- (superioridad, exceso): hipérbaton
hipo- (bajo, inferioridad): hipocentro
homo- (igual): homofonía

— En otras ocasiones, la *h* representa en la ortografía a una *f-* inicial de un término latino que ha perdido su sonoridad.

Ejemplos:

facere > hacer
filiu > hijo
faenum > heno

o en posición interior en compuestos con un prefijo.

Ejemplos:

rehacer, sahumar, enhiesto

— También con *hi*+vocal representamos ortográficamente el fonema /y/, ya en posición inicial o interior.

Ejemplos:

hierro, hierba, hielo

— *Hu*+vocal transcribe en la escritura el sonido [w] en cualquier posición de la palabra.

Ejemplos:

huelga, huérfano, huevo

Como prueba de la importancia de la *h* está la existencia de homófonos, palabras que tienen la misma pronunciación y en las que la única diferencia formal estriba en su representación ortográfica, al hacerse en un caso con *h* y en otro sin ella.

Ejemplos:

errar (no acertar)
herrar (poner herraduras)
asta (cuerno)
hasta (preposición)
uso (del verbo *usar, utilizar*)
huso (utensilio para hilar)

La *y*

La *y* transcribe en la ortografía al fonema /y/, y uniéndose a una vocal, excepto *i*,

forma una sílaba que puede aparecer en principio de palabra.

Ejemplos:

yacer, yegua, yoyo, yunque

— En posición interior puede formar una sílaba junto a cualquier vocal.

Ejemplos:

boyante, bayeta, rayita, mayo

— Puede aparecer en compuestos con prefijos, antepuesta únicamente a las vocales *a, e, u*.

Ejemplos:

adyacente, inyectar, subyugar

— En ocasiones puede alternar con la grafía *hi-* cuando es seguida por la vocal *e*, aunque la RAE considera más adecuada la forma con *hi*.

Ejemplos:

yerba, hierba; yedra, hiedra

— También se utiliza en los tiempos de verbos irregulares que en sus infinitivos no presentan *y* ni *-ll*.

Ejemplos:

oír, oyes, oyeron, oyendo...
caer, cayó, cayeron, cayendo...
leer, leyó, leyeron, leyendo...

Los fonemas /y/ y /ḷ/, cuyas grafías son *y* y *ll*, respectivamente, se llegan a confundir en su articulación en prácticamente toda Andalucía y Extremadura, Ciudad Real, Madrid, partes de Toledo y Avila, y en América, salvo zonas en el interior de Colombia, de la sierra en Ecuador, Perú (con excepción de Lima y áreas de la costa), casi toda Bolivia, norte y sur de Chile, Paraguay y zonas fronterizas de Argentina, donde se conserva el fonema /ḷ/. Este fenómeno se denomina yeísmo y sus dominios crecen con una gran rapidez, extendiéndose a todos los rincones donde se habla la lengua española.

La *m*

La grafía *m* transcribe en la ortografía el fonema /m/ en la mayoría de las ocasiones.

Ejemplos:

madera, colmena, camino, átomo

— También se utiliza en la representación del alófono [m] del fonema /n/, cuando éste se encuentra en posición implosiva y le siguen las grafías *p* o *b*.

Ejemplos:

tiempo, campo, mambo, membrillo

Sin embargo, cuando la que sigue es la letra *v*, el alófono es transcrito con *n*.

Ejemplos:

invento, tranvía, convenio

— Puede aparecer en final de palabra en vocablos procedentes del latín.

Ejemplos:

álbum, ultimátum, fórum

— El grupo *mn-* en principio de palabra ha sido simplificado por la RAE, siendo permitidas ambas posibilidades.

Ejemplo:

mnemotecnia > nemotecnia

Simplificación de consonantes

Han pasado al español diversos grupos consonánticos de origen culto, procedentes principalmente del latín y del griego, que han dado lugar a una reacción tendente a simplificar su representación, motivada por la dificultad que entraña su pronunciación para los hispanohablantes. La RAE ha aceptado esta reducción, aunque en su diccionario conserva las formas plenas.

En posición inicial podemos encontrar los siguientes grupos:

— *gn-:* la RAE reconoce su simplificación, aunque en la escritura considera preferible la forma plena.

Ejemplos:

gnomo junto a *nomo*
gnosis junto a *nosis*

— *mn-:* para la RAE, ambas representaciones, tanto la plena como la simplificada, son válidas.

Ejemplo:

mnemotecnia junto a *nemotecnia*

— *ps-:* su reducción es aceptada; no obstante, la RAE se inclina por la forma plena en la escritura.

Ejemplos:

psicología junto a *sicología*
pseudónimo junto a *seudónimo*

— *pt-:* su simplificación es reconocida por la RAE.

Ejemplo:

pterodáctilo junto a *terodáctilo*

— *pn-:* también encontramos su simplificación en el diccionario de la RAE.

Ejemplo:

pneuma junto a *neuma*

— *cn-:* la reducción de este grupo es aceptada por la RAE.

Ejemplo:

cneoráceo junto a *neoráceo*

— *cz-:* hoy día la RAE sólo admite la forma reducida de este grupo procedente del francés.

Ejemplo:

zar frente a la forma francesa *czar*

— *tm-:* la RAE únicamente admite la forma simplificada.

Ejemplo:

mesis frente a *tmesis*

— *ph-:* grupo procedente del griego, hoy se representa por medio de *f*, fórmula aceptada por la RAE.

Ejemplo:

filosofía, antiguamente *philosophía*

— *th-:* al igual que el grupo anterior, en la actualidad se ha simplificado, transcribiéndose en la escritura como *t*.

Ejemplo:

teatro, antiguamente *theatro*

— *s+cons-:* en toda palabra que comienza con esta forma de origen extranjero, el español antepone una *e*.

Ejemplos:

escena (del latín *scaena*)
esbelto (del italiano *svelto*)
escáner (del inglés *scaner*)

En los préstamos más recientes, no asimilados aún completamente al español, se suele emplear la ortografía originaria.

Ejemplos:

snob, slogan

En posición interior, estos grupos no presentan la simplificación que hemos visto en posición inicial.

Ejemplos:

diagnóstico, ipsilón, heptágono, hipnotizar, acné

En el caso del grupo *-pt-*, en algunos vocablos la RAE acepta la simplificación, aunque prefiere el empleo de las formas plenas.

Ejemplos:

séptimo junto a *sétimo*
septiembre junto a *setiembre*

En cuanto al tratamiento de los prefijos, como norma general se mantiene la forma plena.

— *abs: abstinencia, abstracto*
— *ads: adscripción, adsorción*
— *ins: instruir, instalar*

En el caso de *subs-, cons-, trans-, post-*, la RAE admite la reducción a *s*, pero prefiere la utilización de las formas plenas.

— *subs: substancia*, junto a *sustancia*
— *cons: constancia*, junto a *costancia*
— *trans: transporte*, junto a trasporte
— *post: postdata*, junto a *posdata*

Cuando la posición final de la palabra es ocupada por una consonante distinta a *d, l, n, r, s, z*, es probable que se pierda en la pronunciación, sobre todo si la palabra es originaria de otra lengua y finaliza en un grupo consonántico, situación en la que la reducción afecta también a la escritura (véase cuadro 3.1).

Ejemplos:

chalé, carné, parqué
zinc /θín/; *lord* /lór/

Cuadro 3.1
El alfabeto. Mayúsculas y minúsculas

Mayúscula	Minúscula	Nombre de la grafía	Mayúscula	Minúscula	Nombre de la grafía
A	a	a	N	n	ene
B	b	be	Ñ	ñ	eñe
C	c	ce	O	o	o
Ch	ch	che	P	p	pe
D	d	de	Q	q	cu
E	e	e	R	r	erre
F	f	efe	S	s	ese
G	g	ge	T	t	te
H	h	hache	U	u	u
I	i	i	V	v	uve
J	j	jota	W	w	uve doble
K	k	ka	X	x	equis
L	l	ele	Y	y	i griega
Ll	ll	elle	Z	z	zeda o zeta
M	m	eme			

EL EMPLEO DE LETRAS MAYUSCULAS

El uso de letras mayúsculas es una práctica ortográfica establecida por la tradición que ha llegado hasta nosotros regida por una serie de normas que, pese a no estar fijadas con gran rigor, suelen ser respetadas por todo aquel que escribe. Ultimamente, sin embargo, está muy generalizada entre los escritores una tendencia que se inclina por utilizarlas de manera más libre y personal. No obstante, es habitual escribir con mayúsculas:

• Se suelen escribir todas las letras mayúsculas y del mismo tamaño en las portadas de libros impresos y títulos de sus partes o capítulos, pero sobre todo está muy arraigada la costumbre de hacerlo en las inscripciones de monumentos y lápidas conmemorativas.

• Una norma importante es que cuando aparecen grafías mayúsculas y minúsculas en la misma palabra o texto, la mayúscula ha de ser la inicial. Así:

1. En un texto o escrito, presentará mayúscula inicial su primera palabra y toda aquella que aparezca tras de un punto.

2. También los nombres propios, así como los apellidos de personas.

Ejemplos:

Dionisio Hernández; María José Huertas

3. Los nombres que designan países, islas, pueblos, barrios, accidentes geográficos, centros públicos y, en general, todos aquellos que designen lugares para diferenciarlos del resto.

Ejemplos:

Argentina, Baleares, Móstoles, Torrelavega, Carabanchel, Andes, Mediterráneo, Guadalquivir, Aneto, Real Cinema, Hospital General

4. Los nombres de instituciones políticas, culturales, deportivas, etc., de asociaciones o empresas.

Ejemplos:

el Tribunal Constitucional, el Senado, el Museo de Ciencias Naturales, la Real Sociedad Hípica, Asociación Interamericana de Educación, Instituto Nacional de Industria

5. En leyes, decretos y documentos oficiales suelen aparecer con mayúscula aquellas palabras que hacen referencia al poder público o a un cargo relevante.

Ejemplos:

Director, Alcalde, Presidente, Juez, Senador,
Diputado, Magistrado, Ministro, Gobierno,
Corona, Monarquía, República, Rey

6. En las fórmulas de tratamiento, cuando se utilizan abreviadas. Cuando aparecen con todas sus letras no debe utilizarse la mayúscula.

Ejemplos:

Sr. D. (señor don); *U.* o *Ud.* (usted)

7. Los títulos nobiliarios y alusiones a monarcas o dignidades eclesiásticas.

Ejemplos:

el Duque, el Rey, el Papa, el Cardenal

Estas denominaciones aparecerán con minúscula cuando se empleen con carácter general.

Ejemplo:

el rey y el papa son también mortales

8. Los nombres que componen el título de una obra, preferentemente de contenido científico o técnico.

Ejemplos:

Tratado de Anatomía, Curso de Lingüística General, Estética y Psicología del Cine

9. Siempre que no aparezcan encabezando un escrito, es práctica habitual escribir con minúscula la inicial de los nombres de los días de la semana, meses, estaciones del año y notas musicales.

10. Los números romanos se representan con mayúsculas cuando son empleados para referirse a reyes o papas. También para señalar el número de un siglo, así como para indicar el número de tomo, volumen, libro, capítulo, ley, etcétera.

Ejemplos:

Juan XXIII, Alfonso XIII, siglo XX
tomo III, capítulo V

11. En el caso de que la palabra comience por *ch* o *ll*, sólo se empleará mayúscula en la *C* y *L*, al ser las primeras dentro del compuesto.

Ejemplos:

Chinchón, Chile, Llamazares, Llanes

En los casos que se utilicen mayúsculas, la RAE recomienda mantener las normas generales sobre el uso del acento, por lo que han de llevarlo siempre aquellas palabras que exigen su uso en la escritura con minúsculas.

EL ACENTO
EN ORTOGRAFIA

Para representar en ortografía el acento de intensidad se utiliza el signo ortográfico denominado tilde (´), que se sitúa sobre el núcleo de la cima silábica según las siguientes normas:

Palabras oxítonas o agudas: se señalará con tilde la vocal acentuada cuando la palabra termina en vocal, en *-n* o en *-s*.

Ejemplos:

decisión, parchís, sofá

En el resto de los casos nunca se emplea la tilde.

Ejemplos:

bondad, pedal, alfiler

Palabras paroxítonas o llanas: únicamente se escribirá tilde cuando la palabra termina en consonante que no sea ni *-n* ni *-s*.

Ejemplos:

alférez, cárcel, Márquez

En el caso de palabras como *bíceps* u

ónix se coloca la tilde por terminar en un grupo de consonantes, /ps/ y /ks/.

El resto de palabras de este tipo no se acentúa.

Ejemplos:

estado, polen, cosmos

Palabras proparoxítonas o esdrújulas y superproparoxítonas o sobresdrújulas: en estas palabras la tilde se escribirá siempre.

Ejemplos:

sábanas, música, éxtasis, cantábamosla, permítemelo, déjaselo

Acentuación de diptongos
y triptongos

Las palabras que presentan un diptongo o triptongo formado por una vocal abierta, *a, e, o,* y una cerrada, o dos en el caso de los triptongos, *i, u,* en general se rigen según las normas anteriores. Cuando el diptongo o triptongo ha de llevar tilde, ésta se colocará sobre la vocal abierta.

Ejemplos:

agudas: *mención, esperáis, cuartel.*
llanas: *cuerda, miembro, huésped.*
esdrújulas: *muérdago, ciénaga*

Se exceptúan las palabras agudas que terminan en /ái/, /éi/, /ói/. Son los diptongos o triptongos escritos *ay, ey, oy, uay, uey, iey.*

Ejemplos:

hay, ley, hoy, Uruguay, Valderaduey

Sin son las vocales *i* y *u* las que forman el diptongo, ya *ui* o *iu*, las condiciones para señalar la tilde son las mismas que para los casos anteriores.

Ejemplos:

diluid, huí, buitre, casuística, huías

Acentuación de los hiatos

En el caso de palabras que contienen un hiato, las normas ortográficas no son tan completas como en el caso de los diptongos, por lo que es posible encontrar excepciones. De todas formas, las reglas generales procuran abarcar la totalidad de los casos.

Así, en los hiatos formados por una vocal cerrada (*i, u*) y una abierta (*a, e, o*), la tilde se coloca sobre aquéllas, según se sigue:

— En las palabras agudas la *i* y la *u* reciben la tilde en todas las palabras en que se presente el hiato, no sólo en las acabadas en vocal, *-n* o *-s*.

Ejemplos:

leí, aún, país, baúl, reír, maíz

— En las palabras llanas también la *i* y la *u* reciben la tilde en todas las ocasiones, sin ningún tipo de limitación.

Ejemplos:

flúor, tío, grúa, ríe, caída, reían

— En el caso de las esdrújulas se coloca la tilde siempre sobre la *i*.

Ejemplos:

deíctico, período, vehículo

— En el caso de que el hiato esté compuesto por vocales únicamente abiertas (*a, e, o*), las normas generales de acentuación regirán también estas palabras.

Ejemplos:

agudas: *Ismael, Jaén, loa*
llanas: *leona, cohete, arráez*
esdrújulas: *coágulo, poético, caótico*

El acento de las palabras compuestas

Dos o más palabras pueden entrar en la formación de una nueva palabra. Es entonces cuando hablamos de palabras compuestas. Desde el punto de vista prosódico, cualquiera que sea el carácter de cada uno de los elementos que entran en la composición, el resultado, es decir, la palabra compuesta, sólo posee un acento de intensidad que recaerá sobre el último de sus componentes.

Dentro de las palabras compuestas podemos distinguir los mismos tipos de acento que en el resto de los vocablos, o sea, palabras oxítonas, paroxítonas y proparoxítonas, que responden a las mismas reglas generales de acentuación que el resto.

Sin embargo, en ocasiones la palabra compuesta presenta una tilde que no se corresponde con la forma escrita que ofrece esa misma palabra cuando aparece como simple. La razón que explica este comportamiento está en que dicho acento viene impuesto por las características tonales propias de la palabra compuesta.

Ejemplos:

aguapié, frente a *pie*
pisaúvas, frente a *uvas*
también, frente a *bien*

Cuando el peso de la entonación cae sobre el primer componente de la palabra compuesta, es norma suprimir la tilde que ésta llevaría en su empleo independiente.

Ejemplos:

asimismo, frente a *así*
tiovivo, frente a *tío*

En el caso de palabras compuestas que tienen su origen en vocablos cultos del griego o del latín, comúnmente la tilde se sitúa en el primer componente sobre la sílaba que posea una mayor tensión tonal, por lo que este tipo de palabras suelen ser, por regla general, proparaxítonas o esdrújulas.

Ejemplos:

decálogo, cónyuge, autónomo

Si la palabra está compuesta por dos adjetivos que se escriben separados el uno del otro por medio de un guión, cada uno de ellos conserva en la escritura la tilde en el caso de que la posean cada uno en su forma autónoma.

Ejemplos:

estudio histórico-crítico-filológico
cultura arábigo-andaluza

LOS CLITICOS

En español encontramos un grupo de palabras que en su estructura no presentan ninguna variación en la entonación, es decir, son inacentuadas. Suelen ser monosílabos, y en el interior del grupo fónico se unen a las palabras acentuadas que les acompañan. A estas palabras es a las que se denomina *clíticos*, dentro de los cuales se distinguen dos clases dependiendo del lugar que ocupen. Así, son *proclíticos* aquellas que forman un grupo fónico con la palabra acentuada que le sigue.

Ejemplo:

la que se levanta; /lakeselebánta/,

donde vemos que *la, que* y *se* se apoyan en el acento de *levanta*, con el que forman una unidad de entonación.

Los *enclíticos*, por su parte, se unen en un grupo fónico con la palabra tónica que les precede.

Ejemplo:

enseñábaselas; /enseñábaselas/,

en este caso, *se* y *las* se juntan a la palabra

acentuada añadiéndose a su terminación, dando lugar a una palabra compuesta.

Pueden actuar como palabras proclíticas:

— el artículo: *el, la, lo, los, las*
— los posesivos: *mi, tu, su, nuestro, vuestro*
— las preposiciones, a excepción de *según*
— las conjunciones:

   — copulativas: *y, e, ni, que*
   — disyuntivas: *o, u*
   — adversativas: *pero, sino, mas*
   — causales: *como, pues, porque*
   — consecutivas: *luego*
   — condicionales: *si, cuando*
   — concesivas: *aunque, aun*

— los pronombres relativos: *que, cual, donde, quien, cuyo, cuando, cuanto*
— En los nombres propios compuestos, el primer formante actúa como un proclítico al perder su acento: *José Pedro* /xose pédro/; *Juan Carlos* /xuan kárlos/; *Ciudad Real* /θjudad r̄eál/

Las formas de los pronombres personales átonos pueden actuar tanto de proclíticos como de enclíticos, al igual que la forma *se* del reflexivo. Cuando estas formas funcionan como enclíticos se unen al verbo formando una sola palabra: *me, te, se, nos, os, le, lo, la, les, los, las.*

Ejemplos:

dímelo; me lo dijo
entrégaselas; se las entregas

El acento de los verbos cuando presentan pronombres clíticos

Todo tipo de sufijos y prefijos, entre los que se incluyen los pronombres clíticos, desde la perspectiva de su realización pro-sódica son átonos, inacentuados. Por tanto, cuando se unen a las formas de la conjugación verbal, esta composición únicamente presenta un acento, aquel que posee el verbo. Así, tendremos que distinguir las diferentes formas que nos presenta cada tiempo verbal y la incidencia en su entonación de los clíticos.

En primer lugar, las formas verbales que presentan una sola sílaba, cuando se unen a un pronombre clítico mantienen el mismo comportamiento en la escritura respecto al uso de la tilde. Si estas formas cuando se emplean solas poseen acento ortográfico, al juntarse el clítico lo mantendrán, y del mismo modo, aquellas formas que no reciben tilde cuando aparecen en solitario, tampoco la tendrán en su unión con el pronombre.

Ejemplos:

dé (dar) *déle; reír, reírse*
da, dale; fui, fuime

Cuando una forma de la conjugación verbal es monosílaba, o presenta un mayor número de sílabas y es oxítona, se une a dos pronombres clíticos, la vocal del verbo que recibe el acento se representará ortográficamente con tilde en todas las ocasiones, incluso cuando no la precisa en sus usos en solitario.

Ejemplos:

dáselo, cómetelo, pártemela

Si la forma verbal es paroxítoma o proparoxítoma y se junta con uno o dos pronombres clíticos, recibirá una tilde la vocal acentuada en cualquier contexto, ya la presente o no en su empleo como forma sola.

Ejemplos:

llevábala, llevaba
comparémoslas, comparemos
trabajándoselo, trabajando

En el caso de que estos compuestos se sustantiven, cuando la palabra presenta una acentuación proparoxítona recibirá la tilde, aunque el verbo no la tenga cuando se emplea como forma única.

Ejemplos:

un pláceme; el pésame

Por el contrario, aunque la forma verbal tenga tilde en su uso independiente, si ésta posee una acentuación paroxítona al sustantivarse y a causa de la adición de un pronombre clítico, se deja de señalar la tilde.

Ejemplos:

el acabóse, acabó

LOS ADVERBIOS EN -*MENTE*

El sufijo adverbial -*mente*, que procede del sustantivo del latín de género femenino *mentis* (> *mente*), posee un acento de intensidad en su primera sílaba /ménte/. Este sufijo puede agregarse a prácticamente la totalidad de los adjetivos o participios del español, palabras que también tienen un acento intensivo, por lo que el adverbio al que dan lugar es la única palabra de nuestra lengua que presenta un doble acento de intensidad.

En estas construcciones, la tilde se emplea solamente en los casos en que el adjetivo o el participio en su uso aislado también reciben tilde.

Ejemplos:

fantástico; fantásticamente
rápido; rápidamente
fácil; fácilmente

La particularidad que presentan estos casos, como podemos comprobar en los ejemplos, es que el primer elemento, el adjetivo, toma el género y número del segundo es decir, presenta la forma femenina y singular que originariamente tenía en el latín *mente,* que ha llegado hasta nosotros con la suficiente vitalidad como para imponer sus accidentes gramaticales.

HOMONIMOS QUE SE DISTINGUEN POR EL ACENTO DIACRITICO

En español encontramos una serie de palabras que pueden desempeñar diversas funciones gramaticales, y es el acento, que actúa como diferenciador al colocarse en ciertos casos, el que nos permite distinguir su comportamiento en cada contexto. Las palabras de esta clase que aparecen con mayor frecuencia son:

aun/aún

Con acento funciona como un adverbio. En estas ocasiones se puede sustituir por *todavía.*

Ejemplo:
Aún no ha llegado

Sin el acento también presenta un comportamiento adverbial, pero con el sentido de *también, hasta, incluso.*

Ejemplo:
realizaré la escalada aun sin tu ayuda

como/cómo

Con el acento aparece en contextos interrogativos y exclamativos.

Ejemplos:
¿Cómo lo ves?; ¡Cómo disfruté en la fiesta!

Sin el acento, en el resto de los casos.

Ejemplo:
Esta noche dormí como nunca

cual/cuál

En oraciones interrogativas y exclamativas se escribe con acento.

Ejemplos:
¿Cuál de ellos es tu hermano?
No sé cuál será la respuesta

Sin acento lo encontraremos en las demás ocasiones.

Ejemplo:
Quería a los gatos cual si fueran sus propios hijos

cuanto/cuánto

Con acento se escribe en oraciones interrogativas y exclamativas.

Ejemplos:
¿Cuánto vale un coche?; ¡Cuánto tardas!

Sin acento se escribirá en cualquier otro caso.

Ejemplo:
Cuanto más estudies, mejor será para ti

cuando/cuándo

Se escribe con acento en oraciones exclamativas e interrogativas.

Ejemplos:
¿Cuándo os vais de vacaciones?;
¡Cuándo dejará de llover!

En los demás casos aparecerá sin acento.

Ejemplo:

Cuando trabajo no pienso en otra cosa

donde/dónde

Aparece escrito con acento en oraciones interrogativas y exclamativas.

Ejemplos:

¿Dónde vives?; ¡Dónde vamos a llegar!

En el resto de las ocasiones se escribe sin acento.

Ejemplo:

Donde quiera que vayas iré contigo

mas/más

Se acentúa cuando funciona como adverbio o como nombre.

Ejemplos:

Juan es el más fuerte de la clase
Lo más que puedo hacer es ayudarte

Sin acento se escribe cuando funciona como una preposición.

Ejemplo:

Busqué tu libro, mas no lo encontré en ningún lado

porque/porqué

Se escribe acentuado cuando funciona como un sustantivo. Puede ser sustituido por *causa* o *motivo*.

Ejemplos:

Todas las cosas tienen su porqué

Aparece inacentuado cuando funciona como una conjunción con un sentido causal, pudiendo sustituirse por *pues*.

Ejemplo:

No compré el pan porque se me olvidó

Por qué se escribe separado cuando forma parte de una oración interrogativa, tanto directa como indirecta.

Ejemplos:

¿Por qué no viniste ayer?
No comprendo por qué se comportó así

que/qué

Se acentúa cuando funciona como un interrogativo o exclamativo.

Ejemplo:

¿Qué quieres comer?; ¡Qué grande eres!

Se escribe sin acento cuando es un pronombre relativo o una conjunción.

Ejemplos:

El premio que ganaste es muy prestigioso
Quiero que me inviten a su fiesta

quien/quién

Se escribe acentuado en oraciones interrogativas y exclamativas.

Ejemplos:

¿Quién puede prestarme un bolígrafo?
¡Quién sabe lo que puede ocurrir!

Sin acento aparece en el resto de los casos.

Ejemplo:

Ven con quien quieras

si/sí

Se acentúa cuando es adverbio o pronombre personal.

Ejemplos:

Cuando le pregunté me dijo que sí
Atrajo todas las miradas sobre sí

Cuando funciona como conjunción o en referencia a una nota musical, se escribe sin acentuar.

Ejemplos:

Espero que si vien, sea pronto
La última nota de la escala musical es si

solo/sólo

Aparece acentuado cuando funciona como adverbio. En estos casos se le puede añadir la terminación -*mente*.

Ejemplo:

Sólo me escribió una vez

Sin acento se escribe cuando funciona como sustantivo o adjetivo.

Ejemplos:

El concertista interpretó un gran solo de piano
Puedes hacerlo tú solo
Vino a visitarme él solo (sin compañía)

LOS NUMERALES

En el caso de los numerales se da la particularidad de que coinciden en la escritura dos formas gráficas que, aunque relacionadas, responden a necesidades diferenciadas. Por un lado, los signos aritméticos, como 1, 2, 3... y, por otro, los signos lingüísticos, que aparecen expresados en vocablos como uno, dos, tres... En este apartado dedicado a la ortografía, nos centraremos en los segundos, y dentro de éstos estableceremos una primera distinción entre numerales cardinales y numerales ordinales.

Numerales cardinales

Los numerales cardinales pueden escribirse en una sola palabra o en dos o más, dependiendo de la cantidad a la que hagan referencia. Así:

Se escriben en una sola palabra:

— Los cardinales que van desde el cero hasta el treinta.

Ejemplos:
cinco, ocho, trece, diecinueve, veinticuatro

— La serie de las decenas.

Ejemplos:
diez, veinte, treinta, cuarenta, cincuenta, sesenta...

— La serie de las centenas.

Ejemplos:
cien, doscientos, trescientos, cuatrocientos, quinientos...

— El numeral mil.

— La serie millón, billón, trillón, cuatrillón...

Se escriben en dos o más palabras:

— Los cardinales a partir de treinta.

Ejemplos:
treinta y uno, cuarenta y cinco, noventa y ocho

— Desde cien, se escribirá una palabra para cada categoría numeral: una para las decenas, una para las centenas, una para las unidades de millar, etc. La unidad se enlazará por medio de la conjunción *y*.

Ejemplos:

ciento cincuenta y dos
tres mil ochocientos noventa y seis
ocho millones cuatrocientos cincuenta y nueve mil trescientos treinta y dos

Todos los cardinales poseen acento de intensidad. Cuando se expresan en una sola palabra, éste recaerá sobre la vocal que presente el tono más alto, y la tilde se escribirá de acuerdo a las normas generales que rigen su empleo. En el caso de los numerales compuestos por más de una palabra, el acento se dará únicamente en su último componente, salvo en serie de las centenas, que conserva su acento cuando ocupa el primer lugar.

Ejemplos:

veintidós / veintidós/
treinta mil / treinta mil/
quinientos cuarenta mil / quiniéntos cuarenta mil/

Numerales ordinales

En los numerales ordinales también hemos de distinguir aquellos que se escriben con una sola palabra —y dentro de éstos los simples y los compuestos— y los que se escriben con más de una.

Se escriben en una sola palabra:

— Los ordinales simples, que van desde primero hasta duodécimo.

Ejemplos:

primero (1.°), segundo (2.°), tercero (3.°), cuarto (4.°), quinto (5.°), sexto (6.°), séptimo (7.°), octavo (8.°), noveno (9.°), décimo (10.°), decimoprimero o undécimo (11.°), decimosegundo o duodécimo (12.°)

— Los ordinales compuestos desde el 13.° al 19.°

Ejemplos:

decimotercero (13.°), decimocuarto (14.°), decimoquinto (15.°), decimosexto (16.°), decimoséptimo (17.°), decimoctavo (18.°), decimonoveno (19.°)

— Los que hacen referencia a la serie de las decenas.

Ejemplos:

vigésimo (20.°), trigésimo (30.°), cuadragésimo (40.°), quincuagésimo (50.°), sexagésimo (60.°), septuagésimo (70.°), octogésimo (80.°), nonagésimo (90.°)

— Los que se corresponden con la serie de las centenas:

Ejemplos:

centésimo (100.°), ducentésimo (200.°), tricentésimo (300.°), cuadrigentésimo (400.°), quingentésimo (500.°), sexcentésimo (600.°), septingentésimo (700.°), octigentésimo (800.°), nongentésimo (900.°)

— Y las series *milésimo* (1.000.°), *millonésimo* (1.000.000.°), *billonésimo*, etcétera.

Se escriben en dos o más palabras:

— Los ordinales a partir del 21.° Se diferencian de los cardinales en que no se utiliza la conjunción *y* para unir el último componente.

Ejemplos:

sexagésimo noveno (69.°)
septingentésimo cuadragésimo segundo (742.°)
milésimo ducentésimo quincuagésimo cuarto (1.254.°)

En relación con el acento, los ordinales siempre presentan una vocal que se expresará en la escritura cuando así lo exijan las normas de acentuación. En los compuestos por más de una palabra, el acento de intensidad recae sobre el último componente, aunque los que le precedan conservarán en la ortografía la tilde, si la poseen en su uso en solitario.

Ejemplos:

décimo /décimo/
decimonoveno /decimonovéno/
trigésimo cuarto /trigesimo cuárto/

NUMEROS ROMANOS

Los números romanos se distinguen por escribirse con grafías mayúsculas, en contraste con la numeración arábiga que comúnmente utilizamos, que se expresa por medio de guarismos. Su empleo se ha destinado tradicionalmente para indicar la numeración de los siglos, el nombre de los reyes, emperadores y papas o las fechas de las inscripciones de monumentos y lápidas conmemorativas.

Ejemplos:

el siglo XVIII, Carlos V, Juan Pablo II

Este empleo se ha consolidado por la costumbre, y hoy día no es extraño encontrar esta numeración en numerosos objetos como relojes, calendarios, tomos de una obra, etc., a los que confiere una estética de corte clásico y sobrio.

Esta numeración se estructura en torno a siete letras del alfabeto latino, cada una de ellas con un valor numérico.

I = 1   L = 50   M = 1.000
V = 5   C = 100
X = 10   D = 500

Para la expresión de las diferentes cantidades su organización es la siguiente: a partir de una cifra dada, todas aquellas que aparezcan a su derecha sumarán su valor a la primera. Por ejemplo, si leemos VIII, entenderemos que a V (=5) se le suma el valor

de III (=3), por lo que el número que representa VIII será 8. Siguiendo esta fórmula:

XV = 15; LVII = 57;
MDCCCLXVII = 1.867

Cuando las grafías de menor valor se encuentran a la izquierda de una grafía de mayor valor que éstas, la suma de los valores de las grafías menores se resta de la de mayor valor. En el caso de XL, L (=50), si le restamos el valor de X (=10) obtendremos el número que expresa XL = 40. Del mismo modo:

IV = 4; IXX = 19; CCMLII = 852

La única norma que impone este sistema de numeración es la de no permitir la aparición de más de tres letras iguales seguidas en el mismo número, por lo que, por ejemplo, para escribir 400, en lugar de hacerse sumando cuatro veces el valor de C, es decir, CCCC, se tomaría la letra que posea el valor más próximo, en este caso D (=500), y se le restará un C: CD = 400.

En el caso de V, L y D, esta norma pierde todo su sentido, pues la expresión de cada una dos veces da lugar a una nueva letra:

VV = X
LL = C
DD = M

de lo que deducimos que los signos básicos de este sistema son I, X, C y M.

Para expresar cantidades superiores a la serie de los millares, la norma consiste en colocar una raya horizontal sobre la cantidad (—), lo que multiplica su valor por mil.

$\overline{\text{VIII}}$ = 8 × 1000 = 8.000.
$\overline{\text{M}}$ = 1.000.000

Si son dos las rayas colocadas se multiplicará dos veces por mil; si son tres, tres veces, y así sucesivamente.

$\overline{\overline{\text{XXIIDCCLIVCCCLXXXII}}}$ = 22.754.382

LA AFIJACION

Uno de los procedimientos más comunes para la formación de nuevas palabras es la *afijación*, método que consiste en la adición a una palabra primitiva de partículas que le confieren un significado distinto al original. Entre los afijos podemos distinguir: los *prefijos*, que son aquellos afijos que se añaden a la parte inicial de la palabra, y los *sufijos*, cuando la partícula se suma a la terminación.

Entre los afijos más frecuentes se encuentran los procedentes de preposiciones de origen latino o griego, de los que señalamos aquellos que son de uso corriente.

PRINCIPALES PREFIJOS LATINOS

Prefijo	Significado	Ejemplos
ab, abs	privación, ausencia de	abjurar, abstener
ad, a	proximidad, añadido	adherir, atraer
ante	delante	antebrazo, anteceder
bi, bis	dos, doble	bicéfalo, bisnieto
circum	alrededor	circunferencia, circundar
contra	oposición, enfrentar	contradecir, contrario
com, con, cum	con, unión	compilar, concentrar, cumplir
de, des, di	contrario a, negar intensidad	descargar, difamar, depreciar, demostrar, descargar
ex	que ya no es, negación, fuera de	excomunión, ex ministro exportar, excéntrico
extra	fuera de, más allá	extramuros, extraer
im, in, i	privado de	imposible, inmóvil, ilógico
infra	por debajo de	infravalorar, infrahumano
inter, entre	en medio de	internacional, entretela
intra	dentro de	intravenoso, intramuscular
multi	numeroso	multicolor, multimillonario
omni	todo	omnipotente, omnisciencia
por, pro	antes de, en lugar de	porvenir, pronombre
post, pos	después de, tras	postguerra, posterior
pre	antes de	prehistoria, preparar
re	iteración, otra vez, de nuevo	renovar, resaltar repoblar, releer
retro	hacia atrás	retrotraer, retrovisor
semi	medio, casi	semicírculo, seminuevo
sobre	sobre, por encima	sobresaliente, sobremesa
sub	por debajo de	submarino, subdesarrollo
super, supra	más que, por encima de	supermercado, supranacional
trans, tras	más allá	transportar, trasladar

PRINCIPALES PREFIJOS GRIEGOS

Prefijo	Significado	Ejemplos
a, an	ausencia de, sin	anormal, analfabeto
acro	alto	acrópolis, acróbata
ana	contra, separación	anacrónico, análisis, analogía
anfi	alrededor	anfiteatro, anfibología
anti	contra	antiaéreo, antirrábico
archi	superlativo, muy	archiduque, archimillonario
auto	a sí mismo	automóvil, autolesión
bio	vida	biografía, biología
cata	hacia abajo	catarata, catalepsia
cosmo	mundo	cosmogonía, cosmonauta
croma, o	color	cromatismo, cromolitografía
deca	diez	decálogo, decámetro
demo	pueblo	democracia, demografía
dia	a través de	diagonal, diámetro
endo	dentro	endocrino, endocardio
epi	sobre	epicentro, epidermis
eu, ev	bueno, bien	euforia, evangelio
exo	fuera de	exotismo, exógeno
fono	sonido	fonógrafo, fonoteca
foto	luz	fotosíntesis, fotografía
gastro	estómago	gastronomía, gastroenteritis
geo	tierra	geología, geografía
helio	sol	heliópolis, helioscopio
hemi	medio	hemisferio, hemiciclo
hemo	sangre	hemorragia, hemoglobina
hidro	agua	hidroavión, hidrógeno
hiper	abundancia, exceso	hipérbaton, hipermercado
hipo	inferioridad, por debajo	hipocentro, hipocresía
iso	igual, simétrico	isométrico, isotermo
meta	más allá, cambio	metafísica, metáfora metamorfosis, metaplasmo
para	junto a contra	prestatal, parásito pararrayos, paraguas
peri	alrededor	perímetro, periferia
pro	delante	prólogo, prolegómeno

PRINCIPALES SUFIJOS LATINOS

Prefijo	Significado	Ejemplos
cida	matar	homicida, insecticida, parricida, bactericida
ducto	conducir	acueducto, gasoducto, oleoducto
fugo	huir	centrífugo, vermífugo
peto	dirigirse a	centrípeto
voro	comer	carnívoro, herbívoro
fero	producir	fructífero, petrolífero

PRINCIPALES SUFIJOS GRIEGOS

Prefijo	Significado	Ejemplos
cracia	autoridad, gobierno	democracia, aristocracia
fago	comer	antropófago, fitólogo
fobia, fobo	miedo, odio	claustrofobia, xenofobia
filia, filo	amistoso, querido	hispanófilo, germanófilo
grafo, grafía	escribir	biografía, ortografía
logo, logía	ciencia	filología, geología
manía	locura, arrebato	celptomanía, melomanía
metro	medida, tamaño	termómetro, barómetro
rama	vista	panorama, cinerama
teca	depósito	biblioteca, discoteca

También se encuentra muy extendido en el español el sufijo *-landia,* procedente del inglés *land* (tierra). Así encontramos *cinelandia, divertilandia, jugolandia,* etc.

LOCUCIONES LATINAS

Las locuciones son frases hechas utilizadas como fórmulas fijas en determinados contextos. Su significado se ha consolidado por la costumbre de su uso y se las considera en su conjunto como una unidad de sentido. Los escritores, tradicionalmente, han tomado muchas de esta construcciones del latín para intercalarlas en sus obras, con lo que perseguían ofrecer a los lectores una imagen de hombres cultos y eruditos.

Hoy en día es muy frecuente escuchar locuciones latinas en boca de locutores de radio y televisión, oradores y conferenciantes, o leerlas en periódicos y revistas. Entre las de uso más corriente destacamos:

Accésit: acercarse. En un concurso literario o artístico, premio inmediatamente inferior al primero.

Ad hoc: para esto. Se utiliza para dar a entender que lo que se hace o dice persigue un fin determinado.

Alter ego: otro yo. Cuando queremos indicar nuestra confianza absoluta a otra persona, considerándola como igual a nosotros mismos.

A posteriori: lo que viene después. Para señalar que el conocimiento de un hecho nos viene dado por la experiencia, es decir, una vez que hemos conocido su proceso.

A priori: lo que precede. Es el contrario de la anterior. Expresa que algo es anterior al estudio de sus causas, un primer contacto con las cosas.

Casus belli: causa de la guerra. Se emplea para señalar el motivo que provoca una guerra.

Consummatum est: hecho consumado. Su uso quiere significar que un hecho o acción ya está realizado y no es posible rectificar.

Curriculum vitae: declaración de vida. Escrito donde se hacen constar todos los acontecimientos importantes que han sucedido en la vida de una persona, principalmente en el terreno profesional.

Déficit: pérdidas. En actividades comerciales, señala el saldo negativo que se ha producido en un ejercicio.

Dei gratia: por la gracia de Dios. Suele aparecer en expresiones de agradecimiento a la divinidad.

De jure: de derecho. Locución que indica que una acción se ha realizado conforme a las leyes.

Desideratum: lo deseado. Para referirse a aquello que es digno de ser deseado constantemente.

Dura lex, sed lex: dura es la ley, pero es ley. Señala que por muy rígidas que sean las leyes, éstas son de obligado cumplimiento.

Ergo: luego, por tanto, pues.

Fiat: sea hecho. Mandato regio o solemne para que una cosa tenga efecto.

Habeas corpus: que tengas el cuerpo. Es una fórmula jurídica que consiste en la prohibición de tener detenido a un sujeto sin permitirle la asistencia de un letrado.

In albis: en blanco. Se usa para expresar cuando una persona no ha logrado lo que esperaba; se ha quedado sin nada.

In articulo mortis: en el momento de la muerte. Cuando se quiere significar todo hecho o acción realizado en el último momento.

In fraganti: en flagrante. Cuando se sorprende a un individuo en el momento justo en que está cometiendo un delito.

In illo tempore: en aquel tiempo. Se utiliza cuando se rememora nostálgicamente el tiempo pasado.

In pectore: en el pecho. Cuando una persona quiere indicar que lleva muy dentro de sí un recuerdo o un sentimiento por alguien o algo querido.

Inter nos: entre nosotros. Cuando al hablar dos o más personas se quiere dar un aire de confidencialidad a un comentario.

Ipso facto: instantáneamente, en el acto. Se utiliza para significar la urgencia que precisa una acción o lo instantáneo de un acontecimiento.

Lapsus linguae: lapso de lengua. Para significar un tropiezo o error al hablar.

Manu militari: por la fuerza militar. Expresa que un hecho se ha realizado apoyándose en el ejército, de forma violenta.

Maremagnum: mar grande. Expresa una confusión de asuntos, o una muchedumbre de personas.

Modus vivendi: modo de vivir. Se utiliza para señalar los usos o costumbres de una determinada persona.

Motu propio: de propia voluntad. Cuando una persona realiza una acción espontáneamente, sin ninguna motivación ni interés.

Mutatis mutandis: cambiando lo que se deba cambiar. Se emplea en las ocasiones en que se persigue una intención y para lo cual es preciso una variación de las circunstancias que rodean el hecho.

Non plus ultra: no más allá. Su empleo señala una ponderación de las cosas, llevándolas a límites exagerados.

Peccata minuta: pecado pequeño. Expresa un error o falta leve que no tiene gran importancia.

Per fas et per nefas: por una cosa o por otra. Quiere significar lo inevitable de una situación, en la que cualquier motivo que se busque no la hace variar.

Per saecula saeculorum: por los siglos de los siglos. Se emplea para dar a entender que una cosa es eterna.

Per se: por sí mismo. Cuando una persona quiere resaltar que alguien ha realizado una acción valiéndose únicamente de sus propias fuerzas.

Sine die: sin día fijo. Locución empleada para señalar que un acto o acontecimiento ha quedado aplazado sin fijarse una fecha determinada para su realización.

Sine qua non: sin la cual no. Fórmula que se usa para indicar que un hecho precisa inexcusablemente de una condición para que sea posible su desarrollo.

Statu quo: estado de cosas. Utilizada para designar el estado en que se encuentra un determinado conjunto de cosas en el momento presente.

Sub judice: bajo juicio. Esta construcción se utiliza para denotar que una cuestión se encuentra pendiente de recibir una resolución.

Sui generis: su género. Empleada para significar que aquello a lo que se aplica posee un género muy especial o singular.

Superavit: ganancia. Se usa cuando en actividades comerciales el cómputo total de las cuentas arrojan una ganancia.

Ultimatum: último plazo. Locución que indica la concesión de una oportunidad final para intentar llegar a un acuerdo entre dos partes.

Urbi et orbi: a la ciudad y al mundo. Locución de origen religioso, su empleo quiere significar la difusión de un acontecimiento o de un hecho a todas partes posibles.

Vale: que te vaya bien. Originariamente era la fórmula de despedida del latín. De aquí ha pasado a significar la intención de desear un futuro halagüeño a los demás.

Veni, vidi, vici: vine, vi, vencí. Lacónico mensaje que Julio César envió al Senado para comunicar una de sus victorias militares. Se suele emplear para indicar la facilidad con que se ha conseguido llevar a término una acción que en principio parecía complicada.

Verbi gratia: por ejemplo. En español es corriente emplearlo también escrito *verbigracia.*

Vox pópuli: voz del pueblo. Locución empleada para indicar que una noticia es de dominio público, conocida por todos.

ADOPCION DE PALABRAS EXTRANJERAS

El estado de continuo progreso y evolución que sacude a nuestra sociedad afecta también, y de manera muy directa, al lenguaje que empleamos. En efecto, constantemente es preciso crear o adoptar nuevos vocablos para referirse a aquellos conceptos que surgen simultáneamente con los nuevos tiempos.

Para esta clase de casos, el español, igual que los demás idiomas, toma prestadas de otras lenguas, esencialmente del inglés y del francés, aquellas palabras que designan esos objetos o ideas para los que nuestra lengua no posee un término adecuado o éste es desplazado por la voz foránea.

Es el caso de palabras como las procedentes del inglés *club, lord, standard, film* o *mitin,* o las francesas *carnet, complot, chalet, parquet* y *clichet,* que se han ido adaptando a la morfología del español. Así, en *club, lord, standard, film* y *mitin,* su forma plural se realizará según las normas que organizan este proceso en español, por lo que tomarán la terminación *-es* en lugar de la originaria *-s* del inglés. De esta manera tendremos: *clubes, lores, estándares, filmes* y *mítines.* Por lo que respecta a los vocablos franceses terminados en *-t* que ha adoptado el español, como rasgo común pierden la *t* y forman su plural con *-s: carnés, complós, chalés, parqués* y *cliché.*

Sin embargo, al ser éste un proceso continuo, es muy probable que encontremos palabras que aún no se han adaptado de forma absoluta al español y quizá nunca lo hagan, pero el hecho de que sean usadas nos obliga a saber reconocerlas e interpretarlas correctamente, intentando, siempre que sea posible, sustituirlas por su correspondiente término en español.

Entre las más frecuentes están:

PROCEDENTES DEL INGLES

barman: camarero
best-seller: éxito de ventas
block: cuaderno de notas
bulldozer: vehículo pesado
camping: lugar para acampar
cassette: magnetófono
christmas: tarjeta de felicitación
handicap: traba, desventaja
hobby: afición
interview: entrevista
jeep: vehículo ligero
junior: joven, novato
linier: juez de línea
lunch: comida
magazine: revista
marketing: estudio de mercado
nurse: niñera, enfermera
office: oficina
parking: aparcamiento, garaje
party: fiesta
penalty: falta máxima
picnic: comida en el campo
playboy: vividor
plumcake: pastel
pub: bar
puzzle: rompecabezas
record: marca
ring: cuadrilátero
round: asalto
sandwich: bocadillo
sheriff: jefe de policía
slip: calzoncillo
slogan: lema
show: espectáculo
snob: hombre a la moda
spray: rociador
star: estrella de cine
stop: alto, parada
team: equipo
ticket: billete
trailer: remolque

PROCEDENTES DEL FRANCES

affaire: escándalo
affiche: cartel
amateur: aficionado
argot: jerga
beige: color castaño claro
boïte: discoteca
cabaret: sala de fiestas
carroussel: tiovivo
chandall: prenda deportiva
chef: jefe de cocina
dèbâcle: desastre
debut: estreno
dossier: informe
elite: selecto
entrecote: filete o chuleta
foie-gras: pasta de hígado
kermesse: fiesta
maillot: camiseta
matiné: espectáculo matinal
menú: minuta
peluche: felpa
piolet: pico
toilette: cuarto de baño
tournee: gira artística
tricot: trabajo de punto
troupe: compañía
varietes: variedades
vaudeville: revista cómica
vedette: primera actriz
vichy: tela de algodón

ABREVIATURA DE PALABRAS

Un procedimiernto muy de actualidad en nuestros días para la formación de nuevas palabras es la abreviación o acortamiento, método que principalmente viene motivado por la comodidad que conlleva el ahorro de un determinado número de grafías o fonemas, ya en la escritura, ya en el habla.

Las abreviaturas de palabras se pueden realizar de diferentes maneras:

Ante una palabra que, por lo general, es compuesta y tiene cuatro sílabas o las supera, el hablante suele reducir su cuerpo fonético, normalmente eliminando por apócope su parte final.

Ejemplos:

televisión > tele
motocicleta > moto
cinematógrafo > cine
presidente > presi

En estas nuevas formaciones, el acento se coloca en la penúltima sílaba.

Otro sistema para acortar palabras es la supresión de todas sus letras a excepción de la primera, que se representa seguida por un punto. Esta elisión se realiza por el procedimiento de la apócope.

Ejemplos:

d. por *don*
l. por *litro*
s. por *santo*
v. por *véase*

También el acortamiento se puede efectuar mediante la síncopa de la parte central de la palabra, uniéndose su parte inicial y final. En la lectura de este tipo de palabras se ha de dar cuenta de la palabra completa tal y como era antes de ser reducida.

Ejemplos:

tfno. por *teléfono*
avda. por *avenida*
admón. por *administración*
dcha. por *derecha*

Cuando la abreviatura afecta a más de una palabra, nos encontramos con otra clase de procedimientos, uno de los cuales es la acronnimia, que consiste en unir en una palabra la primera sílaba del primer elemento y la última del segundo, o también la última sílaba del primero y la inicial de la segunda.

Ejemplos:

bit, procedente de *binary digit*
tergal, procedente de *poliéster galo*

Frente a este procedimiento, también es corriente tomar la primera letra de cada uno de los elementos del compuesto que, una vez unidas, darán lugar a una nueva palabra.

Ejemplos:

radar, por Radio Detecting and ranging
talgo, por tren articulado ligero Goicoechea Oriol

Sin embargo, la gran mayoría de las nuevas palabras formadas por abreviación son aquellas que representan la unión de dos o más abreviaturas en una sola. Entre éstas distinguimos, en primer lugar, aquellas que proceden de locuciones o fórmulas de uso muy arraigado.

Ejemplos:

s.e.u o., que significa *salvo error u omisión*

q.b.s.m., que significa *que besa su mano*

q.e.p.d., que significa *que en paz descanse*

También se incluyen aquí las siglas, denominación de las abreviaturas de los nombres de asociaciones, instituciones, partidos políticos, empresas, países, etc. Muchas de ellas nos han llegado procedentes de lenguas extranjeras, por lo que la reconstrucción de su contenido no es tarea fácil para aquellos que no conocen la lengua original.

71

Ejemplos:

UNICEF: United Nations Children's Emergency Fund. (Fondo Internacional de las Naciones Unidas para Ayuda a la Infancia.)

NASA: National Aeronautics and Space Administrations. (Administración Nacional de Aeronáutica y del Espacio.)

UNESCO: United Nations Educational, Scientific and Cultural Organization. (Organización de las Naciones Unidas para la Educación, la Ciencia y la Cultura.)

Algunas de ellas se han españolizado gracias a que su introducción en nuestra lengua se realizó hace bastantes años.

Ejemplos:

OTAN: Organización del Tratado del Atlántico Norte, en lugar del original NATO, del inglés.

EEUU: Estados Unidos de América, en vez de USA, United States of America.

RFA: República Federal de Alemania, por BRD, Bundesrepublik Deutschland.

En la lectura de las siglas se pueden presentar dos opciones que vienen dadas por su propia configuración. Así pueden leerse deletreando cada una de las grafías.

Ejemplos:

UHF/úâĉeéfe,/ Ultra High Frecuencies.

RTVE/érretéúvee/, Radiotelevisión Española.

OIT /óité/, Organización Internacional del Trabajo.

o bien leerse secuencialmente, es decir, sentidas como una palabra:

Ejemplos:

RENFE/-rénfe/, Red Nacional de Ferrocarriles Españoles.

COBOL / kóbol/, Common Business Oriented Lenguage.

FIFA/fífa/, Ferderación Internacional de Fútbol Asociación.

Estamos, pues en un mundo en el que a diario surgen nuevas formaciones de esta clase, siendo muy elevado el número de siglas con que nos cruzamos a cada paso, si bien muy pocas consiguen asentarse en la lengua. Entre éstas, incluso, es muy frecuente que el hablante no sea capaz de desarrollar su contenido, aunque para él lo realmente importante es conocer aquello a lo que se refiere. Por ello, poco interesa realmente saber que IBM son las siglas de International Business Machines (maquinaria de oficinas internacional) o que BMW refiere a Bayerische Motorenwerke (fábrica bávara de motores) si reconocemos que la primera es una compañía dedicada a la producción y venta de ordenadores, y la segunda representa a una prestigiosa empresa fabricante de automóviles.

SIGNOS DE PUNTUACION

El uso de los signos de puntuación es necesario en la escritura para clarificar el significado del texto, pues sin ellos podría resultar dudoso y equívoco. Su empleo señala la estructura entonativa con la que ha de coordinarse. En español son usados:

El punto

Se utiliza para señalar la pausa de mayor intensidad dentro de la escritura. Puede tener diferentes sentidos:

— El punto final es el que se coloca al final de un escrito cuando éste tiene un sentido completo.

— El punto y aparte se emplea para señalar que ha terminado un párrafo y el siguiente hace referencia a un asunto diferente al tratado en el anterior o el mismo desde una perspectiva diferente.

— El punto y seguido indica que la frase anterior a él completa un concepto y seguimos en el próximo tratando la misma cuestión.

Tras un punto siempre se ha de comenzar a escribir con letra mayúscula.

Los dos puntos

Los dos puntos en la escritura señalan que aquello que está situado inmediatamente detrás es lo que se ha anunciado previamente.

Aparecen tras el encabezamiento de una carta, instancia, solicitud o discurso.

Ejemplos:
Muy señor mío: por la presente le comunico...
Queridos compañeros: hoy nos hemos reunido...

Siguiendo a palabras como, por ejemplo, *a saber*, etc.

Cuando se citan palabras textuales o se transcriben frases de otro texto.

Ejemplos:
Siempre me repetía lo mismo: «No creas a los políticos»
¿Recuerdan aquel poema que empezaba: «Con cien cañones por banda...»?

Precediendo a una oración que explica el sentido de una afirmación previamente realizada.

Ejemplo:
Era un hombre realmente caritativo: siempre cedía casi toda su comida a los pobres

Se emplean también cuando se indica una enumeración.

Ejemplo:
Tengo clase de guitarra tres días a la semana: los lunes, miércoles y viernes

A continuación de los dos puntos se comienza a escribir indistintamente con mayúscula o minúscula.

El punto y coma

Se utiliza cuando los constituyentes de un período presentan ya alguna coma y es preciso señalar una pausa intermedia.

Ejemplo:
Si llueve esta tarde, iremos al cine; si luce el sol, saldremos al campo

En párrafos de gran extensión se escribe precediendo a las conjunciones adversativas.

Ejemplo:
El enemigo atacaba con brío y nuestras líneas apenas podían contener la avalancha que se les venía encima; mas ninguno de los nuestros dio un paso atrás

Cuando, tras una serie de enunciados separados por comas, aparece una oración que aglutina todo el conjunto.

Ejemplo:
Los muebles aparecían destrozados, la ropa esparcida por el suelo, los cristales de las ventanas rotos, el agua de las cañerías salía a chorros; todo quedó destrozado tras la explosión

Tras punto y coma, la palabra inmediata se escribe con minúscula.

La coma

En cuanto a la coma, es imposible establecer una serie de normas estrictas que regulen su empleo, pues se han de tener en cuenta las condiciones particulares propias del estilo de cada escritor. Por ello nos limitaremos a exponer unas mínimas pautas generales.

El cometido básico de la coma es el de aislar unas oraciones de otras dentro de un mismo párrafo.

Ejemplo:

El lunes iré al dentista, el martes tengo una cita con tu hermano, el miércoles he de visitar a mi madre y el jueves salgo para Barcelona, así que no te veré hasta mi regreso

También se utilizará la coma en las enumeraciones de elementos de la misma clase.

Ejemplo:

Los reinos, el poder, la nobleza, las riquezas, el crédito, son de carácter fortuito y accidental

Cuando se intercalan datos explicativos dentro de una oración.

Ejemplo:

Aquellos montes, los que me vieron crecer, son los más bellos que contemplarse puedan

Cuando el orden lógico de la frase se varía, y en los casos en que la oración subordinada antecede a la principal.

Ejemplo:

Cuando empezó a llover, todos abrieron sus paraguas

Cuando se interrumpe el sentido de la oración y se intercalan palabras.

Ejemplo:

Cuando llegaron al cine, explicó Juan, ya había comenzado la película

En las construcciones de gerundio y de participio absoluto.

Ejemplos:

*El pueblo, exceptuando la nueva piscina, está igual que hace veinte años
El coche, una vez arreglada la avería, quedará como nuevo*

Para separar las expresiones adverbiales del tipo: *es decir, efectivamente, por último, en fin, no obstante, sin embargo, entre tanto, sin duda,* etc.

Ejemplo:

Sin embargo, y a pesar de su rotunda negativa, todos sabíamos que, efectivamente, nos daría su permiso para ir de excursión

Los puntos suspensivos

Su empleo señala en un texto la suspensión de una idea que resulta evidente:

Ejemplo:

Al buen entendedor...

o cuando una conclusión puede ser inesperada o chocante para el receptor:

Ejemplo:

No teníamos dinero, pero... éramos muy felices

Signos de interrogación y admiración

Estos signos se emplean para señalar

que el sentido de la oración en la que aparecen es interrogativo o exclamativo. Se colocan al comienzo de la misma y en su final.

Ejemplos:

¿Qué ocurrirá el día de mañana?
¡Viva la Constitución!

Esta señalización sólo afecta a aquella parte del párrafo que presenta un contenido interrogativo o exclamativo.

Ejemplos:

Si no llegamos a tiempo, ¿qué haremos?
Mañana tengo un examen, ¡ojalá apruebe!

Unicamente al comienzo de una oración interrogativa o exclamativa se escribirá mayúscula, pero no cuando se parte de un párrafo o de una enumeración.

Ejemplos:

¿Cuándo llegaste?, ¿con quién?, ¿por dónde?, ¿hasta cuándo te quedas?

Las comillas

Se emplean cuando se quiere resaltar una palabra o una oración dentro de un párrafo, principalmente cuando se trata de una cita literal.

Ejemplo:

«Convocamos elecciones el próximo mes de junio», manifestó ayer el presidente del Gobierno

También cuando se emplea un vocablo extranjero.

Ejemplo:

Este libro será un «best-seller»

o cuando se desea dar realce a un comentario, generalmente en el caso de la ironía.

Ejemplo:

El cuadro me pareció «admirable»

El paréntesis

Utilizamos los paréntesis cuando queremos hacer una aclaración que creemos oportuna, para lo cual es preciso interrumpir el sentido de la oración.

Ejemplo:

Sus comentarios eran soeces (por más que intentara resultar gracioso) para toda la clase

EL GUION

Se emplea en la escritura para señalar que una palabra se ha cortado al final del renglón. En estas ocasiones se ha de tener cuidado para no separar con el corte los elementos que constituyen una sílaba.

Ejemplo:

Cortaremos cami-no o ca-mino, pero nunca cam-ino o camin-o

En ciertos casos en los que formamos un compuesto con los gentilicios de dos países o regiones.

Ejemplos:

Hispano-alemán
Castellano-manchego

También es norma emplear un guión cuando se transcribe un diálogo.

Ejemplos:

— *¿Qué desea tomar?*
— *Un café, por favor.*
— *¿Sólo o con leche?*
— *Que sea con leche.*

Cuando en un texto se intercala una explicación acerca de una oración.

Ejemplos:

El hombre —es una opinión extendida— es un descendiente del mono.
Erik el vikingo —cinco siglos antes que Colón— llegó a las costas de América.

La diéresis

Se coloca sobre la *u* en las sílabas *gue, gui,* cuando se quiere señalar que esta vocal ha der pronunciarse.

Ejemplos:
cigüeña, pingüino

4 *Morfología*

MORFOLOGIA Y GRAMATICA

Vamos a considerar la gramática como una parte de la lingüística, y, dentro de ella, será la que se ocupe del conjunto de reglas que rigen la buena formación de las oraciones que emitimos. Es, por tanto, el estudio de la lengua desde un punto de vista formal.

En gramática, tradicionalmente, se han considerado dos campos diferenciados: por un lado, lo que se ha venido en llamar morfología, de la que nos vamos a ocupar en este capítulo, y, por otro, la sintaxis.

El término *morfología*, etimológicamente, designa el estudio de las *formas* lingüísticas, pero este estudio también lo realiza la sintaxis. La morfología va a caracterizarse por designar solamente el estudio de un subconjunto de relaciones y de formas, las relaciones que se dan entre unidades menores de la palabra y las formas léxicas entendidas categorialmente.

Por un lado, va a ocuparse de lo que ocurre dentro de la palabra, es decir, de esas unidades menores a las que nos referíamos antes y a las que ya podemos denominar morfemas, y, por otro, de las categorías léxicas: la caracterización de sustantivo, adjetivo, verbo, etc.

EL SUSTANTIVO

El sustantivo, como categoría léxica, ha sido considerado fundamental y con independencia del resto de las categorías desde las primeras reflexiones que se han hecho sobre el lenguaje.

Aristóteles diferenciaba ya entre *onoma* y *rhema* (*onoma*, como categoría constituida por el sustantivo y que reflejaba una visión estática del mundo, y *rhema*, como categoría constituida por el verbo y que reflejaba una visión dinámica).

Hasta la Edad Media, el nombre incluía tanto el sustantivo como el adjetivo. Es en este momento cuando se empieza a distinguir entre nombres que designan sustancia y nombres que designan cualidades, identificando así el lenguaje con el pensamiento filosófico. Se identificaría *juicio* (sujeto y predicado) con la oración constituida por una unidad (el sustantivo), que desempeñaría el papel de sujeto, y otra (el verbo) la del predicado. Juicio lógico y oración gramatical irían de la mano.

Tras algunos intentos formales de caracterizar el sustantivo, los estructuralistas, definitivamente, despojan de todo componente significativo la definición del sustantivo, atenderán a criterios morfológicos, y así establecerán la separación entre sustantivos y adjetivos como categorías que se comportan de diferente manera ante el artículo. Si un adjetivo lleva delante un

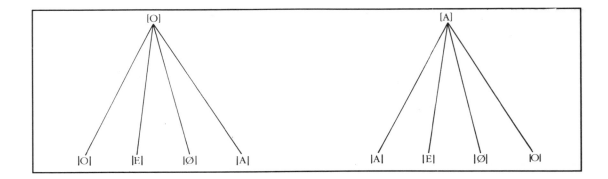

artículo, deja de serlo para convertirse en sustantivo. Esto, unido al hecho de que el sustantivo es una clase de palabras que admiten género y número, hacen que el criterio morfológico sea el más adecuado para caracterizar el sustantivo.

Por otro lado, cabría decir que también ha habido criterios sintácticos para hacerlo. Y en este sentido es importante resaltar que el sustantivo siempre va a ser el *núcleo* del sintagma nominal, es decir, el sustantivo será la palabra alrededor de la cual se estructuran las demás, concordando con él y ocupando las posiciones que les corresponda, en algunos casos serán fijas como la del artículo (ejemplo: *El otro* coche *azul). El* siempre irá delante del nombre, aunque entre el artículo y el sustantivo pueda intercalarse otra palabra como *otro*, pero jamás podría posponerse: *Otro coche el* no es una construcción correcta.

En resumen, el sustantivo, morfológicamente, es la categoría capaz de admitir género y número, y que puede ir acompañado del artículo. Sintácticamente será el núcleo del sintagma nominal. Y, por último, desde el punto de vista semántico, es aquella palabra capaz de desempeñar el papel de sujeto dentro de una oración; al que se van a referir las palabras que forman parte del sujeto. Incluso el verbo se referirá al nombre, se predicará del nombre. *El niño come manzanas, come manzanas* es lo que se predica del sujeto, *el niño*. Por tanto, podría considerarse al nombre como la parte de la oración predominante, o al menos junto al verbo, como una de las esenciales.

Configuración morfológica del sustantivo

El sustantivo designa entidades de la realidad, o conceptos abstractos, y es por ello que se considera una de las categorías con significación léxica; por tanto, estará constituida por un lexema o raíz, al que se pueden añadir o no morfemas flexivos (género y número) o morfemas derivativos (como *-ura, sub-, in-*, etc.).

Existen sustantivos (como *árbol*) donde sólo encontramos un lexema; en otros casos, es posible segmentar en lexema y morfemas (*jardines: jardín-es*).

Es posible, igualmente, que varios lexemas aparezcan juntos dentro de la misma palabra; en ese caso hablaremos de palabra compuesta (*cochecama, aguanieve*, etcétera.).

a) Derivación. Ya hemos aludido al hecho de que los morfemas derivativos son la mayor parte de las veces recategorizadores, es decir, morfemas que, al añadirse a un sustantivo, convierten a la nueva palabra en una categoría distinta. Así encontramos también palabras que originariamente tenían otra categoría distinta a la de sustantivo, y por medio de morfemas derivativos se han convertido en sustantivos. Ejemplos:

— Sustantivos deverbales: de *vigilar, vigila-ncia*.
— Sustantivos deadjetivales: de *blanco, blanc-ura*.

— Sustantivos deadverbiales: de *cerca, cerca-nía*.

En el caso de que sean morfemas derivativos no recategorizadores:

— Sustantivos denominales: de *rosa, ros-al*.
— Sustantivos denominales: de *casa, cas-uca*.

b) El género. En español, el género podríamos considerarlo como un fonema propio del sustantivo, ya que sólo aparece en éste; el verbo no posee género.

Otra característica del género del sustantivo es que es una clase morfológica arbitraria (ejemplo: *vino, tela*). Aparece en unos casos, y en otros forma parte del lexema sin hacerse explícito, lo posee de forma inherente; así palabras como *crisis* y *pan* no manifiestan morfema alguno de género; sabemos que se trata de una palabra con género masculino o femenino, porque así lo aprendimos desde el principio. Sin embargo, los adjetivos han de llevar siempre una marca de género.

La norma general en castellano es que los nombres terminados en -*o* son del género masculino; en oposición, los que terminan en -*a* expresan un género femenino.

Los estructuralistas intentan, sin embargo, sistematizar el morfema de género y sus posibles realizaciones. Dicen, así, que en el sistema de la lengua hay una oposición entre un morfema -*a*- femenino y otro -*o*- masculino, pero que en las realizaciones del habla nos vamos a encontrar una serie de variantes de esos morfemas llamados alomorfos (véase cuadro 4.1):

— *o* tendrá unos alomorfos /o/, /e/, /Ø/, /a/
— *a* tendrá unos alomorfos /a/, /e/, /Ø/, /o/.

Por ejemplo, en francés podemos aislar un morfema Ø, expresión de *o*, que pertenece al género masculino.

Como prueba podemos utilizar el masculino de la derivación y el de la concordancia. La concordancia, mediante adjetivos y determinantes que nos proporcionen el género (ejemplo: francés, *alt*-o).

La prueba de la derivación consiste en añadir morfemas aumentativos o diminutivos (ejemplo: francés, *ito*). En este caso aparecerá el morfema originario, no el alomorfo.

Con respecto al género, se pueden establecer dos distinciones de sustantivos: sustantivos invariables y sustantivos variables.

Los sustantivos invariables no presentan oposición genérica, no hay alternancia entre género masculino y femenino. Son morfemas que sirven para oponer cosas distintas (*libro/libra*).

Cuadro 4.2
Alternancias de los nombres inflexionales.

	MASCULINO	FEMENINO	EJEMPLOS
1)	|O|	|A|	Maestro / Maestra
2)	|E|	|A|	Jefe / Jefa
3)	|Ø|	|A|	Francés / Francesa
4)	|A|	|A|	Artista / Artista
5)	|O|	|O|	Reo / Reo
6)	|E|	|E|	Cómplice / Cómplice
7)	|Ø|	|Ø|	Mártir / Mártir

Cuadro 4.3
Alteraciones en los nombres variables derivacionales.

	MASCULINO	FEMENINO	EJEMPLOS
1)	|O|	-IN-	Gallo / Gallina
2)	|E|	-IN-	Héroe / Heroína
		-ES-	Conde / Condesa
		-IS-	Sacerdote / Sacerdotisa
3)	|Ø|	-ES-	Abad / Abadesa
		-IZ-	Actor / Actriz
4)	|A|	-IS-	Poeta / Poetisa

Los sustantivos variables se subdividen en dos tipos distintos con respecto a la diferencia de género.

— Inflexionales. El lexema y el alomorfo se unen directamente (*maestro*-a).
— Derivacionales. Se inserta un infijo entre el lexema y el alomorfo de género (*gallo/gall*-in-*a*) (véase cuadro 4.2).

Mediante la concordancia reaparecerá el morfema auténtico: *el artista*: morfema -*o*; *la artista:* morfema -*a*.

Los nombres variables derivacionales tienen un número menor de alomorfos (véase cuadro 4.3).

La oposición morfológica -*a*/-*o* se utiliza a veces para establecer valores semánticos (*punto/punta*).

En ocasiones, la distinción de género nos está indicando cambio de tamaño; por eso se ha hablado de un género dimensional en español (*barco/barca, río/ría*).

En español, el término marcado será el femenino y el no marcado el masculino, es decir, el femenino sólo podrá utilizarse para sustantivos que sean femeninos; el género masculino, por el contrario, podrá utilizarse como abarcador o generalizador, ya que no está marcado (*los alumnos de esta clase*, donde *alumnos* puede abarcar a alumnos y a alumnas).

c) El número. El morfema de número es un morfema constitutivo del nombre, aunque no sólo afecta a la categoría nominal. Aporta una significación externa, es una información que añadimos con posterioridad a la del género.

Siguiendo a los estructuralistas, diremos que en castellano el número presenta una oposición entre pluralidad y no pluralidad, no existe número dual o trial.

El singular puede significar unidad absoluta (*tengo una galleta*), unidad distributiva (*el perro tiene cuatro patas*, donde *el perro* se refiere a cada perro o a todo perro) y, por último, el singular designa colectivamente a toda la especie (*el hombre es un animal racional*).

Cuadro 4.4

SINGULAR	Ø	Ø	Ø
PLURAL	-S	-ES	Ø

El plural denota multitud, distributiva o colectivamente:

— *Los animales nacen, crecen, se reproducen y mueren.* Cada animal nace, crece, se reproduce y muere, colectivamente.
— *Todos los animales son originarios de la Tierra.* Aquí, *los animales* tiene un sentido colectivo. El número de plural se formará sobre el de singular. La expresión de número vendrá dada por los siguientes morfemas (véase cuadro 4.4).

En español, la formación de plural ha presentado vacilaciones al adaptar voces extranjeras a la forma castellana (ejemplo: El plural de *club* debería ser *clubes*, pero de hecho se dice más *clubs*).

En cuanto a los nombres que presentan grado Ø, para el singular y plural, nos encontramos no sólo con estas voces que terminan en *-s* o *-x*, sino también con aquellas que se encuentran fuera del sistema del número. Palabras como *gafas, tijeras, tenazas* hay, por otra parte, una tendencia a incluirlas dentro del sistema, se van creando voces con una supuesta forma singular para convertir la *-s* en un morfema de pluralidad.

Hay nombres también cuya utilización en singular o en plural va a depender de un rasgo estilístico. Ejemplo: *agua/aguas, escalera/escaleras* son términos que no indican en el singular un solo referente y varios referentes en el plural. En esta situación se encuentran los nombres colectivos.

Funciones que puede desempeñar un nombre en la oración

Tradicionalmente, la característica más relevante del nombre era su posibilidad de ser el *sujeto* de la oración. En la actualidad, formalmente lo fundamental es que es el *núcleo* del sintagma nominal, que, junto con el sintagma verbal, es uno de los constituyentes inmediatos de la oración. Como núcleo que es del sintagma nominal, puede cumplir cualesquiera de las funciones que cumple éste dentro de la oración y, considerado como parte integrante del sintagma nominal, podrá ser núcleo o adyacente.

Los casos en que puede funcionar también un sintagma nominal:

● **Sujeto.** En este caso, el nombre rige y concuerda en número con el verbo. No lleva nunca preposiciones, y cuando aparecen preposiciones delante del sujeto, éstas tienen otro valor distinto, como, por ejemplo, *hasta los niños quieren mandar*, donde *hasta* ha dejado de ser preposición para convertirse adverbio. Ejemplos: Juan *come manzanas*, el niño *sonríe*, el gato *corretea por el patio*.

● **El núcleo del objeto directo.** Puede llevar la preposición *a* o no llevarla, aparecerá en los casos en que se trate de objeto directo de persona o personificado: *visité* a Nueva York *el año pasado*. Ejemplos de nombre en función de objeto directo: *Compré una* cesta, *mi hermano come* manzanas, vi a Rosa *regando*.

● **Núcleo del objeto indirecto.** Ejemplos: *Ignacio escribió una carta* a sus padres, *Juana entregó sus trabajos* a la profesora.

● **Atributo.** En oraciones atributivas o copulativas también puede ser el atributo del predicado nominal. Ejemplos: *Mi padre es* médico, *el agua era una* bendición.

● **Vocativo.** En expresiones que pueden considerarse semejantes a los vocativos latinos, tal es el caso de apelaciones o llamadas. Ejemplo: *¿Puede atendernos, camarero?*

● **Complemento circunstancial de un verbo.** Ejemplos: *Le espera* en la esquina, *el niño ayudó a su madre* en la cocina.

En los casos en que aparece como adyacente:

● **Complemento de un nombre.** Ejemplos: *Me gusta el café* sin azúcar, *te daré la revista* de coches.

● **Complemento de un adjetivo.**
Ejemplos: *Aquel día estaba loca* de alegría,
el cuadro era feo con avaricia.

Clasificación del sustantivo por su significado

Existe ya una clasificación antigua
desde esta perspectiva semántica, o lo que
es lo mismo, atendiendo al significado que
presenta cada sustantivo:

1. Nombres comunes frente a nombres propios.
2. Nombres abstractos frente a concretos.
3. Nombres individuales frente a colectivos.

La diferencia esencial entre ambos
consiste en que el nombre propio carece de
significación, se comporta como un simple
designador, señala directamente a una realidad, se refiere a un objeto; podríamos decir, en este sentido, que se comporta como
un demostrativo. El nombre común, por su
parte, sí sería significativo, en él se encierran unas características significativas que
comparten varios objetos de la realidad.
Ejemplos:

— Nombre propio: *Pirineo.*
— Nombre común: *el perro.*

Se ha venido considerando al nombre
concreto como aquel que se refiere a realidades sensibles, y el abstracto, el que su
existencia está fuera del mundo real y, por
tanto, implica una abstracción.

Podríamos decir, desde el punto de
vista de su forma, que algunos sustantivos
abstractos se caracterizan por unas desinencias concretas: *-era, -ura, -ez, -eza, -dad,*
como *manera, blancura, pesadez, ligereza,
habilidad.* Pero esto no se cumple siempre.

Tradicionalmente, nombre colectivo
es el que indica una colectividad, y el individual, a un solo individuo; dentro de los
nombres colectivos podríamos hacer otra
subdivisión entre determinados e indeterminados: en los determinados podemos
incluir sustantivos como *rebaño, ejército,*
etcétera, donde sabemos que se trata de
animales y soldados; en los indeterminados no conoceríamos los elementos que lo
componen: *docena, multitud.*

Clasificación de los sustantivos por su forma

Se utilizan dos tipos de clasificaciones
que no sólo sirven para el sustantivo:

1. Simples y compuestos.
2. Primitivos y derivados.

a) Sustantivos compuestos: Están
formados por varios lexemas o raíces
(ejemplo: *tocadiscos*). Se pueden subdividir, por su estructura, en:

— Sustantivo + sustantivo: *bocacalle.*
— Adjetivo + sustantivo: *bajamar.*
— Sustantivo + adjetivo: *pelirrojo.*
— Verbo + sustantivo: *sacacorchos.*

Y por la relación que contraen entre sus
componentes:

— Copulativos: *vaivén.*
— Reduplicativos: *café café.*
— Transitivos: *tocadiscos.*

b) Los sustantivos derivativos quedaron explicados en el apartado de la configuración morfológica del sustantivo. En
esta clase de sustantivos, dentro de los derivativos, estarían los sustantivos apreciativos: aumentativos y disminutivos (ejemplo: *librito, librazo*).

EL ARTICULO

Se considera al artículo como una categoría gramatical que está dentro de los
determinantes. Y los determinantes son
todas aquellas piezas léxicas que modifican
al nombre sustantivo. Desde el contenido

de los determinantes se caracteriza porque precisa y sitúa al sustantivo. Por su carácter deíctico —de señalamiento— se consideran más próximos a la categoría pronominal que a la de los adjetivos.

El artículo en español se sitúa siempre antepuesto al sintagma nominal y no admite entre él y el núcleo del sintagma ni preposiciones, ni verbos, ni complementos específicos del sintagma verbal.

No tiene significación léxica, simplemente tiene un valor deíctico etimológico, que ya ha desaparecido, y de actualizador del sustantivo, es decir, desempeña la función de presentador del nombre, y concordará con él en género y número.

Clasificación del artículo

Tradicionalmente se ha distinguido entre artículo determinado y artículo indeterminado. La gramática tradicional venía diciendo que *el, la, los, las* determinaban al sustantivo, mientras que *un, una, unos, unas* nos lo presentaban de una forma indeterminada. A pesar de ello, Amado Alonso ha rechazado esta perspectiva; cuando decimos *el hombre es el rey de la creación*, aludimos a hombre con una gran indeterminación, mayor que cuando utilizamos el indeterminado *he visto un hombre que montaba en bicicleta*.

Para Amado Alonso, este esquema no va a venir dado por la presencia *el/un*, sino que nos va a venir dado por la oposición presencia/ausencia del artículo. Se ha dicho por esto que *un, uno, unas, unos* son adjetivos funcionando como determinantes y que pueden tener un sentido de indeterminación.

Es una cuestión controvertida en la gramática española la de incluir, dentro de la categoría de artículo, a *lo*. Pero debido a su carácter de sustantivador de adjetivos o expresiones equivalentes, vamos a considerarlo como un artículo de género neutro (ejemplo: *lo bueno, lo de siempre, lo que dijo*). Sería, por otro lado, una forma no concordada.

El cuadro de los artículos determinados quedaría así (véase cuadro 4.5).

El artículo indeterminado quedaría así representado (véase cuadro 4.6).

Valores de sustantivador

El artículo *lo* neutro ya hemos dicho que tiene un valor de sustantivar tanto adjetivos como expresiones que pueden llegar a ser sustantivos. Siempre acompaña a una cualidad que no puede ser representada (*lo bello*); esto no equivale a *belleza*, sino a todos aquellos objetos que poseen esta cualidad; para este concepto no existe un nombre en castellano, y es por esto que no puede ser representada. Generalmente, *lo* acompaña a adjetivos que tienen género femenino, pero es posible que aparezca con otras formas (*lo bueno que es*); en estas construcciones el artículo posee un valor diferente, se trata de un intensificador.

Los restantes artículos determinados siempre acompañan al nombre, pero existen casos en que el nombre no aparece, con nombres sobreentendidos o tácitos, y es en estos casos en los que también actúan con valor sustantivador o como representantes del nombre, este uso está muy cercano a un valor pronominal (ejemplo: *dame el verde*); esta construcción es posible si antes ha habido una referencia al nombre al que se

Cuadro 4.5

	MASCULINO	*FEMENINO*	*NEUTRO*
Singular	El	La	Lo
Plural	Los	Las	Lo

Cuadro 4.6

	MASCULINO	FEMENINO
Singular	Un	Una
Plural	Unos	Unas

refiere (*verde*) o si existe un señalamiento por medio de un gesto, coinciden así en este último caso el valor sustantivador y el deíctico, Sólo los artículos determinados pueden tener valor sustantivador.

Las contracciones

Son conglomerados en los que se han fundido los artículos determinados *el* y una preposición: *a* o *de*.

En estos conglomerados se enlazan fónica y ortográficamente (*al, del*). Sin embargo, no siempre que se produce el contacto entre la preposición *a* o *de* con el artículo *el* se produce la contracción, existen casos que esto no sucede y supone una falta ortográfica en la escritura no respetarlo:

a) Cuando el artículo forma parte de un nombre propio, como en denominaciones geográficas, apellidos o títulos de obras:

— Voy *a El* Escorial.
— El poema de *El Mio Cid.*

b) En casos en que el nombre al que acompaña el artículo empiece por *al* en el caso de la preposición *a*, o que empiece por *del* en el caso de la preposición *de*:

— Llamar *a el* alcalde.
— La madre *de el* delfín.

Usos del artículo

Para establecer los usos del artículo hay que hacer una distinción previa entre usos fijos y usos libres, y dentro de este úl-

timo tipo el uso junto a nombres comunes, junto a expresiones sustantivadas y junto a nombres propios.

Son los usos fijos aquellos en que el artículo ha perdido sus propiedades, y ya no se comporta como tal, entran a formar parte del sustantivo al que acompaña como si fueran una unidad inseparable. En esta situación están los artículos que forman parte de nombres propios, como *La Coruña*, y los que forman una unidad junto a los relativos compuestos, como *el que, la que*, etc.

Los usos libres son los que vienen exigidos por el contexto semántico y los artículos funcionan como tales.

a) Dentro de los usos del artículo determinado con nombres comunes cabe hacer otra distinción entre usos obligatorios y usos estilísticos u opcionales.

En los casos obligatorios: como regla general, es obligatorio cuando nos referimos a realidades únicas:

1. Cuando nos referimos a realidades objetivamente únicas, las horas, los puntos cardinales, cualidades, materia, etc. (ejemplo: *llamaré a* las *nueve, el oro es* un *metal muy valioso*).
2. Cuando el sustantivo se refiere a género o especie (ejemplo: *el hombre es un animal*).
3. Otras veces el carácter único viene dado por el contexto (ejemplo: *el teorema de Pitágoras*). Dentro de los casos obligatorios hay ocasiones en que es obligatoria su ausencia y no puede aparecer ni el determinado ni el indeterminado. Esto sucede cuando se emplea el

sustantivo sin actualizar, es decir, sin referencia a una realidad concreta, cuando se trata de objetos en general sin especificar (ejemplos: *Juan es médico, ¡Soldados!, me entretiene ver televisión*).

b) Con respecto al uso del artículo con expresiones sustantivadas, es decir, cuando el artículo asume su valor sustantivador, su uso no siempre es obligatorio y su valor, igual que ocurre cuando acompaña a nombres comunes, es el de unicidad, porque estas expresiones indican realidades únicas:

1. Con adjetivos o expresiones que equivalen a un adjetivo. Ejemplo: *el coche grande y el (coche) pequeño, el alumno que estudia (= estudioso)* —el que estudia.
2. En las oraciones sustantivas, el artículo, que siempre aparece en masculino y singular, es obligatorio sólo cuando el verbo de la oración sustantiva está en infinitivo y lleva algún complemento nominal (ejemplo: *me agrada el cantar de mi madre*).

c) El uso del artículo con nombres propios. Por definición, aluden siempre a objetos únicos. Hay que distinguir entre usos propios e impropios.

Propios

1. Con los nombres propios que van acompañados de un adjetivo o complemento, con función de especificador o epíteto (ejemplo: *la España invertebrada*).
2. Con apellidos referidos a mujer (ejemplo: *la Thatcher*).

Impropios

1. En construcciones apositivas, en las que hay dos sustantivos de los cuales uno determina al otro.

1.1. Cuando el nombre propio va precedido por un nombre genérico o clasificador (ejemplo: *el río Ebro*).
1.2. Si va precedido de un nombre que indica título o tratamiento (ejemplo: *el rey Alfonso XII*).
1.3. Se coloca el artículo también delante de apodos o sobrenombre (ejemplo: *Alfonso X el Sabio*).
1.4. Cuando se intenta resaltar, por medio de un sustantivo común, el nombre propio (ejemplo: *el imbécil de Ramón*).

2. Por elisión de nombre genérico, el artículo aparece delante de nombres propios geográficos.

2.1. En masculinos y femeninos (ejemplos: *el Atlántico, las Canarias*).
2.2. Cuando con un nombre propio nos referimos a todas las personas que tienen dicho nombre (ejemplo: *los Fernández*).
2.3. Cuando por metonimia usamos el nombre del autor para referirnos a sus obras (ejemplo: *los Goya del Museo del Prado*).

EL ADJETIVO

Siempre ha resultado problemática la delimitación del adjetivo dentro de una categoría gramatical. Para las gramáticas tradicionales se ha venido incluyendo junto con el sustantivo dentro de la categoría de nombre, el sustantivo era aquel nombre que se refería a la sustancia y el adjetivo el que se refería a la cualidad. Esto era consecuencia de equiparar los conceptos filosóficos con los lingüísticos. Actualmente se considera al adjetivo como una entidad autónoma y con características lo suficientemente alejadas del sustantivo como para ello. Morfológicamente parece coincidir con el sustantivo en líneas generales, esto es aparente, y semánticamente también parece presentar afinidades con el verbo. De entre las palabras que modifican el sustantivo, los adjetivos lo modifican directamente como el verbo (ejemplo: *jardín florido*), o también indirectamente a través de un predicado (ejemplo: *el río baja* turbio).

Y aunque hoy día se tiende a considerar sólo al adjetivo en un sentido más restringido, excluyendo a los determinantes, estos últimos han venido formando parte del adjetivo tradicionalmente. Así hablábamos de adjetivos posesivos, demostrativos, etcétera.

La caracterización del adjetivo podemos hacerla desde las perspectivas morfológica, semántica o sintáctica.

Morfológica

Está compuesto por un lexema o raíz invariable donde se encuentra el significado, y unos morfemas de género, número; el orden de aplicación de ellos es el mismo que los del sustantivo. Esta identificación morfológica entre adjetivo y sustantivo es más aparente que real. Mientras que la oposición en el adjetivo de los morfemas de género y número son simples morfemas de *concordancia*, sin oposición paradigmática como en el sustantivo; el sustantivo tiene estos morfemas de forma inherente.

A esta diferencia morfológica mínima podemos añadir otros rasgos que posee el adjetivo, como por ejemplo una serie de morfemas recategorizadores: *-oso, -ente, -ble, -ense*, que sólo son recategorizadores de adjetivos, es decir, que aplicándolos a otra palabra, nombre, verbo, etc., conseguimos siempre hacer adjetivos (ejemplo: ama-*ble*, bondad-*oso*).

Otro rasgo sería la posibilidad que tienen de admitir diminutivos y aumentativos. Pero quizá el que más le caracteriza frente al sustantivo es el de que admite

cuantificación, el sustantivo solamente la admite cuando está adjetivado. A pesar de esto, las diferencias entre los dos son mínimas.

Sintáctica

Las mayores diferencias las vamos a encontrar en el plano sintáctico y semántico. Con respecto a la sintaxis, el adjetivo se caracteriza por cumplir la función de modificar al sustantivo. Esta modificación puede ser de dos formas, directamente o mediante un verbo copulativo. En el primer caso, el adjetivo es parte de un sintagma nominal, sin embargo en la segunda distinción será constituyente oracional.

Cuando el adjetivo aparece como constituyente oracional (con verbo copulativo), el adjetivo queda dentro de una temporalidad que le proporciona el verbo, mientras que cuando es parte del sintagma nominal queda fuera de todo marco temporal.

Semántica

El hecho de que el adjetivo pueda tener una distribución predicativa, es decir, que pueda aparecer en los contextos en que podría hacerlo el núcleo del predicado, se debe al hecho de que semánticamente tienen unas características muy similares a las del verbo.

Es una palabra, portadora de cualidad. Esta visión del adjetivo aparece desde el principio de los estudios gramaticales. Podría defenderse, sin embargo, que como portador de cualidad no obtendríamos una caracterización exhaustiva, ya que hay sustantivos que también la indican (*blancura*) y hay adjetivos que no expresan cualidad.

El adjetivo presenta conexiones con el verbo y su función predicativa. Hay equivalencias entre la atribución y la predicación (ejemplo: *Juan es ciego*, es lo mismo que decir que *Juan no ve*). Se ha dicho que las diferencias son de morfema; esta relación entre adjetivo y verbo, que ya aparecía en la antigüedad, se encuentra desarrollada en el marco de la gramática generativo-transformacional, donde algunos autores han borrado la diferencia adjetivo y verbo en la estuctura profunda; la distinción para estos generativistas se daría únicamente en el plano de la estructura superficial.

Configuración morfológica

El adjetivo, según hemos dicho, consta de un lexema o raíz donde tiene el contenido léxico y unos morfemas de género y número, que, a diferencia de lo que ocurre con el sustantivo, sólo son morfemas de concordancia; no los posee de forma constitutiva.

El género

Por su estructura genérica, pueden dividirse en tres grupos:

1. Adjetivos invariables.
2. Adjetivos que admiten femeninos en -a y masculinos en -o.
3. Adjetivos con morfema Ø para el masculino y -a para el femenino.

1. Son invariables los adjetivos que terminan en -a, y que generalmente, además de funcionar como adjetivos, pueden hacerlo también como nombres comunes (ejemplo: *hipócrita*). Podemos encontrar algunos que sólo funcionan como adjetivos (ejemplo: *agrícola, cosmopolita*).

Invariables igualmente con respecto al género son adjetivos terminados en -*i*, gentilicios casi siempre (ejemplos: *israelí, iraní*), pero no siempre (*cursi*).

La mayor parte de los terminados en -*e* son invariables y más abundantes que los casos anteriores (ejemplos: *amable, independiente*).

Lo son también la mayor parte de los adjetivos que terminan en -*az, -iz, -oz* (ejemplos: *rapaz, feliz, veloz*). Los agudos terminados en -*al* y -*ar* (ejemplos: *fundamental, bacilar*), los llanos terminados en -*il* (ejemplo: *ágil*). Los comparativos (ejemplos: *mejor, peor*). Varios adjetivos aislados, como *azul* y, por último, algunos adjetivos compuestos cuya segunda palabra es un nombre sustantivo (ejemplo: multi-*color*, im-*par*).

2. Constituyen el grupo más numeroso. La presencia de una terminación implica la presencia de otra (con las excepciones del anterior apartado), por lo que si existe un adjetivo terminado en -*o*, si no existiera su correlativo en -*a*, estaríamos ante un caso de sustantivo y no de adjetivo.

3. Se dan generalmente entre aquellos adjetivos que mediante sufijos terminan en -*ete*, -*ote* (ejemplo: *guap*ete-ota, *regord*ete-eta). También los terminados en -*ín* y -*ón* (ejemplos: *pequeñ*ín-ina), con ellos otros adjetivos de otro origen (ejemplos: *saltar*ín-ina, *llor*ón-ona). Otros nombres terminados en -*án* (ejemplo: *holgaz*án-ana).

Todos los adjetivos formados por el sufijo -*dor*, -*tor*, -*sor* tienen la oposición femenina -*a* y masculina -*or* (ejemplo: *crea*dor-*crea*dora). Los gentilicios termi-

Cuadro 4.7

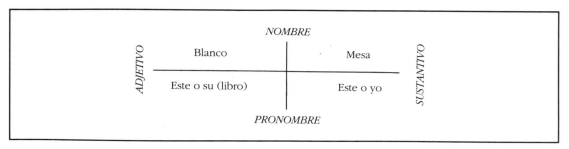

87

Cuadro 4.8
Clases de adjetivos.

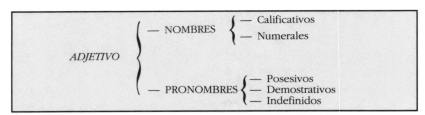

nados en *-és*, como *francés*, y también los gentilicios terminados en consonante, como *andaluz-uza*.

Cabe hacer notar que los adjetivos que forman parte de este apartado son referidos, en su mayoría, a persona y funcionan como sustantivos o adjetivos indistintamente, por ello pueden formar el femenino con *-a*.

El número

Por lo que se refiere al morfema del número, siguen los adjetivos las mismas indicaciones que el sustantivo en la formación del plural.

CLASIFICACION DE LOS ADJETIVOS

Podemos atender al significado y a su funcionamiento con relación al sustantivo para intentar establecer las clases de adjetivos. Sirva para aclararlo el cuadro 4.7.

Así existirían unos adjetivos que pertenecerían, como históricamente se ha venido considerando, a la clase del nombre, y serían los que en sentido estricto actualmente se entienden por adjetivos: son los adjetivos *calificativos* y modifican al sustantivo aportándole cualidades. Dentro también de esta macrocategoría que es el nombre, encontraríamos a los adjetivos *numerales*, significan número determinado, y dentro de ellos existirían varias clases: *cardinales*, *ordinales*, *distributivos*, *múltiplos*, *partitivos* y *colectivos*.

Por otro lado, estarían los adjetivos llamados *determinativos* que no significarían nombre, éstos quedan dentro del ámbito del pronombre y podemos subdividirlos en *posesivos*, *demostrativos* e *indefinidos*. Podemos considerarlos hasta cierto punto adjetivos, porque concuerdan con el sustantivo al que acompañan con género y número. Pero como se trata de pronombres los vamos a estudiar en el próximo capítulo junto con los pronombres sustantivos (véase cuadro 4.8).

Adjetivos calificativos

Vamos a estudiar varios aspectos del adjetivo calificativo: la función y la colocación.

Funciones del adjetivo

En cuanto a la función, que esencialmente consiste en calificar al sustantivo, cualquiera que sea la función de éste en la oración, hay que establecer la distinción entre *una atribución*, sin que medie otra palabra entre el sustantivo y el adjetivo (ejemplo: *almendro florido*), y *una predicación* por medio de un verbo copulativo (ejemplo: *este almendro está florido*). Distinguimos así entre una función atributiva y otra predicativa.

Colocación del adjetivo atributivo

La colocación del adjetivo *atributivo* subdivide a éste en dos tipos:

— El especificativo (pospuesto).
— El explicativo (antepuesto).

Existen varias posturas tradicionales ante la colocación del adjetivo atributivo:

1. Una lógica, representada por Bello.
2. Una psicologística.
3. Otra desde el punto de vista de la estructura sintáctica y rítmica.

1. Para Bello, los adjetivos pospuestos determinaban o restringían la significación del sustantivo; en cambio, el antepuesto añade una nota o cualidad que desenvuelve la imagen del sustantivo, pero no la limita. Es por esto que resultaría chocante la utilización de un adjetivo pospuesto cuando designa cualidades que ya se incluyen en el significado del sustantivo (ejemplo: *la nieve blanca*, parece que estamos distinguiendo un tipo de nieve, la blanca, pero en realidad la nieve siempre es blanca, por eso es mejor la blanca nieve).

2. Para la interpretación psicológica, lo esencial del adjetivo antepuesto es el hecho de que incide sobre la cualidad del objeto, presta más atención a la cualidad que al sustantivo, por eso se dice que tiene un carácter subjetivo o afectivo. El pospuesto, por su parte, se fijaría más en el objeto, expresa una cualidad más o menos característica, pero no la realza. Tiene un carácter objetivo.

3. En el caso del adjetivo pospuesto, éste realiza el orden lineal, el determinante sigue al determinado; en cambio, el adjetivo antepuesto responde al orden envolvente, el determinante se anticipa, por ello es más afectiva o valorativa la actitud del hablante ante la cualidad, y se dan con preferencia en oraciones exclamativas (ejemplo: *¡bonita casa!*).

Estas tendencias pueden ser favorecidas o contrariadas por las condiciones rítmicas de acento, movimiento melódico, número de sílabas y por hallárselos sustantivos y adjetivos en la parte tensiva o distensiva de la oración. Esto se hace sentir, sobre todo, en la prosa literaria.

Cuando sean varios los adjetivos que califican a un sustantivo, su colocación e integración dependerán de cómo se agrupan rítmicamente, de que se enlacen o no se enlacen por medio de conjunciones, de su mayor o menos determinación y de la calidad expresiva de lo mencionado.

En algunos casos, debido al uso, se han llegado a lexicalizar combinaciones de sustantivo más adjetivo, y aparecen siempre juntos sin poder ser divisibles (ejemplo: *fuego fatuo, altavoz*). En otros, sin llegar a lexicalizarse, parecen marcar un orden fijo (ejemplo: *mala suerte, rara vez*).

Hay que hacer también mención a ciertos adjetivos que cambian de significación dependiendo del orden en que aparezcan combinados con el sustantivo, como son por ejemplo los adjetivos *triste y pobre* (ejemplos: *hombre triste/triste hombre, hombre pobre/pobre hombre*).

Grados del adjetivo calificativo

La cualidad de un adjetivo puede venir modificada en su intensidad, en su cantidad o por la relación que establece con otros elementos que poseen esa misma cualidad.

A estas diferentes maneras en que aparece el adjetivo, se les llama grados del adjetivo, y podemos hacer la siguiente clasificación:

1. Grado *positivo*. El adjetivo no aparece cuantificado (ejemplo: *bueno*), y corresponde al adjetivo calificativo.

2. Grado *comparativo*. Si se compara con otros elementos puede ser de *igualdad*, de *inferioridad* o de *superioridad*.

3. Grado *superlativo*. Si se intensifica la cualidad mediante el sufijo *-ísimo* o *-érrimo*, y también mediante adverbios de cantidad como *muy*, que se anteponen al adjetivo.

a) Dentro de la comparación, los grados de igualdad, superioridad o inferioridad se amoldan en general a los esquemas que siguen:

— Igualdad: *tan... como...*
— Superioridad: *más... que (o de)...*
— Inferioridad: *menos... que (o de)...*

(ejemplos: *es* tan *alto* como *Ignacio, es* me-nos *grande* que *mi casa, es el* menos *extenso* de *entre mis pastos*).

Existen además los comparativos sin-téticos, es decir, los que se han heredado del latín y que conservan su carácter verdade-ramente comparativo (ejemplos: *mejor, peor, mayor, menor*).

b) En el grado superlativo también encontramos los superlativos relativos, son aquellos que indican una cualidad en el mayor grado, o también una simple inten-sificación de la cualidad, como son *máxi-mo, mínimo, pésimo, supremo*, etc. El gra-do superlativo se expresa ordinariamente por medio del comparativo precedido del artículo (ejemplo: *Juan era* el mejor *jugador del fútbol, la casa* más alta *del barrio*).

Esta misma función puede ser desem-peñada por los numerales ordinales y los adjetivos que denotan la posición más importante (ejemplo: *los primeros hombres que llegaron a la Luna, perdí la única oca-sión que se me presentaría en la vida*).

La sustantivación

Existen dos posibles vías para conse-guir que una cualidad considerada en abs-tracto, es decir, sin que se le atribuya a un sustantivo para calificarlo, sea sustantiva-da y deje de ser adjetivo. Una es por medio de sufijos recategorizadores (de *blanc*-o, *bland*-ura), y la otra posibilidad consiste el sustantivar el adjetivo por medio del artícu-lo o un pronombre adjetivo (*el malo, este verde*). Es posible igualmente encontrar sustantivado al adjetivo cuando el nombre al que se refieren no aparece expreso y es el adjetivo el que asume la significación de ambos, en este caso puede o no llevar ar-tículo; en caso de que no le lleve, basta con que desempeñe el adjetivo cualesquiera de las funciones que habitualmente lo hace el sustantivo (sujeto, objeto directo) para que quede sustantivado (ejemplos: *verdes y amarillos son los que nos interesan, no per-donaban profano ni sagrado*).

La adverbialización

Tanto adverbios como adjetivos coin-ciden en el hecho de que ambos determinan la· significación de otras palabras, pero mientras el adverbio lo hace sobre adjeti-vos, verbos o a otros adverbios, el adjetivo incide sobre el sustantivo. Por ello, nada tiene de extraño que los adjetivos se adver-bialicen o que los adverbios den lugar a adjetivaciones, y tampoco es extraño que todo ello se produzca sin la intervención de sufijos recategorizadores.

El trasvase de una categoría a otra se puede ver en las oraciones de verbo de es-tado e intransitivos (ejemplo: *el niño duer-me tranquilo, mis padres viven felices*). Es-tos adjetivos conciertan con el sujeto que son los dos sustantivos (*el niño, mis padres*), pero también puede observarse que modi-fican al verbo como lo puedan hacer los adverbios (*tranquilamente, felizmente*). Es-tas oraciones, como las atributivas, tienen un predicado que concierta con el sujeto, la diferencia es que, en las atributivas o co-pulativas propiamente dichas, el hecho es una mera cópula y, en estas oraciones con verbos de estado o intransitivos, el predi-cado conserva su significación.

Existen construcciones en que podría-mos considerar al adjetivo como tal o como un adverbio. Si decimos *toma poco vino*, *poco* se refiere a *vino* y por ello es un ad-jetivo, pero si callamos el sustantivo *toma poco*, ya podríamos considerarlo como un adverbio, estamos queriendo decir que to-ma vino escasamente. De estos usos nos han quedado adverbios como *hablar alto*, *comer demasiado*, etc. Se trata de adverbios que se han fosilizado, y su forma es inva-riable.

Algunos, acompañados de preposi-ción, han producido frases adverbiales *a ciegas, a tontas y a locas*, etc.

Adjetivos numerales

Son los únicos adjetivos determinativos que vamos a considerar dentro de la categoría del adjetivo y no en la del pronombre. La razón es que en toda la tradición gramatical se incluía dentro de la macrocategoría de nombre junto con los adjetivos calificativos. Entendían los gramáticos logicotradicionales que eran un tipo de nombres que indicaban cantidad. En realidad, como ya dijimos, ahora a la categoría del adjetivo se la considera independiente de la del sustantivo.

Estos adjetivos, por tanto, serán aquellos que indican número determinado. Esta idea de número determinado la pueden expresar directamente o asociada a otra.

Los adjetivos numerales son de varias especies:

1. Cardinales
2. Ordinales
3. Distributivos
4. Múltiplos
5. Partitivos
6. Colectivos

1 y 2. Los numerales cardinales son aquellos que indican un número determinado, como *tres, nueve*, etc. No existe una lista infinita de numerales cardinales. Las entidades que representan, es decir, las realidades extralingüísticas a que se refieren, no es infinita y, sin embargo, el repertorio de estos adjetivos sí lo es; por eso nos vemos obligados a combinarlos. Así aparecen asociados como *treinta y dos, diecinueve*. En el ejemplo *tres mil* es como si la cantidad mil se multiplicara por tres veces.

Uno y *una* carecen de plural cuando significan la unidad, pero si lo usamos como artículo indeterminado o lo hacemos sustantivo admite el número plural (ejemplos: unos *zapatos, el once se compone de dos* unos).

Los adjetivos *ambos* y *ambas* que se refieren a las entidades ya consabidas son también numerales.

Ciento sufre apócope ante todo sustantivo (cien *legiones*) y también ante adjetivos (*quiero* cien *honrados trabajadores*). Cuando precede a un cardinal se distingue: si lo multiplica, se apócopa, y si sólo se le añade, no sufre cambio (ejemplos: *cien mil hombres, ciento cuarenta mil soldados*).

Ciento y *mil* se usan como sustantivos colectivos, y entonces admiten ambos número (*primero, tercero*, etc.). Pueden combinarse y, en ese caso, pueden sustituirse (*primero* por *primo* y *tercero* por *tercio*, así *vigésimo tercio*). Algunos tienen formas dobles, como *séptimo* y *septeno, noveno* y *nono*, etc.

En ciertas ocasiones se emplean los numerales cardinales como ordinales (*Alfonso doce*).

Con los nombres de reyes de España y papas se refieren los ordinales hasta duodécimo, pero siempre se dirá *Juan veintidós*. Con los nombres de otros monarcas extranjeros solemos emplear ordinales hasta diez u once y los cardinales a partir de entonces.

3. No existe en castellano más adjetivo distributivo que *sendos-as*. Se usa correctamente cuando significa *cada uno con el suyo*. Así, *todos fueron con sendos fusiles*.

Para significar la distribución numeral, casi siempre utilizamos los cardinales: *eligieron para cada tres clases un delegado*. Se usa, pues, *cada* como adjetivo de todo número y género bajo una terminación invarible (*cada uno, cada cual, cada* está sustantivado).

4. Son aquellos que significan multiplicación y, además de múltiplos, también han sido llamados proporcionales. Son numerales múltiplos *doble* o *duplicada, triple* o *triplicado, cuádruple* o *cuadruplicada. Duplo y triplo* son siempre sustantivos, los demás son todos adjetivos que pueden sustantivarse si se utilizan con la terminación masculina (*el doble, el centuplo*), lo que no se extiende a los que acaban en *-ado*.

También pueden formarse múltiplos si a los cardinales le añadimos la terminación *tanto* (ejemplo: *cuatrotanto*).

Pero estos compuestos no suelen formarse más que con los cardinales comprendidos entre tres y diez.

5. Son los que indican división. Generalmente se emplean los ordinales, desde *tercero*, con el sustantivo femenino *parte* (ejemplo: *cuarta parte, quinta parte*), aunque se usa más *tercio*, podemos también utilizar *tercera parte*; se dirá siempre *la mitad* y no *la segunda parte*, esta última tiene otra significación. Atendiendo al género de los numerales partitivos, hay que distinguir varias cosas:

a) Que el ordinal masculino indica generalización, frente al femenino que se refiere a cosas concretas.

b) Que la terminación femenina es menos usada que la masculina en la aritmética decimal.

c) Que cuando el ordinal sufre alteración en su forma se aplica a determinadas cosas (*diezmo:* impuesto fiscal o eclesiástico).

En la aritmética se forman los partitivos de todos los cardinales, simples o compuestos, a partir de once añadiéndoles la terminación *-avo* (ejemplo: *onceavo, dieciseisavo*).

6. Los numerales colectivos, aunque según la gramática tradicional están dentro del nombre, ya no son adjetivos, sino sustantivos (ejemplos: *docena, veintena, millar*).

EL PRONOMBRE

De todas las categorías morfológicas, es quizá el pronombre la que más problemas ha planteado siempre.

No todos los gramáticos admiten que sea una clase de palabras independientes del resto de las categorías, no existe tampoco una definición adecuada, ni siquiera están todos los autores de acuerdo a la hora de establecer qué tipos de palabras deben incluirse dentro del pronombre.

Se ha venido entendiendo tradicionalmente al pronombre como toda aquella palabra que sustituye al nombre para evitar su repetición. Muy pocos autores estarían dispuestos a admitir hoy esta definición, ya que sólo unos cuantos pronombres lo cumplen. El pronombre personal de primera persona jamás puede ser sustituido por el nombre, al que en teoría sustituye (ejemplo: *yo como manzanas*, pero *Juan como manzanas* es absolutamente agramatical). En otras ocasiones, incluso, sería impensable, pues existen casos en que se están refiriendo a realidades de las que no se conoce su nombre, *quien* se utiliza para simplicar sujetos indeterminados (por ejemplo: *¿Quién es?*).

Varios autores han concluido que lo esencial del pronombre es que tiene un contenido ocasional, o lo que es lo mismo, dependiente del contexto. Desde este punto de vista, el pronombre estaría constituido por palabras sin significado léxico, el cual lo adquiriría en cada caso por el contexto. Pero también esta reflexión sería problemática, pues parece aludir más a la relación que establecería con la realidad extralingüística, que a un verdadero significado que podamos atribuir al pronombre.

Así, *yo* significa siempre primera persona, independientemente de que la persona a la que alude se llame Juan, Pedro o María. El significado no varía, varía la referencia.

Ya hemos visto, por tanto, que la caracterización de esta categoría, que muchos niegan, no es nada fácil.

Habría que concluir que el pronombre es una categoría que tiene significado igual que el nombre, pero que este significado es gramatical y no léxico. Además, podría desempeñar las funciones que un nombre realiza no en sentido de sustitución, sino en sentido de entender el pronombre con sus propias características y con la posibilidad de desempeñar las mismas funciones que el nombre, no de sustituirle.

Clasificación de los pronombres

No existe acuerdo a la hora de establecer qué palabras deben integrarse en esta categoría. Quizá la clasificación más coherente y extendida sea la que hace Bello del pronombre.

En él incluirá a todas aquellas palabras que indican persona; por tanto, entrarían los pronombres personales, los posesivos y los demostrativos. Se incluirían también los relativos y los interrogativos. El artículo, sin embargo, tiene las suficientes diferencias para enterderlo como una categoría aparte.

Incluimos los indefinidos porque, en realidad, su comportamiento se ajusta a la definición que hemos dado de pronombre como categoría gramatical capaz de funcionar como un nombre.

Pronombres personales

Los pronombres personales poseen, además de género y número como los nombres, el rasgo de persona; la persona tiene una relación directa con los interlocutores implicados en el coloquio. Posee, además,

género neutro y la característica de la flexión. Esta última es un rasgo que han conservado de la declinación latina. La flexión es una variación normal que sufren los pronombres en las tres personas, dependiendo de que desempeñen la función de sujeto o de complemento. Dentro de los complementos existen también formas diversas, en cuyos usos sintácticos sobreviven algunas de las formas latinas.

El término de persona alude al hecho de la comunicación, a los elementos humanos que intervienen en ella, aunque la tercera persona del singular también puede referirse a otras realidades no humanas:

— La primera persona se corresponde con el hablante.
— La segunda persona se refiere al oyente.
— La tercera persona menciona al elemento ausente.

Primera persona — *yo/nosotros-as*
Segunda persona — *tú/vosotros-as*
Tercera persona — *él/ellos-as*

Cuadro 4.9

			SIN CASO (TÓNICAS)		CON CASO (ÁTONAS)	
1ª persona	Singular		yo, mí, (con)migo		me	
	Plural	Masculino	nosotros	nos	nos	
		Femenino	nosotras			
2ª persona	Singular		tú, ti, (con)tigo		te	
	Plural	Masculino	vosotros	vos	os	
		Femenino	vosotras			
3ª persona no reflexiva	Singular	Masculino	él	lo	le	se
		Femenino	ella	la		
		Neutro	ello	lo		
	Plural	Masculino	ellos	los	les	
		Femenino	ellas	las		
3ª persona reflexiva			sí, (con)sigo		se	

Cada una de estas personas admite número singular o plural, y además varía su forma cuando cambian de caso.

Tradicionalmente se viene haciendo una distinción entre formas *tónicas y átonas*; no sólo responde a motivos fónicos, tiene una vertiente gramatical también, ya que las formas tónicas carecen de caso y se utilizan exclusivamente como términos de preposición; por el contrario, las átonas sí tienen contenido casual. Jamás pueden funcionar como sujeto, lo hacen como objeto directo o indirecto dentro de la oración. Siempre van junto al verbo, inmediatamente antes o inmediatamente después, se les llama por ello *clíticos* (*enclíticos* si van pospuestos y *proclíticos* si se anteponen). A veces, por estas relaciones tan íntimas que guardan con el verbo, algunos gramáticos los han considerado como morfemas del mismo y no como pronombres propiamente dichos.

En la tercera persona no reflexiva hay formas para las funciones de complemento directo y complemento indirecto, por ello podemos hablar en esta persona de una oposición entre caso acusativo frente a caso dativo.

La primera y segunda persona, tanto en singular como en plural, no tienen oposición de caso, pues se usa la misma forma tanto para el acusativo como para el dativo; hay que deducir la función a partir del contexto.

La distinción de número se establece, como en el nombre y el adjetivo, mediante la oposición entre singular y plural:

> *yo/nosotros*
> *tú/vosotros*
> *él/ellos*

En la primera persona y a veces en la segunda, esta oposición difiere semánticamente de lo que ocurre en los sustantivos. El plural de un nombre es una suma de singulares, cosa que no ocurre en el pronombre *nosotros*, que no corresponde a la suma de *yo+yo+yo* (*nosotros* es un plural de personas entre las que se encuentra la primera).

Por su contenido significativo, *nosotros* podemos analizarlo como la suma de:

> — *yo + tú (vosotros)*
> — *yo + él (ellos)*

o también:

> — *yo + tú (vosotros) + él (ellos)*

De esta manera, pronombre personal de primera persona plural podría contener las tres personas.

Las distintas formas que pueden presentar cada una de las personas de los pronombres personales, son las siguientes (véase cuadro 4.9).

Sintaxis de los casos tónicos

Las formas tónicas son las que funcionalmente se parecen más al sustantivo, y si prescindimos de las que siempre aparecen con preposición, pueden realizar cualquier función dentro de la oración, y pueden aceptar ciertas complementaciones:

1. Adjetivos: *mismo, todo, solo, junto, propio.*
2. Adjetivos numerales cardinales.
3. Pueden formar parte de una aposición.
4. Pueden funcionar como antecedente de oraciones de relativo o adjetivas, de gerundio, de participio.

1 y 2. Los adjetivos y numerales siempre van detrás. *Todo* puede ir delante o detrás.

3. En la construcción apositiva puede haber dos alternativas:
   — Pronombre + nombre: *yo, el rey.*
   — Nombre + de + pronombre: *la imbécil de ella.*

4. Siempre, en estos casos, las oraciones son explicativas (ejemplo: *yo, cansada de trabajar, me fui de vacaciones*).

Estas formas tónicas plantean problemas cuando aparecen en función de sujeto.

Esto es así porque su uso, en este caso, es muy limitado en español, ya que el significado de persona aparece contenido en la flexión verbal.

En principio, habría que distinguir entre usos obligatorios y usos opcionales, caracterizados estos últimos por obedecer a motivaciones estilísticas o enfáticas.

En los usos obligatorios habría que citar los casos de ambigüedad (*muerto él, la empresa se perderá*), se produce generalmente cuando no hay flexión verbal, como cuando acompaña a infinitivos, gerundios y participios.

También sería ambiguo cuando las terminaciones verbales de dos personas distintas coinciden (ejemplo: *él amaba a su perro* y *yo amaba a su perro*).

La elipsis de forma verbal es igualmente, como es lógico, causa de posibles confusiones (ejemplo: *tu hermano dice la verdad pero tú no*).

En los usos enfáticos es difícil hacer una clasificación, esto se debe al hecho de que las circunstancias que pueden propiciar en énfasis son muy variadas, podemos apuntar aquellos casos en que se desea resaltar a uno de entre varios sujetos posibles (*mi hermana se quiere ir de vacaciones, pero yo, me niego en redondo*); en otras ocasiones se pretende resaltar alguna característica del sujeto (*pobrecita ella*), y también es frecuente encontrarlo acompañando a adverbios (*prefieres helado, yo también lo prefiero*). El pronombre de tercera persona se utiliza como sujeto con más frecuencia por tener un carácter de indeterminación mayor, para romper así la posible ambigüedad.

Las formas tónicas usadas como término de preposición pueden funcionar como complemento directo, indirecto o circunstancial. Las formas son las siguientes: *mí, ti* (*vos* en el voseo americano), *usted, él* y *ella* para el singular; *ello* para el neutro; *nosotros-as, vosotros-as, ustedes* y *ellos-as* para el plural. Las formas *conmigo, contigo* y *consigo*, que proceden del latín donde iba pospuesta la preposición *mecum, tecum, secum*, son consideradas también formas tónicas del pronombre personal.

Estas formas tónicas pueden aparecer en combinación con otras átonas, es un uso pleonástico, es decir, un uso en el que una de las dos formas parece redundante y sobra (*a mí me gustan los tilos*). Lo que podemos observar, sin embargo, es que la forma *a mí* puede suprimirse mientras que *me* no; por ello, parece que la forma átona es la necesaria. Aunque otras veces no es redundante ninguna de las dos (*os lo digo a vosotros que no me escucháis; a vosotros* es necesario porque es el antecedente de *que*).

Es obligado que la forma átona vaya junto al verbo, mientras la tónica goza de mayor libertad.

El uso redundante de las formas átonas *le, les* es igualmente más frecuente hoy. Se trata de un complemento que se anticipa a otro que aparece luego y es más preciso. Puede dar lugar a incorrecciones como *no le tiene miedo a las balas*, donde *le* debería ser plural.

Sintaxis de los casos átonos

Los pronombres átonos siempre se emplean sin preposición, y las de tercera persona conservan las diferencias que guardaban entre sí los casos en la declinación latina. La primera y segunda persona no plantean ningún problema, no así la tercera, en la que existen grandes confusiones entre las distintas formas, especialmente en Castilla, donde se empezaron a borrar las nociones de caso.

Fonéticamente han confluido el *se* personal procedente del *illi* dativo latino y el reflexivo *se*, a causa de la ambigüedad; a menudo se exige la aparición de las formas tónicas junto a él (*se lo di a él*).

Leísmo. En la tercera persona se han producido una serie de desajustes debido a que, heredados del latín, habría más formas del pronombre personal átono que desempeñaban las funciones de objeto directo unas e indirecto las otras y que, por la intervención de ciertos factores, unas formas empezaron a invadir (como se desprende de la forma antietimológica) las funciones que correspondían a las otras.

Del latín *illi, illis* que cumplían función de dativo, se pasó al español *le, les*, mientras que de *illum, illam, illos, illas*, acusativos latinos, se llegó a *lo, la, los, las*. Posteriormente, *le y les* comenzaron a invadir la esfera del objeto directo en caso de persona y masculino. El origen de este proceso fue la perduración del dativo con un grupo considerable de verbos que lo regían en latín, y el contagio de esa construcción a la esfera personal del objeto directo. En un primer momento esta invasión fue motivada por la necesidad de distinguir gramaticalmente entre objeto directo de cosa y de persona. Sin embargo, este proceso que se produjo en un primer momento no fue causa suficiente. Otro factor decisivo fue el hecho de que *illud* e *illum* confluyeran fonéticamente en *lo* y se borrara así la distinción entre género masculino y neutro en las formas de acusativo, lo que implica que el leísmo, es decir la invasión por *le, les* del objeto directo, fuera más intenso en singular y en la esfera del género masculino. El dativo *le* se extendió fácilmente al acusativo femenino y el *lo* acusativo ,quedó relegado para designar las cosas. La forma femenina se resistió más a la penetración del leísmo.

Hoy, la Academia admite el leísmo como acusativo masculino de persona y *lo* queda como la forma acusativa para cosa. El leísmo no está admitido en los demás casos:

— *Siempre* le *ayuda a su madre*: Esta utilización de *le* es correcta y atimológica.
— *A él hace mucho tiempo que no* le *veo*: En este caso el *le* está admitido por la Academia, aunque es antietimológico.
— *El coche* le *lavé ayer*: Este uso es inaceptable y antietimológico.

Laísmo. A los mismos motivos que en el caso de *le, les*, es decir al intento de reorganizar el sistema en relación a las distinciones de género masculino, femenino y neutro, obedece la intrusión de la forma femenina *la, las* del acusativo en el dativo; en éste no existe distinción de género, las únicas formas, tanto para el masculino como para el femenino, son *le* en el singular y *les* en plural. El laísmo no está aceptado por la Real Academia, a pesar de que, aunque más reciente que el leísmo, está atestiguado desde la Edad Media. Ejemplos de laísmo:

— *la* dije que no viniera
— *la* he dado la noticia
— *las* he dado la noticia

El laísmo está más extendido que el loísmo y aparece con mucha frecuencia en obras literarias, tanto antiguas como modernas, a pesar de la condena que de él hace la Real Academia.

Loísmo. Es antietimológico y consiste en la utilización de *lo, los* para el caso dativo, o lo que es lo mismo, con función de objeto indirecto de persona y masculino. Aparece en plural antes y con mucha mayor frecuencia que en singular; de todas formas, nunca abunda tanto como el leísmo o el laísmo. Su uso se considera más plebeyo que el uso de los otros dos casos.

Si este intento de sustitución del paradigma casual latino por otro basado exclusivamente en la distinción genérica hubiera triunfado, habría dado lugar a un sistema coherente y se hubiera equiparado al resto del sistema del pronombre personal y a los demostrativos, cuyas distinciones son de género. Pero, a pesar de estas tendencias antietimológicas, se ha mantenido la distinción casual y, por ello, la confusión sigue estando vigente. Parece que los fenómenos del leísmo, laísmo y loísmo se circunscriben a la zona de Castilla y León, donde, incluso, se percibe esa tendencia a la conservación casual latina y se resiste al intrusismo de la distinción entre géneros.

Hay que considerar que todo loísta es a la vez laísta y leísta; también todo laísta es leísta, pero que no todo leísta es a la vez

Cuadro 4.10

PERSONA GRAMATICAL				OBJETO POSEIDO			
				SINGULAR		PLURAL	
				Masculino	Femenino	Masculino	Femenino
	Primera	Singular	Tónica	mío	mía	míos	mías
			Atona	mi		mis	
		Plural	Tónica	nuestro	nuestra	nuestros	nuestras
	Segunda	Singular	Tónica	tuyo	tuya	tuyos	tuyas
			Atona	tu		tus	
		Plural	Tónica	vuestro	vuestra	vuestros	vuestras
	Tercera	Singular y Plural	Tónica	suyo	suya	suyos	suyas
			Atona	su		sus	

laísta y loísta. Por ello, encontramos que pueden coexistir en los hablantes de lengua hispana varios subsistemas del pronombre personal átono dependiendo de las anteriores variables.

La reflexividad

1. La reflexividad es un fenómeno de la lengua que se explica desde un punto de vista funcional y también semántico. Funcionalmente consiste en que el sujeto de la oración coincide con el objeto, ya sea directo o indirecto. Si el sujeto es primera persona, el pronombre personal átono con el que se construye toda oración reflexiva lo será igualmente (ejemplo: Yo me *lavo las manos*). Desde la perspectiva semántica se da la reflexividad cuando el agente de la acción coincide con el paciente. En el ejemplo anterior veíamos que las personas coincidían: *yo* y *me* pertenecen al paradigma de la primera persona, pero comprobamos, de la misma manera, que el agente de la acción, la primera persona, es el mismo que el que recibe la acción de lavar, es por tanto también el paciente. Así, el sujeto *yo*

es a la vez agente y el pronombre *me* es objeto directo y paciente.

En la reflexividad, el verbo siempre es activo y va acompañado de los pronombres personales *me, te, se* (singular y plural de tercera persona), *nos* y *os*.

Hay dos tipos de reflexividad, la directa y la indirecta; es directa cuando el paciente es el objeto directo (*yo* me *lavo*), y es indirecta cuando el paciente es el objeto indirecto (*yo* me *lavo* las *manos*).

La anterior es una transitividad pura, pero existen otros ejemplos en que el sujeto no es propiamente el agente de la acción, sino que es el que dirige, manda hacer, paga, etc., la acción (ejemplo: *tú te has hecho*

Cuadro 4.11

	Masculino	Femenino	Neutro
Singular	éste	ésta	
	ése	ésa	
	aquél	aquélla	esto
Plural	éstos	éstas	eso
	ésos	ésas	aquello
	aquéllos	aquéllas	

un traje). Puede suceder que la reflexividad se entienda de una forma vaga, no tan clara como en los casos anteriores.

Tipos de reflexividad. La gradación en los tipos de reflexividad es muy grande; entre estos últimos casos de reflexividad no tan marcada, cabe citar a los llamados dativos éticos o de interés (*el niño* se *tomó la sopa*), e incluso las construcciones intransitivas llamadas pseudorreflejas donde se puede percibir un lejano significado reflexivo (*me voy*). Esto nos hace ver que en las construcciones reflexivas existen muchos puntos de contacto con las pseudorreflejas y con el fenómeno de la impersonalidad.

Encontramos oraciones en que la reflexividad se expresa por medio del pronombre personal átono y acompañado por una forma tónica redundante, que en ocasiones sirve para deshacer ciertos equívocos (ejemplo: *Juan se llama* a sí mismo *tonto*); si no apareciera el complemento *a sí mismo* no sabríamos si es Juan el que se lo llama o quién.

Puede ocurrir, sin embargo, que el pronombre *sí* no se refiera al sujeto (*conozco espíritus constantes y consecuentes* consigo *mismos*). El pronombre *consigo* se refiere a *espíritus*, que es el objeto directo de *conozco*.

Con frecuencia, y sobre todo en el habla popular y familiar, *él* asume los valores reflexivos de *se* o de *sí* (*dijo como si hablase con* ella *misma*).

Otro tipo de reflexividad son las llamadas oraciones recíprocas, en ellas el pronombre es el mismo que el que aparece en las reflexivas, en el caso de la tercera persona, ya sea en singular o ya sea en plural. También coinciden en la forma de construirse las reflexivas y las recíprocas. La reciprocidad coincide sintácticamente con la reflexividad en que existe identidad entre el sujeto y el objeto de la oración, la diferencia entre ambas se encuentra en el nivel semántico. Sólo puede darse en el caso de que el verbo sea transitivo, jamás puede haber reciprocidad con verbos intransitivos. La acción del verbo indica que al menos ha de haber dos sujetos que la ejecuten, y que ambos sean pacientes de la acción realizada por el otro. Se da reciprocidad en aquellos contextos en que se pueda añadir *el uno al otro, entre sí, mutuamente* (ejemplos: *los niños se pegan, María y Juan se escriben*), pero no puede entenderse que haya reciprocidad con verbos intransitivos (*el niño y la niña se quejan*), el sentido del verbo no hace ver que la acción de uno recaiga sobre el otro, son dos acciones distintas, y para acceder al significado recíproco habría de añadirse un complemento que así lo indicara (*el niño y la niña se quejan el uno al otro*).

De manera que oraciones reflexivas y recíprocas sólo se diferencian en el significado verbal y no en la forma de construirlas.

Pronombres posesivos

Frente a los pronombres personales que poseen naturaleza sustantiva, se opone la de los posesivos que es adjetiva exclusivamente, es decir, que aparecen siempre acompañando o determinando al sustantivo. Sin embargo, hay que decir que se pueden someter a las mismas sustantivaciones que se podían producir en los adjetivos nombres, como *bueno: el bueno*. Se puede considerar a los posesivos como pronombres que establecen con las personas una relación de posesión (*el mío, mi casa*).

En español se han desdoblado las formas latinas en dos subsistemas:

a) El sistema de las formas átonas, monosílabas y que no tienen variación de género.

b) El sistema de las formas tónicas, bisílabas y con variación genérica.

Los pronombres átonos se emplean exclusivamente antepuestos al sustantivo, mientras que los tónicos siempre van pospuestos (ejemplos: mi *coche*, tu *casa*, su *perro*; la calle *mía*, el coche *suyo*, la mirada *tuya*).

Las formas tónicas son las que pueden emplearse en la sustantivación (*¿de quién es ese coche? Es el* mío).

También pueden funcionar como predicados y aparecer con preposiciones (*dame la postal que es* mía, *corrió tras suyo*).

Concluyendo, los pronombres adjetivos posesivos son pronombres porque tienen persona, son adjetivos porque cumplen una función de adyacente al nombre y son posesivos porque establecen una relación entre el sustantivo y la persona que indican como poseedor.

Se ha dicho muchas veces que el posesivo equivale a *de* + pronombre personal (*su casa, la casa* suya = *la casa de él*).

Pero no toda preposición *de* + pronombre personal equivale a un posesivo (ejemplo: *se ríe de mí* no equivale a *se ríe mío*).

Como principio general admitiremos que la construcción *de* + pronombre personal sólo equivale a un posesivo, cuando aquel sintagma preposicional actúa como complemento de un sustantivo o como predicado nominal en una oración copulativa. Es fácil de comprender esto si tenemos en cuenta que el carácter adjetival del posesivo le obliga siempre a ser adyacente de un sustantivo, y sólo cuando la preposición y su término puedan cumplir esta misma función de complementación será posible la sustitución (ejemplos: *Juan es su hermano = Juan lo es de él; la llegada de usted = la llegada suya*).

Por supuesto existen restricciones como pueda ser la construcción de una relación partitiva, a pesar de que el sintagma preposicional acompaña a un sustantivo (ejemplo: *gran parte de ellos*. En este caso, *de ellos* no puede sustituirse por ningún posesivo).

Existen igualmente casos en los que no complementa a un sustantivo y, sin embargo, sí pueden sustituirse por un posesivo (ejemplo: *cayó encima de mí = cayó encima mía*).

En cuanto a los pronombres posesivos adjetivos, el sistema quedaría así (véase cuadro 4.10).

Cuadro 4.12

	Proximidad	*Lejanía*
Primera persona	éste	aquél
Segunda persona	ése	

Los pronombres demostrativos

Los demostrativos son aquellos pronombres mediante los cuales realizamos un señalamiento de los objetos de la realidad, es decir, tienen función deíctica. Son los encargados de situar en las coordenadas espacio y tiempo los objetos relacionados con las personas que intervienen en el coloquio. Igual que el artículo son actualizadores, pero se diferencian de éste en ese carácter deíctico mediante el cual señalan los objetos en una situación concreta. Se los llaman demostrativos precisamente porque *demuestran* los objetos.

Éste, ésta, éstos, éstas están indicando cercanía del objeto a la persona que habla; *ése, ésa, ésos, ésas* señalan cercanía del objeto con respecto a la segunda persona, y por último, *aquél, aquélla, aquéllos, aquéllas* denotan distancia tanto de la primera como de la segunda persona. De cada uno de los pronombres anteriores obtenemos un sustantivo neutro acabado en *-o: esto, eso, aquello*. Las relaciones que establecen con respecto a las personas son las mismas que las de los otros pronombres adjetivos *este, ese, aquel*. Estas formas neutras carecen de plural (véase cuadro 4.11).

Al igual que los posesivos, pueden ser pronombres adjetivos, o lo que es igual, pueden funcionar como adyacente del sustantivo, o pueden estar sustantivados, si el sustantivo al que se refieren no aparece y el demostrativo se puede considerar el núcleo del grupo nominal. Solamente los neutros *esto, eso, aquello* funcionan siempre como sustantivos, refiriéndose a realidades que no poseen denominación en la lengua o que el hablante desconoce.

La marca ortográfica de los demostrativos con función sustantiva es un acento: *los niños juegan en el patio, éste parece rebosar de alegría.*

Por lo que se refiere a la relación espacial que establecen los demostrativos entre los objetos que señalan y las personas gramaticales, el cuadro quedaría de la siguiente manera (véase cuadro 4.12).

Los usos en la anáfora

Los demostrativos en la anáfora pueden aludir a un sustantivo con el que concordará en género y número. Si el sustantivo se encuentra entre otros se usará *este* para el más cercano y *aquel* para el más lejano. Pero en caso de que se trate sólo de un sustantivo podrá utilizarse *este* o *ese* indistintamente (*arréglame el coche nuevo, ése es el que más me gusta*).

También pueden señalar, tanto la anáfora como la catáfora, conceptos o ideas que no vengan expresados por un sustantivo, sino por una oración o un enunciado (*salieron todos a la misma hora, por ese motivo no se encontraron*).

La referencia puede establecerse a partir del tiempo de la narración (*me disponía a llamarte cuando en ese momento sonó el teléfono*). A este uso corresponden las expresiones del tipo: en *esto* que... = en este momento, a todo *esto*... = al mismo tiempo.

Los usos en la catáfora

Tiende a usarse exclusivamente el demostrativo *este*.

Pronombres indefinidos

Estos pronombres constituyen un conjunto muy heterogéneo de formas, ya sea por su comportamiento sintáctico como por la constitución morfológica que tienen.

Como sucede con los relativos e interrogativos, no tienen siempre variación de género y número. Variables son *uno-s*, *una-s*, que, aunque los consideramos artículos indefinidos, más propiamente deberían estar dentro de este grupo precisamente por ese carácter de indefinición. Sus compuestos, como *alguno-a*, *ninguno-a*, también son variables; lo son igualmente otros pronombres que terminan en -*o*, como *mucho, poco, otro, todo, demasiado*; por otro lado, son invariables *alguien, nadie, cada, más, menos y bastante*, que sólo posee variación de número. La variación *cualquier-a* es indiferente al género (*cualquier niña lo sabe, elige un niño cualquiera*).

Las formas neutras diferenciadas sólo existen en los pronombres *alguien: algo, ninguno: nada*. En otros casos, el neutro es la forma invariable como *más*, o el singular como en *bastante*, o actúa como neutro la forma masculina *mucho, todo, poco*. Existen, sin embargo, indefinidos que carecen de la forma neutra: *uno, cualquiera*.

La nota semántica que todos los indefinidos poseen es su capacidad de referencia a la cantidad, por ello podemos llamarlos también *cuantificadores* o cuantitativos.

Clases de indefinidos

Una primera distinción podría ser entre aquellos que expresan totalidad y los que se refieren a una parte de la globalidad. *Todo* pertenecería a los que indican globalidad frente a *alguno*, que sólo denota una parte del todo al que se refiere.

Hay que distinguir, igualmente, entre los que indican persona y aquellos que se refieren a cosas o personas indistintamente (*nadie* y *alguien* son ejemplos de pronombres que sólo pueden hacerlo indistintamente). Junto a estos dos tipos también encontraríamos los neutros, que tendrían un valor colectivo, oracional o complejo: *mucho, nada*.

El número en los indefinidos

Los neutros y los de persona siempre llevan el adjetivo o el verbo en singular (*nadie debería morir, todo esto es muy positivo*).

Cuadro 4.13

	- HUMANO					+ HUMANO	
	NEUTRO	*SINGULAR*		*PLURAL*		*SINGULAR*	*PLURAL*
	que	*Masc.*	*Fem.*	*Masc.*	*Fem.*		
- Cuantificación	lo que	el que	la que	los que	las que		
	lo cual	el cual	la cual	los cuales	las cuales		
+ Cuantificación	cuanto	—	—	cuantos	cuantas		

Los que pueden utilizarse para referir-se a persona o a cosa pueden regir un verbo o un adjetivo en singular o plural, aunque posean un morfema Ø para el plural: *más, menos* (ejemplos: *algún perro es valiente, algunos perros son valientes; más panes y menos dulces, más pan y menos dulce*).

El número en los cuantitativos sigue, por regla general, las mismas pautas que en los sustantivos. Por ejemplo, *más, mucho, poco*, etc., se construyen con singular cuando se refieren a una materia no contable y se construye con plural cuando va referido a individuos o cosas contables. Lo mismo ocurre con *todo*, aunque éste puede refe-rirse a individuos contables y adquiere un matiz genérico (*todo libro es bueno*); tam-bién *cualquiera* se emplea en singulares ge-néricos. Con este tipo de singulares alter-nan los grupos alguno+sustantivo (*tiene alguna cosa*) y algo+de+sustantivo (*tiene algo de vino*). En algunas ocasiones, y es-pecialmente en el lenguaje coloquial, apa-rece la construcción un poco de+sustantivo (*bien mirado quizá posea un poco de razón*).

Pronombres relativos e interrogativos

De Bello procede la idea de que los pro-nombres relativos e interrogativos son sim-

plemente variantes de una sola clase de pro-nombres. A pesar de que existen particula-ridades en cada uno de estos dos tipos de pronombres, sin embargo ofrecen semejan-zas morfológicas, sintácticas y semánticas.

El rasgo común a ambos tipos, y que a la vez los distingue del resto de los pronom-bres, es la doble naturaleza gramatical que poseen. Puede decirse que, simultánea-mente, presentan dos funciones:

— Una de naturaleza nominal y mediante la cual, como pronom-bres que son, actúan como consti-tuyentes (nombre o adjetivo) den-tro de la oración a que pertenecen.
— Otra modificadora de oración, que hace que la oración que introdu-cen tenga una fisonomía particular caracterizándola, o bien como re-lativa, o bien como interrogativa. Quiere esto decir que este tipo de oraciones guarda relaciones que se establecen con el enunciado ante-rior mediante el pronombre.

Pronombre relativos

Procedente del latín, en el relativo, español se ha perdido la flexión y, en la mayoría de los casos, también la variación

Cuadro 4.14

	- HUMANO		+ HUMANO
	Neutro	*Masculino o Femenino*	
- Cuantificación	qué	cuál	quién
	El que		
+ Cuantificación	cuánto		

Cuadro 4.15
Clases de adjetivos.

	SINGULAR	*PLURAL*
1ª persona	mío/mía	míos/mías
2ª persona	tuyo/tuya	tuyos/tuyas
3ª persona	suyo/suya	suyos/suyas

de género y número. Sin embargo, sí se han ido especializando en español unas formas para el concepto de persona. La forma especializada es *quien*, que procede del acusativo latino *quim*. El plural *quienes* surgió tardíamente.

Que es la forma invariale que se emplea con antecedente singular, plural, de persona, de cosa o como neutro.

Con respecto al número sólo se ha conservado del latín la variación en *cual/ cuales*. Y tanto género como número se mantienen en *cuyo-a / cuyos-as*. Esta última forma procede de *cuius-a-um*, que era un posesivo relativo en latín.

Cual y que acompañados por el artículo sí admiten género y número, expresado por el artículo dentro del compuesto *los/las que, los/las cuales, el/la que, el/la cual*.

Pertenecen al sistema también *cuanto-s / cuanta-s* y *cuanto* como neutro o generalizadores (véase cuadro 4.13).

Los pronombres relativos, como queda dicho, cumplen una función de adjetivo o nombre dentro de su oración y a la vez sirven para unir su oración con otra, con la que guarda relación, porque en ella se halla el antecedente al que alude el relativo.

Es importante en español que distingamos perfectamente el pronombre relativo *que* de la conjunción *que*, ya que al presentar la misma forma pueden confundirse fácilmente. Para ello lo mejor es recurrir a averiguar si desempeña alguna función en su oración o si simplemente actúa como nexo conjuntivo (*el niño que estaba despierto lloraba*); en este caso, *que* funciona claramente como sujeto de su oración, por ello si cambiásemos su número (*los niños los cuales estaban despiertos lloraban*) comprobamos que el relativo también ha de ser plural. Por tanto, vemos que cumple una función dentro de su oración que no podría cumplir la conjunción, que se limita exclusivamente a unir.

Clasificación de los pronombres relativos.

Podemos hacerlo desde distintas perspectivas, y con respecto a ellas hacer un inventario.

1. Desde el punto de vista morfológico pueden ser:

— Variables: *cual, quien, cuyo, el cual, el que, cuanto*.
— Invariables: *que*.

2. Desde un punto de vista fónico se dividirían en:

— Atonos: *el que, quien, cuyo, cuanto, que*.
— Tónicas: *cual, el cual*.

3. Por su posible agrupación con el artículo:

— Compuestas: *el que, el cual*.
— Simples: *quien, que, cuyo, cuanto*.

4. Por la función nominal que desempeñan:

— Como sustantivos: *que, el que quien*.
— Como adjetivos: *cuyo*.
— Como adjetivos o sustantivos indistintamente: *cual* y *cuanto*.

5. Desde la perspectiva sintáctica:

— Construidos con antecedentes.
— Construidos sin antecedente explícito.

Funciones que pueden desempeñar los pronombres relativos.

Dentro de su oración ya hemos dicho que puede funcionar como un sustantivo o como un adjetivo.

La función sustantiva es desempeñada por *que, quien* y también por *cual* y *cuanto*, que a su vez pueden ser adjetivos. Como sustantivo puede realizar los siguientes oficios:

a) Sujeto: *La amiga que llamó ayer, no lo sabía.*
b) Predicado nominal: *Su primo como médico que es, lo diagnosticó.*

c) De objeto directo o indirecto: *Contestó a la carta que le escribí.*

d) Término de preposición: *La confusión mental en que se halla es propia de la edad.*

Como adjetivo funcionan *cuyo, cual* y *cuanto*, estos últimos van junto a un sustantivo que se refiere al mismo objeto que el antecedente (*me hice amigo de* cuantas personas *conocí*).

Cuyo, sin embargo, establece una relación de posesión entre el antecedente y el sustantivo al que acompaña (*se ha construido una casa* cuyas *ventanas pintó de verde esperanza*).

Adverbios relativos

Los adverbios relativos funcionan de la misma manera que lo hacen los pronombres. Son los adverbios demostrativos pero utilizados para el enlace de oraciones.

Como. Es adverbio relativo de modo y lleva siempre como antecedente *modo* o *manera* (*por el modo* como *me mira lo sé*). Pero el antecedente puede ir envuelto en el relativo (*esto te honra,* como *la fe al hombre*).

Cuando. Tiene un uso bastante restringido. Indica tiempo. Puede tener envuelto el antecedente (*entonces* cuando = *en aquel tiempo* cuando).

Dónde. Es adverbio de lugar y puede llevar también envuelto su antecedente (*nos dirigíamos a* donde *ocurrió todo* = *nos dirigíamos al lugar* donde *ocurrió todo*).

Cuanto. Algunos autores como Bello lo han considerado adverbio relativo, pero para otros, como Fernández Ramírez, se trata de un pronombre generalizador. Si lo consideramos pronombre hay que apuntar dos posibilidades de construcción; por un lado, las formas concordadas *cuantos/ cuantas*, que hoy se emplean casi exclusivamente en su plural, y la forma neutra *cuanto*. Las primeras van acompañando al sustantivo con el que conciertan en género y número, equivale a la paráfrasis: *todos+ los+sustantivos+que* o a *todos los que, todas las que*. Este uso de *cuantos* implica el concepto cuantitativo *todos*.

Si el uso de *cuanto* es el neutro aparece sin antecedente y entonces equivale a *todo lo que*. Pero el neutro puede combinarse con *todo* (*me convence* todo cuanto *dices*). Este es su uso más corriente.

Pronombres interrogativos

Proceden como los relativos de las formas latinas, pero el sistema en español, con respecto al latino, se ha reducido considerablemente. Se corresponden estos pronombres interrogativos con los de la serie relativa, pero los diferencia el hecho de que son tónicos y llevan acento ortográfico. Podemos definirlos como aquellos pronombres que van a caracterizar a las oraciones como interrogativas. Sólo aparecerán en las parciales, aquellas que preguntan sobre algún acto desconocido, y se refieren a aquello que desconocemos y por lo que preguntamos.

La similitud con los relativos, por lo que respecta a su significado, ha hecho que autores como Bello los considerasen variantes de los relativos.

Junto con la entonación de la frase, el pronombre interrogativo constituye una marca de interrogación. Por ello, los pronombres interrogativos se caracterizan por poder modificar una oración convirtiéndola en interrogativa. Coinciden con los relativos en que desempeñan una función nominal dentro de la oración a la que pertenecen, ya sea de sustantivo, ya de adjetivo. Se diferencian de ellos en que al igual que los relativos poseen una función deíctica o de señalamiento de otro elemento que se encuentra fuera de su oración, pero mientras en los relativos se trata de una deíxis anafórica (se refieren a algo ya mencionado), en los interrogativos la deíxis es catafórica (mención de un elemento que se desconoce y que aparecerá con posterioridad).

Los relativos convierten la oración a que pertenecen en subordinada, pero en las interrogativas directas no hay subordinación, aunque sí en las indirectas.

Clases de interrogativas. El inventario de formas que entran en esta clase de pronombres es más reducido que el de los relativos.

Pronombres interrogativos con función sustantiva (véase cuadro 4.14).

Pronombres interrogativos con función adjetiva (véase cuadro 4.15).

Pronombres exclamativos

La primera diferencia entre las oraciones interrogativas y las exclamativas es que éstas comienzan en una nota más baja que el tono normal. Pero los límites que existen entre las oraciones interrogativas y las exclamativas no son en absoluto nítidos, es más, pueden aparecer combinados los dos aspectos, oraciones interrogativas pronominales en muchas ocasiones llevan aparejadas intenciones expresivas que responden más a estructuras exclamativas que a la de la propia interrogación, son aquellos casos en que por debajo de la fórmula interrogativa aparecen reflejados sentimientos de incitación, tristeza, ansiedad, etc. Por ello, todos los tipos de pronombres estudiados en el apartado de los interrogativos pueden considerarse también exclamativos.

Las oraciones exclamativas puras se distinguen de estas anteriores interrogativas-exclamativas, como ya hemos dicho, porque comienzan su curva melódica en un tono más bajo. Dentro de ellas podemos incluir, en primer lugar, las exclamativas reflejas, las cualificantes nominales y algunas desiderativas, y son los pronombres exclamativos típicos los que se usan en estas construcciones con valor adjetivo, nunca con el sustativo.

En las oraciones exclamativas indirectas se emplean estos mismos pronombres y los relativos. Lo que distingue estas oraciones de las interrogativas indirectas es que la construcción del relativo se produce fuera de la subordinación.

Son más frecuentes las elipsis en las oraciones exclamativas que en las interrogativas (*¡cuán grandes las maravillas de la naturaleza y qué ciegos los hombres que las destruyen!*).

Las interrogativas y exclamativas indirectas están siempre asociadas a palabras o frases que significan acto del entendimiento o del habla como *saber, entender, decir*, etc. (*dijo que cuál era el peligro*).

EL VERBO

De la misma manera que la categoría del *nombre*, el *verbo* aparece como parte independiente y diferenciada del resto de las partes oracionales, ya desde las primeras reflexiones sobre el lenguaje. Era llamado en la antigüedad *rhema (fluir)*, porque era la visión dinámica de la realidad. Ya Platón le confería un valor fundamental en el juicio lógico. Es el predicado del juicio lógico y el alma de la expresión lingüística. *Verbo* ha sido considerada *la palabra* por excelencia.

Hay varios puntos de vista desde los cuales podemos intentar definir al verbo: el morfológico, el sintáctico y el semántico.

Es quizá la definición morfológica la más segura para diferenciar al verbo frente a las demás categorías. Será, pues, la palabra que contiene persona, número, modo y tiempo. La Real Academia, a propósito de esto, dice en su esbozo: «Verbo es la parte de oración que tiene morfemas flexivos de número como el nombre y el pronombre, de persona como el pronombre personal, y a diferencia de éstos, tiene morfemas flexivos de tiempo y modo».

Para completar esta definición morfológica hay que tener en cuenta también la semántica.

Se hablaba de que el verbo era la expresión *de ideas* que corren ya desde los antiguos, se partía de la observación de la naturaleza, de los objetos que designaban. Esta idea ha dado sus frutos. Meillet decía que era la expresión de un proceso.

Para Aristóteles era *el signo de lo que se dice sobre algo*. De esta definición parte la de la gramática de Port-Royal, que seguirá una línea lógico-semántica donde verbo será la voz que simplifica una afirmación.

Si relacionamos la noción de verbo con la posibilidad de enunciar lo dinámico, tendremos que concluir que el verbo es la categoría que aparece como último descubrimiento del hablante. La primera etapa de aprendizaje en el lenguaje debió ser la de expresar ideas con contenido estático; más tarde debió surgir la etapa en que se expresase existencia, y después la idea de fluir, y en esta etapa surge el verbo. Esta explicación psicolingüística tiene sus correspondencias en la gramática, pues las primeras palabras con las que contaría el ser humano serían en un primer momento nombres y adjetivos, más tarde el verbo *ser* y, por último, la expresión del *fluir*.

Debido a su contenido semántico, podemos definirlo como aquella categoría que sintácticamente posee la función obligatoria de predicado y un régimen propio.

Si combinamos las tres perspectivas desde las que podemos intentar caracterizar al verbo, tendremos una definición acertada: aquella palabra que posee persona, número, tiempo y modo, que su significado léxico indica estados o procesos que se predican de otra palabra, y que obligatoriamente funciona como predicado de una oración refiriéndose a un sujeto.

La estructura verbal en español de las formas personales es la siguiente: base léxica o tema + desinencia o morfemas gramaticales (ejemplo: *amá-ba-mos*).

En español, el mismo morfema indica siempre el modo y el tiempo (a veces el aspecto), y otro morfema distinto el número y la persona:

- *ama*: lexema o base léxica
- *ba*: morfema gramatical de modo y tiempo

- *mos*: morfema de número y persona.

El infinitivo y el gerundio sólo tienen un morfema. El morfema que caracteriza al infinitivo como tal tiene tres realizaciones que se corresponden con los tres sistemas de la conjugación:

$$\text{Infinitivo} \begin{cases} \text{-ar: primera conjugación (amar).} \\ \text{-er: segunda conjugación (tener).} \\ \text{-ir : tercera conjugación (partir).} \end{cases}$$

El morfema de gerundio siempre es -ndo (ama*ndo*, teni*endo*, parti*endo*).

El participio, por su parte, tiene tres morfemas. El de participio con varias realizaciones -ado, -ido, -to, -so, -cho (ama*do*, comi*do*, abier*to*, pre*so*, di*cho*). A este morfema hay que añadir el de género y el de número que comparte con la categoría nominal.

Los morfemas de modo y tiempo son categorizadores, ya que caracterizan como verbo a una palabra. También lo son los de infinitivo, gerundio y participio. Los otros morfemas de persona, número y género son compartidos por otras categorías, por lo que no son categorizadores.

CLASIFICACION DE LOS VERBOS

Semánticamente, la clasificación primera es la que se da entre verbos con contenido léxico y verbos gramaticales:

a) *Verbos predicativos*. Aquellos que aportan un contenido semántico. Son considerados los verbos por excelencia, pues constituyen el centro de un predicado. Son inventarios abiertos, ya que tienen contenido léxico y siempre es posible añadir nuevas palabras que signifiquen cosas distintas.

b) *Verbos atributivos*. No tienen contenido léxico, sino gramatical, y por ello constituyen inventarios cerrados. Sirven de unión entre el sujeto y el predicado y no pueden ser el núcleo.

Se llaman también verbos copulativos, ya que su única función es unir.

Una posible prueba para establecer la distinción entre verbos atributivos y verbos predicativos sería la de que en los atributivos todo el sintagma nominal admitiría una sustitución por *lo*, mientras que no sería admitido por los predicativos:

— *Juan es médico = Juan lo es*
— *María está enferma = María lo está*
— *Ignacio parece nervioso = Ignacio lo parece*
— *Juan actúa como médico = Juan lo actúa*
— *María participó enferma = María lo participó*
— *Ignacio condujo nervioso = Ignacio lo condujo*

a) En los verbos predicativos, tradicionalmente y desde la perspectiva semántica, viene distinguiéndose entre verbos transitivos y verbos intransitivos.

La transitividad de los verbos es una característica semántica con repercusiones sintácticas. Semánticamente, la transitividad es aquella característica de la oración verbal por la cual el verbo necesita obligatoriamente tener dos actantes como mínimo, uno el nombre que funciona como sujeto y otro el nombre que funciona como objeto directo. De los dos actantes, el sujeto será generalmente el que realice la acción del verbo y el objeto directo el que la reciba como paciente. En la transformación a la oración pasiva el objeto directo pasará a sujeto paciente de la pasiva y el sujeto de la activa a ablativo agente de la pasiva.

Por tanto, para que haya transitividad ha de haber objeto directo. Este es al verbo lo que el adjetivo es al sustantivo, sirve para concretarlo o especificarlo; los verbos intransitivos tendrían un carácter más concreto, menos abstracto que los transitivos:

tener existencias = existir
verbo   objeto directo

dar   gritos = gritar

Clasificación atendiendo al aspecto. El aspecto podría identificarse con el modo o la cualidad que presenta la acción desde un punto gramatical o léxico.

Léxicamente, el aspecto del verbo puede tipificar los siguientes casos:

— *Verbos incoativos.* Expresan la acción en su comienzo (*despertar*).
— *Verbos cursivos.* La acción, en su desarrollo (*dormir*).
— *Verbos terminativos.* La acción, en su final (*despertar*).

El aspecto o desarrollo de la acción expresado en términos gramaticales dividiría a los verbos en:

— *Imperfectivos.* Expresan que la acción es durativa, un ejemplo de ello es el imperfecto de indicativo (*amaba a su gato*).
— *Perceptivos.* Indican que la acción fue terminada en un punto (*amó a su gato*).

Otras clasificaciones de los verbos se basan en criterios significativos, generalmente esta posición ha sido la seguida por la gramática tradicional, aunque actualmente también la gramática generativa manifiesta cierto interés por esta clasificación, pues el significado del verbo puede dar lugar a distintos comportamientos sintácticos. Así tendríamos:

— Verbos de estado: *existir, estar...*
— Verbos de acción:

  — Transitivos: *comer, cazar...*
  — Intransitivos: *correr...*

— Verbos de lengua: *decir, preguntar...*
— Verbos de entendimiento: *creer, saber...*
— Verbos de percepción: *ver, sentir...*
— Verbos afectivos: *amar, besar...*

— Verbos de voluntad: *querer, desear...*
— Verbos meteorológicos: *llover, nevar...*

Otra clasificación, pero ahora desde el punto de vista formal y atendiendo a la flexión:

— *Verbos pronominales.* Aquellos que han de conjugarse necesariamente con el pronombre personal átono.

  — Reflexivos: *María se lava las manos*
  — Recíprocos: *María y Juan se pegan*

— *Verbos regulares. Amar, temer, partir.*
— *Verbos irregulares.* Presentan en su flexión diferencias con respecto al modelo que habrían de seguir. Así, el verbo *caer* tendría unas formas regulares como *caía*, frente a otras irregulares donde *i* pasa a *y* por quedar en posición átona (*cayera*).
— *Verbos defectivos.* Son aquellos que sólo presentan algunas formas, como es el caso de *abolir*, que sólo se emplea en aquellas en que la terminación es *i* o empieza por *i*, dejando de usarse, por tanto, en las tres personas de singular y en la tercera de plural de presente de indicativo, en todo el presente de subjuntivo y en el imperativo de singular. *Soler* no se conjuga, por ejemplo, en el indefinido: *solí, soliste*, ni se usan mucho las formas de gerundio y participio *soliendo y solido*. Si la irregularidad se produce en la raíz se trata de verbos polirrizos, como *ir: iba* frente a *vaya*.
— *Verbos impersonales o unipersonales.* Son los que sólo se conjugan en su tercera persona del singular y generalmente se corresponden con los meteorológicos: *llueve, graniza,* etc. También *haber: hay.*

Verbos auxiliares. Son los que sirven o ayudan a otros verbos (auxiliados) a construir las formas compuestas de la flexión y las llamadas perífrasis verbales.

Estos verbos, cuando entran a formar parte de una cosntrucción perifrástica o de compuestos verbales, han perdido todas sus características léxicas y, por ello, son considerados exclusivamente como verbos gramaticales. No se diferencian de los morfemas flexivos por este motivo. Y en ocasiones se los ha comparado con los verbos copulativos, ya que a éstos también se los ha considerado como verbos gramaticales. La diferencia es que a veces los copulativos no son gramaticales y los auxiliares lo son siempre.

Formalmente, los verbos auxiliares son aquellos que para realizarse necesitan la presencia en el discurso de otro verbo, que es el auxiliado. Ambos forman una unidad llamada perífrasis o frase verbal. El núcleo de la construcción sigue siéndolo sólo un verbo: el auxiliado. Este aparece siempre en una forma no personal. El auxiliar, por su parte, aporta la información de persona, número, aspecto, modo y tiempo. Los dos verbos van enlazados, o bien por yuxtaposición (*había comido*), o bien mediante coordinación: por conjunción (*tengo que fingir*), o por preposición (*empezó a llover*). Ejemplos de perífrasis:

Auxiliar		Auxiliado
ha	———————	comido
está	———————	roto
vamos	———— a ————	ver
estoy	———————	escribiendo

Para establecer qué criterios son los que nos permiten distinguir aquellos verbos gramaticales o auxiliares de los que no lo son, hemos de distinguir entre las características semánticas y las funcionales. Con respecto a las primeras, el verbo auxiliar se desemantiza y, por eso, se gramaticaliza, es decir, cuando ha perdido su significado propio. Fundamentalmente encontramos perífrasis cuando el verbo que aparece en forma no personal nunca desempeña una función sintáctica respecto al auxiliar. Hay que añadir que, en las perífrasis, el significado global no se desprende de la suma de cada uno de sus elementos, los dos verbos no se pueden separar y su significado se desprende de ambos como unidad, los dos a la vez, no como su suma.

Tipos de verbos auxiliares

a) Atendiendo a que su carácter auxiliar sea permanente o transitorio.

— Verbos que son siempre auxiliares.
— Verbos que no son siempre auxiliares: en español todos los verbos no son siempre auxiliares. *Soler* no es auxiliar nunca.

b) Según los tipos de perífrasis a las que dan lugar los verbos auxiliares.

Benveniste habla de varios tipos de perífrasis verbales:

— *De temporalidad.* Son las formas compuestas *(había escrito).*
— *De diátisis.* Se trata de la pasiva, construida con ser + participio pasivo *(era construida, había sido comprado).*
— *De modalidad.* Dentro de esta clase encontramos también diferencias de aspecto, pueden ser de carácter durativo *(estaba comiendo).* Otras perífrasis de este tipo serían: *tenía que arreglar....*

CATEGORIAS GRAMATICALES

Desde la gramática clásica vienen distinguiéndose variaciones formales dentro de la configuración del verbo que implican diferencias semánticas. Estas variaciones son las categorías verbales: modo, voz, aspecto, tiempo, persona y número.

El modo

Hay un concepto general de modalidad, como la operación activa del sujeto hablante, o perspectiva con que un emisor enfoca un discurso.

El modo refleja, por consiguiente, las actitudes del hablante frente al oyente y frente al mensaje. Estas actitudes se expresan por medio de una serie de mecanismos: mediante el modo del verbo (serán *las diez*), con ayuda de expresiones modales (deben de ser *las diez*), con complementación circunstancial o adverbio (posiblemente *serán las diez*), la entonación puede marcar la actitud igualmente, la colocación de los elementos, etc.

Para definir el concepto de modo pueden seguirse diferentes criterios. Algunos autores han caracterizado al modo por la función sintáctica:

— *El modo subjuntivo.* Sería característica de la subordinación. Expresaría subjetividad.
— *El modo indicativo.* Para oraciones independientes y que expresan objetividad.

Pero todas las oraciones subordinadas no tienen necesariamente el verbo en subjuntivo, y por otra parte si sólo el modo indicase subordinación no serían necesarias ya las conjunciones subordinantes. Tampoco es cierto que el modo subjuntivo exprese siempre modalidad subjetiva.

Hay que definir al modo como forma lingüística capaz de manifestar la modalidad; como hemos dicho ya, el modo será la actitud del hablante frente al enunciado.

Con respecto a lo anterior, la gramática tradicional ha distinguido, en la modalidad del emisor frente al mensaje, entre la expresión de la *realidad* y de *irrealidad*, estableciendo un paralelismo entre realidad e indicativo e irrealidad y subjuntivo. Con respecto a la configuración sintáctica de modo, si bien es verdad que no siempre el subjuntivo es el modo de la subordinación, es cierto, sin embargo, que en ésta hay una reacción de una cláusula sobre otra, y esta relación exige que haya una correspondencia entre modos.

Otros autores consideran que la modalidad del verbo depende de la idea con la que el hablante ve la acción del verbo:

— *Indicativo*. Modo del tiempo netamente realizado.
— *Subjuntivo*. Modo del tiempo amorfo.
— *Formas no personales*. Modo del tiempo en potencia.

En el español no existe ningún morfema de modo, por lo que no se puede aislar ningún sonido común al modo.

El modo *indicativo* en español es un modo objetivo, en él el hablante enuncia sin tomar parte en el discurso. No hay ningún matiz subjetivo en esta forma y corresponde a la función representativa, su modelo es la enunciación declarativa, aunque puede combinarse con la interrogativa y la negativa.

El modo *subjuntivo* expresa la subjetividad del hablante y la irrealidad. Generalmente empleado en la subordinación, pero no siempre.

Al modo *imperativo*, no todos los autores lo consideran un modo independiente, algunos han creído ver en él una variante del subjuntivo que cumple la función apelativa.

No posee algunas personas, por lo que ha de tomarlas del paradigma del presente de subjuntivo.

Exige todos los elementos de la comunicación directa a los que añade un valor de mandato. No admite, en general, la enunciación negativa ni tampoco la interrogativa, cuando se da una orden negativa se utilizan las formas del subjuntivo.

El imperativo sólo tiene como propias dos formas, la segunda persona del singular y la segunda persona del plural. Ninguna de las dos formas aparece jamás en las frases interrogativas.

El aspecto

En algunas lenguas, las formas verbales sirven también para establecer el aspecto. Este aporta la información de cómo se lleva a cabo la acción del verbo. Los filólogos clásicos aplicaron esta distinción de la gramática eslava a la lengua griega y latina, posteriormente también a las romances.

Por lo que se refiere al aspecto en español, hay muchos autores que afirman que no existe, pero es indudable que existen ciertos matices significativos que no se pueden explicar ni mediante el modo, ni mediante el tiempo. Por ejemplo, en el caso de *cantó, cantaba*, siendo ambas formas del pretérito, de indicativo y terceras personas, ¿cuál es la diferencia? Que no posea el aspecto un morfema propio es una dificultad que no permite detectarlo tan objetivamente como se debiera. Es una categoría que aparece mezclada con la categoría temporal. Existen dos maneras de concebir el aspecto, una atendiendo al significado léxico de la acción verbal y otra está relacionada con los morfemas temporales. Tanto en la primera como en la segunda encontramos que los modos en que pueden aparecer expresadas las acciones verbales son:

— Modos perfectivos: la acción es puntual.
— Modos imperfectivos: la acción es durativa.

La diferencia entre ambas es que, en el aspecto que viene definido de manera lexica, éste es más esencial o inherente que el que viene determinado por medios morfológicos, que siempre resulta accidental.

Si consideramos dos verbos como *disparar* y *comer*, vemos que significativamente la acción de uno es puntual y se termina en el momento en que se realiza, mientras la del otro implica un proceso que se dilata en el tiempo. *Disparar*, por tanto, semánticamente es perfectivo frente a *comer*, que sería imperfectivo.

Hay que distinguir, no obstante, que por el contexto un verbo que es perfectivo puede convertirse en imperfectivo, se logra mediante adverbios (*morir lentamente*).

Con relación al aspecto que va unido a condicionamientos morfológicos, podemos distinguir dos posturas de los lingüistas:

— La postura de los que piensan que el aspecto sólo puede aparecer en los tiempos pasados.
— La postura de quienes piensan que el aspecto puede extenderse a los tiempos de futuro además de a los de pasado. ·

En las formas de pasado, la distinción aspectual se verifica entre el *pretérito indefinido* con la característica de perfectividad, frente al *pretérito imperfecto* que será imperfectivo, así:

— Pretérito indefinido. *Canté*: acción concluida en un punto.
— Pretérito imperfecto. *Cantaba*: acción que se prolonga en el tiempo.

El aspecto es una categoría de morfemas fundamentales, en este caso, que expresan el término o no término de la acción.

Hay quienes consideran algunas formas de futuro como marcados también aspectualmente y *cantaría*, es decir el potencial, tendría aspecto imperfectivo junto con el pretérito imperfecto, y el futuro *cantaré* podría considerarse perfectivo junto con el indefinido.

El problema del aspecto en el verbo español es que significa una temporalidad muy debilitada. Podemos distinguir entre el tiempo *explicado*, que se manifiesta mediante los morfemas temporales, y sería *pasado*, *presente* y *futuro*, y el tiempo *implicado* que correspondería al aspecto (*perfectivo*, *imperfectivo*).

El sistema español expresa con más fuerza el tiempo explicado que el implicado, por eso en las formas no flexivas en las que no se nos indican ni tiempo, ni persona, ni número podemos percibir con más claridad la presencia del aspecto.

— Infinitivo: *cantar*, tendría aspecto neutro.
— Gerundio: *cantando*, la idea de duración hace ver que se trata de aspecto imperfectivo.
— Participio: *cantado*, la acción ha sido terminada y por ello su aspecto es perfectivo

Hay que señalar también que en las formas flexionadas la forma de significar la acción, es decir, el aspecto léxico que presenta el proceso verbal, puede entrar en relación con el aspecto morfológico de esas formas flexionadas, y así, cuando un verbo por el modo de significar sea puntual (*disparar*) aparezca con formas imperfectivas, los valores de ese verbo serán los de entender la acción como reiterativa (*disparaba* = a la suma de cada uno de sus disparos).

En el modo subjuntivo, aunque no de forma tan clara como en indicativo, pueden apreciarse ciertos matices aspectuales de perfectividad en presente con respecto a la, también matizada, imperfectividad del imperfecto.

En las formas compuestas tendríamos unos sistemas paralelos a las formas simples, son grupos sintagmáticos con una función unitaria y con una significación unitaria. En *habría cantado* encontramos que *haber* es la forma libre portadora de los morfemas y el participio aparece estereotipado. Todo el conjunto tiene un valor terminativo y el participio presenta una situación de inmovilidad.

El tiempo

Puede parecer a primera vista que el tiempo no está muy relacionado con el modo; sin embargo, esto no es así, guarda una estrecha relación con él.

Hay que distinguir entre lo que consideramos el tiempo lingüístico y el tiempo de la realidad, porque una cosa es el contenido temporal de una forma del verbo, y otra la aplicabilidad de esa forma a los distintos períodos de la realidad en que nos hallamos.

El tiempo lingüístico surge por comparación entre los distintos tiempos que forman el sistema temporal del español, y no por las relaciones que pueda tener con la realidad —ejemplo: *estudio* (presente) se opone a *estudiaba* (pasado)—. No todas las lenguas guardan la misma relación temporal entre sus formas que la del español. Esto se explica porque para caracterizar el tiempo en el verbo no hay que recurrir a las referencias de la realidad.

El futuro, por ejemplo, es un tiempo que no aparece en muchas lenguas, y esto porque más parece relacionarse este tiempo con la actitud del hablante, el cual emite una hipótesis, que con el tiempo que no ha llegado. Veríamos aquí la estrecha relación que se establece entre tiempo y modo: Quiero *pedirte un favor* = quisiera *pedirte un favor*.

En el anterior ejemplo parece que tanto la forma de presente como la de futuro aluden a un mismo tiempo de la realidad, aunque lingüísticamente utilicemos dos tiempos distintos.

Hay igualmente oposiciones temporales que responden más a distinciones de modo que a distinciones de tiempo:

a) *¡Ojalá llueva!*
b) *¡Ojalá lloviera!*

En a) se indica mayor probabilidad que en b).

El tiempo es en realidad una categoría deíctica temporal, porque establece la situación de algo con relación a un momento que depende del punto de mira, éste no tiene por qué ser el presente de la realidad.

Los puntos de vista que se pueden adoptar como punto de referencia son dos:

a) El punto de vista del hablante.
b) El punto de vista del discurso.

El del hablante se desdobla, a su vez, en dos:

— *Objetivo*. Si coincide con el presente de la realidad.
— *Subjetivo*. El hablante puede tomar como punto de referencia, dependiendo de donde se coloque, el pasado o el futuro.

Por tanto, si tomamos un punto de referencia cualquiera, ya sea de la realidad, de la memoria o del discurso, cuando el tiempo que utilicemos coincida con ese punto habrá simultaneidad o presente; si el tiempo utilizado es posterior al del que indica el punto de referencia, habrá posterioridad o futuro, y si es anterior tendremos anterioridad o pasado (ejemplos: Si el punto de referencia es el presente o la realidad: estoy comiendo *tranquilamente*; si el punto de referencia es un pasado en la memoria: *aquel día* visité *a tu madre*; si el punto de referencia viene dado por el discurso: *Andrés* dijo: estoy cansado).

La voz

Para definir la *voz* del verbo podemos usar tres criterios.

Benveniste, desde un punto de vista semántico, define la voz desde sus tres posibilidades: la voz *activa* sería aquella en la que el sujeto es *exterior* al proceso o acción, esta acción se produce a partir del sujeto (*Juan* lava *la ropa*). En contraste a ésta, en la pasiva del sujeto es *interior* al proceso o la acción, pues éste se realiza en el sujeto, o lo que es lo mismo, la acción recae sobre él (*la ropa* es lavada *por Juan*). En la voz *media* el sujeto es *interior* y *exterior* a la acción, él realiza la acción que recae sobre él mismo (*Juan* se lava).

Morfológicamente, las voces del verbo serían las distintas formas en que aparece el verbo, según que la acción indicada por éste parta de su agente o de su sujeto directo:

— *Voz activa*. Se caracteriza porque el verbo aparece en sus formas activas (*Juan* lava *la ropa*).

— *Voz pasiva*. La forma verbal se construye con el verbo ser + el participio pasivo del verbo que se conjugue (*la ropa* es lavada *por Juan*).

— *Voz media*. La forma verbal aparece siempre acompañada por los pronombres átonos que indican reflexión (*Juan* se lava).

Desde la perspectiva sintáctica, la voz del verbo responde a un tipo de construcción característica. Para Bello, la forma activa del verbo se corresponde con una construcción en la que aparece un acusativo (*Juan lava* la ropa); la pasiva, en contraposición, se caracterizaría porque el objeto directo o acusativo de la activa pasaría a ser el sujeto paciente del verbo.

De la misma manera que en latín había verbos deponentes, verbos cuya voz activa tenía significación pasiva y viceversa, en español podemos encontrar participios deponentes: *agradecido* y *aventajado* son participios con significado activo y forma pasiva. Igualmente, ciertas construcciones con forma verbal activa tienen valor o significado pasivo (*esto es difícil de* hacer, donde el infinitivo, que es una forma activa, equivale al significado pasivo *ser hecho*).

El número y la persona

Estas categorías verbales no son esenciales ni exclusivas del verbo, las comparte con otras categorías: la persona con el pronombre y el número con el nombre. El verbo expresa estas categorías contextualmente o, lo que es lo mismo, dependiendo del sujeto al que se refiera o del que se predique el significado de su acción. La expresión de número y persona no es obligatoria, ya que la conjugación presenta las formas no flexivas como el infinitivo, el gerundio y el participio.

La persona. El verbo, por su naturaleza, es un portador de categorías deíctico-personales. La categoría de persona es la categoría primaria del verbo, pues ella hace que se especifique una persona pronomi-

nal. Una terminación como -*as* de *amas* hace que inmediatamente seleccione la persona tú del pronombre. Otra cuestión es establecer en qué casos el español hace usos o no de los pronombres personales en función sustantiva y como sujetos del verbo.

El número. Aparece también en las categorías del nombre y del pronombre. Tienen dos posibilidades: *singular* y *plural*.

La persona aparece con la categoría del número, ambas se dan conjuntamente, son indisociables. Se trata de un morfema número-persona.

Para Alarcos, el número en español forma una correlación de dos miembros, esta correlación está compuesta por las formas que indican pluralidad frente a las que no la indican. Esta correlación en el verbo, ya hemos dicho que la comparte con el nombre y el pronombre, está condicionada por los elementos de la frase, depende de la combinatoria y de la concordancia con otros elementos de la frase. La formación de plural está en relación con las personas dentro del sistema. Así, una forma como el plural *nosotros* está compuesto por *yo* + *tú*, y puede entrar a formar parte también *él*. *Vosotros* estaría compuesto por *tú* + *tú* y también puede incluir *él*, pero queda excluido *yo*; *ellos*, por su parte, es la suma de *él* + *él* + *él*, pero no entrarían a formar parte de este plural ni *yo* ni *tú*.

LA CONJUGACION EN ESPAÑOL

La primera clasificación que cabe hacer desde el punto de vista de la flexión verbal es la que divide el sistema en dos tipos de formas:

1. Formas no personales: no tienen flexión.
2. Formas flexionales: poseen modo, tiempo, persona y número.

Formas no personales

Son formas incapaces de expresar persona y número. Tradicionalmente se las ha considerado como las formas verbales más cercanas a la categoría del nombre.

Así, el *infinitivo* sería el *sustantivo* del verbo, el *gerundio* el *adverbio* y el *participio* el adjetivo.

Se incluyen, a pesar de este carácter nominal, dentro del sistema del verbo porque se comportan como tal:

— Pueden llevar sujeto o complementos (*estando* yo *en Bilbao; no sé cómo contártelo*).
— Morfológicamente pueden aparecer en una construcción pasiva y poseen formas compuestas (*ser escrito, estando sentado, haber estudiado*).
— El participio ha sido considerado como la forma más nominal; sin embargo, es imprescindible para formar los compuestos verbales (*Juan ha* sido elegido).

No poseen modo, ni persona, y si admitimos que pueden expresar tiempo, éste no se define desde las mismas perspectivas que el tiempo de las formas personales. Sería un tiempo implicado o aspectual:

— Infinitivo: neutro.
— Gerundio: imperfectivo o durativo.
— Participio: perfectivo o terminado.

Por otro lado, el participio tiene sentido pasivo, se refiere siempre al paciente, mientras que el gerundio con sentido activo se refiere al agente.

Existe una oposición entre formas simples y formas compuestas, se diferencian en que las compuestas indican anterioridad respecto de las simples.

Usos de las formas no personales

El infinitivo

Tiene dos usos básicos: los usos *nominales* y los usos *no nominales*.

Los usos nominales son usos de sustantivo. Funcionaría siempre como sustantivo y, por tanto, como sujeto, objeto directo y objeto indirecto.

El infinitivo desempeñaría dos funciones simultáneas: una verbal, pudiendo llevar los mismos complementos de un verbo, y otra nominal, que sería a la vez, respecto de una oración más amplia, sujeto, objeto directo y objeto indirecto.

Usos nominales

a) Cuándo cumple función de sujeto:

— En oraciones sustantivas sin sujeto específico, cuando en esas oraciones funciona como sujeto de verbos del tipo convenir, importar, ser necesario, etcétera (*es necesario* aprobar, *conviene* ser *feliz*).
— Con verbos de voluntad en oraciones completivas, si el sujeto del infinitivo es el mismo que el de la principal (*prohibió a sus alumnos* entrar *en clase*).
— Con verbos modales (*soler, deber, poder* y *saber*) suele considerarse objeto directo, pero no es fácil decidir cuál es la función, si de sujeto o de objeto directo (*suele* trasnochar *mucho*).

b) Cuando son complementos de sustantivo o de adjetivo, es decir, forman oraciones adjetivas (*tenían miedo de* sonreír *tanto; es difícil* adivinar *sus intenciones*).

c) Formando parte de oraciones finales *(quiero* estudiar *para* conseguir *una beca).*

d) Formando parte de oraciones causales (*no quiere comer por* gastar *poco*).

e) Cuando constituyen oraciones sustantivas o adverbiales que funcionan como término de preposición (*aprobaron sin* merecerlo).

Usos no nominales

a) Formando parte de perífrasis verbales de infinitivo (*debo* confiar *en el futuro*).

b) Formando parte de oraciones de relativo (*no sé de nadie a quien* confiárselo).

c) Formando parte de oraciones independientes de tipo interrogativo o exclamativo (¿tener *frío yo?*).

d) En expresiones de tipo imperativo (¡*no* fumar!).

El gerundio

De la misma manera que en el infinitivo hay que distinguir entre *usos nominales* y *usos no nominales.*

Tendría por un lado función adverbial, ya que a las oraciones a las que pertenece en este caso son las consideradas adverbiales de modo, tiempo, etc.

La oración a la que pertenece el adverbio ha de ser necesariamente explicativa, porque si fuera especificativa afectaría al sustantivo (*los alumnos, viviendo lejos, llegaban tarde a casa*).

Puede tener función adjetiva. Y encontramos también lexicalizaciones, como *agua hirviendo.* Funciona como adjetivo cuando es especificativo y se refiere al sustantivo (Juan llorando *se marchó,* alude al modo en cómo se marchó Juan).

Usos nominales

a) Puede tener función adjetiva, ha de ser especificativo y se refiere al sustantivo.

b) Con verbos de movimiento, se refiere al sujeto de la oración principal (Juan *se marchó* llorando).

c) Con verbos de percepción referido al objeto directo (*veía a* su madre tendiendo).

d) En pie de fotos (*novios* saliendo *de la iglesia*).

e) En exclamaciones (¡*Pedro* pegando *a Juan*!).

En su función adverbial es explicativo y en ningún caso se refiere al sustantivo, indica una relación adverbial entre la oración subordinada y la principal (*yo quise, jugando a las cartas, derrotarlo*).

Hay que señalar que los gerundios están sometidos a algunas restricciones a la hora de emplearlos en determinadas construcciones. Puede formar parte de construcciones absolutas (cuando se refiere a un sustantivo que está ausente en la oración principal) y puede también estar referido a un sustantivo y, por tanto, ser dependiente.

En la construcción dependiente, el gerundio está sometido a algunas restricciones:

— El gerundio sólo se puede referir al sujeto o al objeto directo. Hay una excepción y es en el caso de las lexicalizaciones, en las que puede ser complemento circunstancial, como son *hirviendo* y *ardiendo.*

— Deberá ser siempre explicativo cuando sea dependiente. Es errónea la frase siguiente: *se necesita secretaria escribiendo a máquina,* porque no es explicativo, sino especificativo.

— Cuando el gerundio se refiere a un sustantivo con función de objeto directo, éste ha de ser una persona capaz de realizar la acción y no la causa de la acción; por su parte, el gerundio tiene que indicar movimiento:

  — *Le envié una carta* conteniendo *dinero* (es incorrecta).
  — *Ella se limaba las uñas mientras veía a su hermana* comiendo (esta frase sí es correcta).

— Existen, además, restricciones de tipo temporal; el gerundio ha de indicar acción simultánea o anterioridad inmediata a la acción indicada por el verbo principal:

  — *Paseando por el parque encontré una flor temprana* (indica simultaneidad).

— *Cerrando la puerta me comentó lo siguiente* (indica una anterioridad inmediata).

— El gerundio de posterioridad es condenado por las gramáticas normativas:

— *Se fugó siendo descubierto a los dos meses* (es incorrecta).

Usos no nominales

a) Tiene valores no nominales en las perífrasis verbales con verbos como *andar, venir, estar: anda* diciendo, *está* durmiendo.

b) En las lexicalizaciones también tiene valor no nominal: *mi barco está* pasando *el tuyo*. No se trata de una perífrasis, ni se refiere a ningún sustantivo, por tanto es una lexicalización. Hay autores como Cuervo que llegan a afirmar que sería un uso preposicional, pero esto es exagerado: entrando *a la derecha*. No parece admisible que *entrando* pueda considerarse una preposición.

El participio

Como en los casos de infinitivo y gerundio, el participio posee unos *usos nominales* y otros *no nominales*.

En los usos nominales el participio funciona igual que un adjetivo, se refiere siempre a un sustantivo que puede o no estar presente en el discurso; a diferencia del gerundio, concuerda con él en género y número. Existe, sin embargo, dificultad para establecer cuándo es verbo y cuándo es adjetivo. Pero también forma parte de construcciones absolutas, sin dejar de ser usos nominales.

Usos nominales

a) En construcciones adjetivas:

— A veces, el participio se refiere a un sustantivo que correspondería al objeto directo del verbo de la oración a la que pertenece el participio; el participio en este caso tendría valor pasivo, iría referido al paciente (*el conejo* asustado *por el disparo corrió a su madriguera*).

— Otras, sin embargo, se refiere al agente (*María tiene dos hijos* nacidos *en diciembre*; hijos no es paciente, sino agente).

— En verbos transitivos normalmente es paciente. Pero en intransitivos, reflexivos y pronominales es agente (*estoy acostado*).

— Puede tener valor activo o pasivo en ciertos verbos:

Agradecido:

— *Favores agradecidos* (pasivo).
— *Personas agradecidas* (activo).

— En la construcción adjetiva, el participio puede funcionar como especificativo o como explicativo (*las señoras que están preparadas ocupan sus asientos; las señoras, que están preparadas, ocupan sus asientos*).

En las explicativas, generalmente entre la oración de participio y la principal, se da una relación de causa o de modo o, lo que es lo mismo, una relación adverbial (*las señoras porque están preparadas ocupan sus asientos*).

b) Los participios en construcciones absolutas: se refieren a un sustantivo que no está presente en la oración principal. Hay una relación de tiempo entre el verbo de la oración principal y el participio. Se clasifican dentro de las oraciones adverbiales temporales, aunque pueden tener un matiz concesivo modal.

— La acción del participio es anterior a la del verbo de la oración principal (*dicho esto se puso a dormir*).

— El carácter de anterioridad se refuerza a veces con partículas como *luego, después*, etc.

— El participio suele ir antes de la oración principal y delante del sustantivo al que se refiere.
— Ciertos participios referidos a un sustantivo, por su habitual uso, han perdido su carácter participial y se han convertido en preposiciones, tal y como hoy las conocemos: *excepto, incluso.* Estos participios en la lengua clásica concertaban con el sustantivo, pero hoy están lexicalizados.

En realidad ahora no son participios, aunque etimológicamente sí lo fueron.

Usos no nominales

Sólo tienen función claramente no nominal en las perífrasis verbales de la voz pasiva (*el árbol fue* derribado *por un desaprensivo. Derribado,* ni es adjetivo ni es predicado nominal, puesto que no es una oración copulativa, sino pasiva).

Formas personales

Para la estructuración en el sistema de estas formas, hay que atender a las categorías gramaticales de que están compuestas: el *modo,* el *aspecto,* el *tiempo* y la *persona.*
Tradicionalmente las formas personales aparecían agrupadas en tres grandes bloques correspondientes al modo:

— Indicativo
— Subjuntivo
— Imperativo

Estos bloques, a su vez, se dividían en distintos tiempos, entre los cuales podía mediar una diferencia aspectual, como ocurre en el caso del infinitivo frente al imperfecto. El imperativo es el único modo que no ofrece oposición temporal. La Real Academia, posteriormente, añadió el modo condicional.
Ya hemos dicho que el modo *indicativo* hacía referencia a la realidad y en el plano objetivo, frente al *subjuntivo* que era el modo de la irrealidad y se sitúa en el plano de la actitud subjetiva del hablante, también vemos que más frecuentemente se asociaba el subjuntivo a la subordinación. El modo *imperativo,* por su parte, se caracteriza por significar ruego o mandato. Propiamente hablaríamos de formas imperativas cuando aludimos a las correspondientes de segunda persona, singular y plural. Las otras personas se completan a partir del modo subjuntivo. Ofrece el imperativo en sus formas propias una peculiaridad morfológica y es que siendo constante la terminación de la segunda persona en todos los tiempos en *-es, -s* (en singular), y *-eis, is* (en plural), las formas imperativas lo hacen en *-a, -id* (*cami*na, *ven*id).
Los contextos donde aparecen las formas de imperativo no son los mismos en los que aparecen las formas de subjuntivo y así si el mandato es negativo se utiliza el subjuntivo. Si se refiere la persona de tratamiento usted también se usa el subjuntivo (*levántese usted*).
Con respecto al modo *potencial* o *condicional* conviene mejor llamarlo *hipotético,* ya que supone una hipótesis con respecto a la realización de la acción.
Las formas futuras del subjuntivo han desaparecido del uso habitual.
Además del modo, las formas personales poseen tiempo y aspecto, aunque este último como elemento estructurador no es demasiado importante.
En el imperativo no hay oposiciones, ni temporales, ni aspectuales, por su propia naturaleza imperativa. Indica siempre tiempo futuro con respecto a la realidad.
En el indicativo sí hay oposiciones de aspecto y tiempo. El aspecto se estructura con respecto a la perfectividad e imperfectividad de la acción. Así distinguimos los tiempos simples (que son imperfectivos) de los compuestos (que son perfectivos). También en el indicativo, en las formas simples encontramos una diferencia aspectual entre el pretérito indefinido o pasado simple y el pretérito imperfecto (*canté/cantaba*). La diferencia entre ambos no es ni modal, ni temporal, ya que ambos son

pretéritos, sino aspectual: uno (*canté*) indica acción terminada y otro (*cantaba*), acción en curso.

Las formas perfectivas o compuestas (a excepción del indefinido) están formadas por el verbo auxiliar, en el mismo tiempo que las simples, más el participio pasivo. Es el auxiliar el que indica el tiempo, el modo y la persona en las formas compuestas.

Pero aunque entre formas compuestas y simples medien diferencias aspectuales, la esencial distinción entre ellas es que unas indican anterioridad (las compuestas) siempre con respecto a las otras.

Existen tres modelos en la conjugación que se corresponden con las tres variantes que pueden presentar los infinitivos:

— Primera conjugación, -*ar: amar.*
— Segunda conjugación, -*er: tener.*
— Tercera conjugación, -*ir: partir.*

A la primera conjugación pertenece el grupo más numeroso de verbos. Es también el más estable y productivo. Entre la segunda y la tercera existe casi una total igualación entre sus formas.

Son regulares todos los verbos de la primera conjugación que tienen en su raíz -*a, -i, -u*, excepto *andar, desandar* y *jugar*. También lo son aquellos que tienen diptongo en la penúltima sílaba del infinitivo (*envainar, defraudar*, etc.). Incluso son regulares los que poseen diptongos impropios (aho*rrar*, emp*eorar*). Son regulares igualmente los verbos cuyo infinitivo termina en -*aar, -ear, -iar, -oar, -uar: pedal*ear, *eval*uar, etc.

Los verbos de la tercera conjugación que presentan diptongo en la penúltima sílaba del infinitivo son regulares: *apl*audir, *reu*nir, etc.

CONJUGACION IRREGULAR

Por lo general, las alteraciones o irregularidades que se presentan en la conju-

gación española se producen en la raíz. Las irregularidades que proceden de la declinación latina son excepcionales, entre ellas están los perfectos fuertes.

Podemos agrupar en tres tipos las irregularidades:

1. Irregularidad vocálica.
2. Irregularidad consonántica.
3. Irregularidad mixta.

Irregularidad vocálica

En estas variaciones de la raíz, partiendo del infinitivo, la forma irregular puede presentar:

a) Una vocal más cerrada que en el infinitivo, es decir, que -*e, -a, -i* y -*o* pasaría *a-u: ped*ir *pid*ió, *mor*ir *mur*ió.

b) Un diptongo creciente (diptongos crecientes son aquellos cuyo primer elemento es más cerrado que el segundo): de *quer*er *quier*o, de *volv*er *vuelv*o, de *jug*ar *jueg*o, de *inquir*ir *inquier*o.

Por tanto, en el sistema, dentro de las irregularidades vocálicas, tendríamos seis posibles transformaciones:

a) *e/i, o/u*
b) *e/ie, o/ue, i/ie, u/ue*

Irregularidad consonántica

a) Puede consistir en la sustitución de una consonante de la raíz por otra consonante en la forma irregular: *hac*er *hag*a.

b) También puede suceder que se le añada otra consonante a la consonante última de la raíz del infinitivo: *nac-er nazc-o.*

c) O también, puede consistir la irregularidad en la adición de una consonante a la última vocal de la raíz del infinitivo: *h*u-*ir h*uy-*o*.

Irregularidad mixta

a) En este tipo se sustituye la vocal y una consonante, por otra vocal y otra consonante simultáneamente: *dec-ir   dig-o*, *sab-er   sep-a*.

b)   O se agrega el grupo *ig* a la última vocal de la raíz: *o-ír   oig-o*.

Verbos con más de una raíz

Además de las variaciones que se puedan presentar en una misma raíz, hay otras irregularidades que consisten en que determinados verbos, como *ser* e *ir*, presentan más de una raíz sobre la que se conjuga el verbo en los distintos tiempos.

Por lo que respecta a *ser*, la mayor parte de las irregularidades que presenta se deben ya a la conjugación latina, y proceden, por tanto, de entonces. Como una doble raíz, una para los tiempos de indefinido y tiempos afines *fu-: fui, fuera;* y otra para los tiempos no perfectos *s-* o *es-: soy, es.* El pretérito indefinido es fuerte, el condicional y futuro son regulares (véase cuadro 4.16).

Ir, por su parte, en latín tenía una sola raíz, pero sustituyó en romance las formas flexivas de sus presentes y del imperativo singular por las procedentes del verbo *vadere*, y su indefinido y las formas de subjuntivo afines del mismo por las del verbo *ser: fui, fuese, fuera.* Tiene, por tanto, tres raíces como en el caso de *ser.* De la raíz originaria sólo se conservan en castellano las formas del imperativo: *id;* la del infinitivo: ir, y sus formas: *ido, yendo*, y las del perfecto: *iba...* Las formas del subjuntivo no son etimológicas, sino analógicas con *haya* (véase cuadro 4.17).

Perfectos fuertes

De los perfectos fuertes procedentes del latín muy pocos han llegado hasta nosotros. La acentuación fuerte se conserva sólo en la primera y tercera persona del singular. La tercera persona de singular ha adoptado la *-o* de los perfectos è indefinidos débiles: *dij-o*. Sólo el verbo *andar* ha creado un indefinido o perfecto fuerte por analogía o contagio de otros verbos: *anduve.*

Perfectos fuertes ordenados en relación a la vocal de su raíz:

— Con *a:*

  — traje, trajo   (traer)

— Con *i:*

  — dije, dijo   (decir)
  — hice, hizo   (hacer)
  — quise, quiso   (querer)
  — vine, vino   (venir)

— Con *u:*

  — anduve, anduvo   (andar)
  — conduje, condujo (conducir)
  — cupe, cupo   (caber)
  — estuve, estuvo   (estar)
  — hube, hubo   (haber)
  — plugo   (placer)
  — pude, pudo   (poder)
  — repuse, repuso   (reponer)
  — supe, supo   (saber)
  — tuve, tuvo   (tener)

El imperfecto y el futuro de subjuntivo de los verbos que poseen formas de perfecto fuerte se forman sobre el tema de la tercera persona del plural de dicho perfecto.

Verbos defectivos

Son aquellos que carecen de alguna de sus formas. No entran sin embargo, en este grupo, aquellos verbos que sólo se conjugan en la tercera persona del singular y que llamamos impersonales, como *llover.*

Un caso de verbo defectivo puede ser *abolir*, que sólo se emplea en las personas en que la terminación es *-i*, de esta manera no se usa en las tres personas del singular y la tercera del plural del presente de indicativo, ni en el presente de subjuntivo, ni en el imperativo. Existen varios verbos defectivos de la tercera conjugación, que se reducen, como *abolir*, a las terminaciones que tienen *i* o que principian por *i: arrecirse, aterirse, empedernir, blandir, garantir* y algunos otros.

Algunos verbos como *blandir* o *garantir* toman de *blandear* y *garantizar*, que son complementos, las formas que no tienen. Y de esta manera otros verbos defectivos suplen sus formas tomándolas de la tercera conjugación con un infinitivo en *-ecer: empedernezco, empederneces, empedernece, empedernidos, empedernís, empedernecen.*

Algunos verbos se han detenido en su desarrollo, o bien porque pertenecen a un campo técnico y muy especializado, como es el caso de *adir* y *usucapir*, o bien porque ha prevalecido el carácter nominal y se ha empleado, generalmente, sólo el participio: *despavorido, desvaído,* etc.

De algunos verbos de la tercera conjugación, *ir*, sólo se usan el infinitivo y el participio: *desabrir, aterir, compungir,* etc.

Gerundios irregulares

No existe más irregularidad en los gerundios españoles que la que se produce en aquellos verbos que presentan irregularidad vocálica consistente en el cierre de la vocal, de esta manera presentan la misma irregularidad propia del verbo al que pertenecen: *i e, u o, pedir pidiendo, dormir durmiendo.*

Participios irregulares

Se caracterizan porque el acento de intensidad afecta a la última sílbaba de su raíz, son por ello participios fuertes, y en esto se asemejan a los perfectos fuertes.

Al igual que los perfectos fuertes, estos participios son heredados del latín y por ello constituyen un grupo limitado (*dicho* de decir, *hecho* de hacer, *preso* de prender, *abierto* de abrir, *cubierto* de cubrir, *muerto* de morir, *visto* de ver, etc.).

Muchos de estos verbos presentan una doble forma de participio: la fuerte (*preso*) y la débil (*prendido*); a veces, es la forma débil la que ha sustituido a la fuerte (*dividido* a *diviso, nacido* a *nado,* etc.), o lo relega a la categoría de adjetivo privándolo de su capacidad para formar la voz pasiva (*convencido/convicto, elegido/electo*).

Bendito y *maldito*, que están compues-

tos como variantes de *dicho*, son adjetivos, y no se emplean con los tiempos compuestos de los verbos *bendecir* y *maldecir*, aunque sí se emplean en la construcción de pasiva con *ser* y con el subjuntivo en construcciones no subordinadas (*San Juan es* bendito *por sus méritos,* ¡*sea* maldito *para siempre!*).

USOS Y VALORES DE LOS TIEMPOS DE LA CONJUGACION

Indicativo

1. Ya dijimos que el *presente* es la forma neutra, que indica simultaneidad con el punto de referencia, y que por esto puede funcionar como pasado o futuro (*el conflicto se inició en 1914* y concluye *en 1918, nada* hay *mañana que me interese*).

El aspecto del presente indica una acción inacabada. Encontramos varios usos dentro del presente que no se corresponden con el momento mismo en que se realiza el diálogo:

— Presente *durativo.* La acción del verbo puede producirse simultáneamente al momento en que se habla, pero también es una acción que se proyecta hacia el futuro, viniendo desde su pasado (*leo el periódico cada mañana*).

— Presente *gnómico.* Es una utilización intemporal, y aparece en refranes, frases hechas, etc. (*a quien madruga Dios le ayuda*).

— Presente *histórico.* Este uso del presente suplanta los valores del pretérito si tomamos como referencia el presente actual (*Colón descubre América en 1492*).

— Presente *por futuro.* Podemos utilizar este presente en construcciones interrogativas, cuando queremos solicitar algo (*¿bajo la basu-*

119

Cuadro 4.16
Verbo ser.

INDICATIVO		SUBJUNTIVO
soy		sea
eres		seas
es	PRESENTE	sea
somos		seamos
sois		seáis
son		sean
era		fuera o fuese
eras		fueras o fueses
era	PRETÉRITO	fuera o fuese
éramos	IMPERFECTO	fuéramos o fuésemos
erais		fuerais o fueseis
eran		fueran o fuesen
fui		
fuiste		
fue	PRETÉRITO	
fuimos	INDEFINIDO	
fuisteis		
fueron		
seré		fuere
serás		fueres
será	FUTURO	fuere
seremos		fuéremos
seréis		fuereis
serán		fueren

CONDICIONAL	IMPERATIVO
sería	sé
serías	sed
sería	
seríamos	
seríais	
serían	

FORMAS NO PERSONALES

Infinitivo: ser
Gerundio: siendo
Participio: sido

ra?). Precedido de adverbios *(mañana voy).* Es obligatorio su uso en las oraciones condicionales con *si,* cuando éstas indican futuro *(si me lo traes te lo agradeceré muchísimo).*

2. El imperfecto aspectualmente es imperfectivo y por ello la acción que refleja está inacabada en el tiempo. Es un tiempo indirecto, por lo que hay que ponerlo en relación con otros tiempos verbales, así en *quiso comprar el coche, cuando en realidad* prefería *la moto, prefería* está en relación con el tiempo de *quiso.* Puede referirse también a otro imperfecto: bajaba *por la escalera y* subía *el cartero.* El imperfecto

significa acción paralela a otra acción, con mucha frecuencia.

Estilísticamente las formas del indefinido se utilizan, en general, para narrar e indicar progreso en la acción, mientras que el imperfecto es más adecuado para las descripciones, pero en ocasiones el imperfecto puede sustituir al *indefinido* e incluso al *futuro:*

— Imperfecto de *apertura.* En lugar del indefinido, que sería lo normal, el imperfecto puede aparecer abriendo un discurso que se refiere al pasado *(en aquel miércoles glorioso* llegaba a *la estación al tren...).*

— Imperfecto de *cierre.* En algunos casos, tras una serie de indefinidos, asimilándose a éstos, un imperfec-

Cuadro 4.17
Verbo ir.

INDICATIVO		SUBJUNTIVO
voy		vaya
vas		vayas
va	PRESENTE	vaya
vamos		vayamos
vais		vayais
van		vayan
iba		fuera o fuese
ibas		fueras o fueses
iba	PRETÉRITO	fuera o fuese
íbamos	IMPERFECTO	fuéramos o fuésemos
ibais		fuerais o fueseis
iban		fueran o fuesen
fui		
fuiste		
fue	PRETÉRITO	
fuimos	INDEFINIDO	
fuisteis		
fueron		
iré		fuere
irás		fueres
irá	FUTURO	fuere
iremos		fuéremos
ireis		fuéreis
irán		fueren
CONDICIONAL		IMPERATIVO
iría		ve
irías		id
iría		
iríamos		
iríais		
irían		

FORMAS NO PERSONALES

Infinitivo: ir
Gerundio: yendo
Participio: ido

to puede concluir un discurso *(fue un insensato, conquistó a quienes le conocieron, vivió como un verdadero aristócrata, pero sobre todo* amaba *la vida).*

— Imperfecto *por futuro (no sabía que usted se iba enseguida).*

— Imperfecto *en las oraciones condicionales (si lo* aprobara *me compraría un coche.*

3. *Pretérito indefinido* y *pretérito perfecto:* estos dos tiempos guardan una peculiar relación en el paradigma. Ambos son pretéritos de indicativo, ambos indican aspecto perfectivo. Parece que la diferencia entre ellos responde, la mayor parte de las veces, a la expresividad del hablante y a motivos psicológicos. El pretérito indefinido es realizado en una unidad de tiempo que para el *hablante* ya ha pasado *(ayer visité a un amigo).*

Sin embargo, en el pretérito perfecto la acción del verbo se inserta en un período de tiempo que para el *hablante* aún no ha concluido *(este año pasado ha muerto su padre).*

Por eso, el complemento verbal del indefinido es frecuentemente *ayer, anoche, hace un año,* etc., mientras que el pretérito perfecto va acompañado de adverbios como *aún, todavía, ahora, hoy, en este momento, este año,* etc.

4. El futuro latino desapareció y las lenguas romances constituyeron un futuro a partir de la perífrasis infinitivo + haber, que tomaron del latín vulgar *(cantar he).* Esta forma es la que ha dado lugar a nuestro actual futuro, que en un principio tenía un fuerte carácter modal de obligatoriedad, quedando la noción de tiempo futuro un tanto diluida. Aún posee estos valores modales en expresiones como:

— Cortesía: *¿Le costará a usted mucho llegar hasta allí?*

— Atenuación: *No le ocultaré que todo esto me disgusta.*

— Incertidumbre: *¿Quién será a estas horas?*

En otras ocasiones, no obstante, el futuro asume los valores propios de posterioridad con respecto al momento en que se habla, y este valor puede desempeñarlo el presente también *(mañana* iré a *comprar = mañana* voy a comprar*).*

Hay muchas perífrasis que sustituyen los valores del futuro:

— Tener que + infinitivo: *Tengo que terminar.*

— Ir a + infinitivo: *Voy a freír unos huevos.*

— Haber de + infinitivo: *He de comprar una casa.*

— Deber de + infinitivo: *Debo de estudiar más.*

— Estar a punto de + infinitivo: *Estoy a punto de descubrirlo.*

5. *Pretérito pluscuamperfecto:* Tiene aspecto perfectivo e indica pasado. Es un tiempo indirecto y, por tanto, indica acción pasada con respecto a otra acción también pasada, se corresponde con la forma simple del pretérito imperfecto. Puede expresarse, con una intención estilística, sustituyendo al indefinido *(miró hacia la ventana, y en un momento,* habían desaparecido = desaparecieron*).*

6. *Pretérito anterior:* Tiene las mismas relaciones de aspecto y de tiempo que el pluscuamperfecto. La diferencia es que indica que se trata de una acción *inmediatamente* anterior a la acción con respecto a la otra de la que parte *(no acabó de comer cuando ya* hubo salido *de la habitación).*

7. *Futuro perfecto:* Tiene aspecto perfectivo e indica futuro. Indica acción futura y acabada en relación a otra acción también futura *(cuando lleguéis ya* habrá salido *el avión).* Puede usarse también para indicar pasado indicando probabilidad *(supongo que no* habrá terminado el *trabajo todavía).*

Condicional

1. Lo mismo que el futuro simple sirve para expresar probabilidad, el condicio-

nal también puede expresarla pero en pasado, no en futuro *(ya habría terminado y no serían ni las tres)*. Procede históricamente del imperfecto: *amar* + hab-*ía amar-ía*. Otro uso es el condicional de *cortesía (¿podría decirme la hora?)*.

Hay que señalar un uso incorrecto de esta forma simple del condicional, que está muy extendida entre gran número de hablantes de ciertas regiones, es el uso del condicional en la prótasis de oraciones condicionales *(si tú verías eso, te convencerías)*. El uso adecuado sería el de imperfecto de subjuntivo *(si tú vieras o vieses eso, te convencerías)*.

2. El condicional compuesto indica acción perfectiva o acabada y tiempo futuro. Es también un tiempo indirecto, se mide desde el tiempo de otra forma verbal, a la que se refiere indicando futuro *(Juan pensaba que cuando tuviera las notas ya habría tenido tiempo para preparar las vacaciones)*.

Indica también probabilidad en el pasado, pero a diferencia del condicional simple expresa acción terminada *(justo en aquel momento habría acabado su conferencia)*.

Subjuntivo

Ya hemos dicho que estas formas son usadas en la mayoría de los casos en la subordinación, es decir, están insertadas en oraciones que dependen de otras principales. Sin embargo existen también usos en oraciones independientes *(¡ojalá venga!)*.

1. El presente puede referirse a un tiempo futuro o presente pero no al pasado *(es preciso que continúes en esa línea; no traigas la semana que viene carne del mercado)*.

2. En el imperfecto, el tiempo que indica abarca más extensión que en el presente, además de futuro y presente puede referirse al pasado. La elección entre las formas del presente y del imperfecto viene

determinada por el verbo de la oración principal *(me avisaron para que viniera/me avisaron para que venga)*.

Hay un uso especial del imperfecto y es el que equivale al pretérito pluscuamperfecto. Se usa sólo la forma terminada en -*ara*, no la terminada en -*ase*. Es un valor arcaico que pervive en la lengua literaria, pero que en el español de la Edad Media tuvo un gran uso *(ese hombre que veis es aquel que* amara (= había amado) *tanto en otra época)*.

3. *Pretérito perfecto:* Aspectualmente indica acción acabada y que se ha realizado en una unidad de tiempo que incluye pasado o futuro, pero que psicológicamente el hablante considera que todavía no ha transcurrido *(es posible que él* haya entendido *la lección esta mañana)*.

4. *Pretérito pluscuamperfecto:* Expresa, como el anterior, una acción ya terminada y realizada en una unidad de tiempo, a diferencia del perfecto, que ya ha concluido *(si* hubiera llegado *en ese tren, todo* hubiera sido *perfecto)*.

Imperativo

Quedaba dicho dentro del apartado del modo imperativo que éste estaba constituido, en rigor, por dos formas: las que corresponden a la segunda persona del singular y las del plural *(ama, amad)*. El resto de este tiempo de presente del modo imperativo es suplido por las formas del presente de subjuntivo, las cuales han de usarse obligatoriamente al convertir el mandato en forma negativa *(no cierres la puerta, por favor)*. Es absolutamente incorrecto usar el imperativo con la negación *(no salid, no hablad)*. Es igualmente incorrecto usar el infinitivo como imperativo *(no salir, salir rápido)*.

EL ADVERBIO

El adverbio es, quizá una de las categorías menos estudiadas por las gramáticas, y que además ofrece gran cantidad de problemas, debido a que a ella pertenecen una serie de formas muy diferentes entre sí, y cuyo comportamiento sintáctico varía mucho, en ocasiones.

Como el adjetivo modifica al sustantivo, el adverbio modifica al adjetivo y al verbo *(se encuentra demasiado débil, su máquina de escribir escribe despacio)*. En otras ocasiones modifica a otro adverbio *(el tren llegó demasiado tarde)*. Puede modificar también a toda una oración (casi *no puedo creerlo)*.

Se ha considerado siempre como una parte invariable de la oración; aunque esto es cierto por lo que respecta a la variación de género y número, es posible, sin embargo, añadir morfemas apreciativos: *despac*-ito, *lejísi*-mos. Pueden formarse adverbios a partir de un adjetivo + la terminación *mente*, propia de esta categoría gramatical: *profunda*-mente. Por lo que se refiere a la acentuación mantienen dos sílabas tónicas y, además, pueden admitir los sufijos superlativos *(gratísimamente)* y los comparativos *(muy gratamente)*.

Los oficios que pueden desempeñar los adverbios están en relación con su carácter de modificador de otras palabras; cuando modifica al verbo, generalmente, tiene función de complemento circunstancial. Pero no todos los adverbios pueden desempeñar esta función, ya hemos dicho que esta clase de palabras está constituida por elementos muy heterogéneos *(el coche viene despacio*, pero no se puede admitir *el coche viene* muy).

Puede ser término de una preposición *(desde* entonces). También algunos de ellos pueden funcionar como predicado nominal en construcciones copulativas *(Pedro es así. Pedro está* mal).

Clasificación de los adverbios por su significado

Esta clasificación semántica del adverbio ha sido la que más han seguido los gramáticos. Significativamente los adverbios aluden a una circunstancia que modifica el significado de la oración o el de la palabra a la que se refieren. Pueden dividirse los adverbios, con respecto a ello, en:

— *Adverbios de lugar*: allí, aquí, ahí, cerca, lejos, detrás, arriba, encima, abajo, dentro, etcétera.
— *Advervios de tiempo*: antes, después, luego, despacio, aprisa, aún, todavía, siempre, nunca, jamás, etc.
— *Adverbios de modo*: así, tranquilamente, bien, mal, recio, quedo, alto *(hablaba* alto = voz alta). Pertenecen a los adverbios de modo casi todos los acabados en -*mente*. Equivalen estos últimos a una frase sustantiva adverbializada *(tranquilamente = de manera tranquila)*. Cuando varios adverbios terminados en -*mente* se unen mediante conjunción expresa o táctica, todos pierden la terminación de -*mente*, excepto el último *(profunda, sencilla* y *tranquilamente)*.
— *Adverbios de cantidad*: mucho, poco, harto, bastante, demasiado, más, menos, nada, etc. Muchos de estos adverbios están íntimamente relacionados con la categoría de pronombre y, en ocasiones, es muy difícil determinar si se incluye en una clase o en otra de palabras.
— *Adverbios de afirmación*: sí, ciertamente, verdaderamente, etc.
— *Adverbios de negación*: no, tampoco, nunca, jamás, nada, etc.

Cuadro 4.18

	PROXIMIDAD	DISTANCIA MEDIA	LEJANIA
Pronombres demostrativos	éste	ése	aquél
Adverbios	aquí	ahí	allí

— *Adverbios de duda*: acaso, tal vez, quizá o quizás, etc.

De los adverbios de cantidad no son también otra cosa que pronombres neutros con matices adverbiales (*honran* mucho *a su padre y a su madre*).

Otros adverbios son originariamente adjetivos o complementos con preposición, como *alto, adentro, afuera.*

Hay que hacer mención a la síncopa que se produce en *mucho* cuando modifica a adjetivos: muy *débil.*

También existe una última relación entre los demostrativos y los adverbios demostrativos de lugar (véase cuadro 4.18).

Otros adverbios de lugar son: *allende* (del lado de allá), *aquende* (del lado de acá).

— *Adverbios demostrativos de tiempo*: ahora, hoy, mañana, anteayer, anoche, etc.
— *Adverbios demostrativos de cantidad*: es un pronombre neutro adverbializado (tanto *había crecido el niño*).
— *Adverbios demostrativos relativos*: los adverbios demostrativos se corresponden con otros adverbios, llamados relativos, pero que sirven para unir preposiciones, exclusivamente. Tienen la misma significación que los demostrativos, son:

Donde: adverbio relativo de lugar (*subí hasta allí,* donde *se cayó María*).
Cuando: adverbio relativo de tiempo (*éramos felices entonces* cuando *aún eramos jóvenes*).
Cual, como: adverbios relativos de modo (*no quiso ser arisco* como *lo había sido su hermano*). *Cual* es equivalente a *como,* pero es muy poco usado.
Cuanto: adverbio relativo de cantidad (*tanto más vales* cuanto *más dinero tienes*).

Todos estos adverbios relativos se hacen interrogativos cuando se acentúan

(*¿Dónde* estabas?, *¿cuánto* costó?, *¿cómo* llegaste?, *¿cuándo* sucedió?).

Mientras es una preposición pero equivale en ocasiones al adverbio relativo *cuando* (mientras *yo llegaba me lo contó*).

Si es un adverbio condicional que casi siempre lleva envuelto su antecedente y que podría equivaler al adverbio demostrativo *así* (*te lo contaré* si *estás callado* = te lo contaré así, con esta condición, si estás callado), podemos suponer que *así* es el antecedente de *si.*

LA PREPOSICION

La preposición es una categoría invariable que modifica a sustantivos, pronombres, adjetivos, verbos y adverbios.

Significativamente no tienen un referente concreto, pero presentan un matiz significativo a la palabra o grupo de palabras que introduce. En los siguientes ejemplos (*mi padre es aficionado* a *los toros. No la ves* desde *entonces. Carecía* de *importancia. Tras* salir me encontré con *tu hermana. Escribe siempre* con *bolígrafo,* etcétera) vemos que las preposiciones llevan detrás suyo conceptos significativos expresados mediante sustantivos, adverbios, etcétera, o incluso mediante un grupo de palabras (*está* en *el piso bajo*). Sirven, por tanto, para establecer relaciones entre palabras o sintagmas.

A la palabra o grupo sintagmático que se coloca tras la preposición se le llama *término* de la preposición y es el que contiene el significado. En ciertas ocasiones las preposiciones expresan relaciones vagas, como *de,* que se aplica a un gran número de relaciones diversas. En otros casos el sentido es más claro y se mantiene siempre en todas las relaciones, por ejemplo *sobre.*

Tanto la preposición como su término son complementos, porque ciertamente sirven para completar la significación de la palabra a la que se refieren. En ciertas ocasiones el término de la preposición puede estar, a su vez, constituido por un complemento preposicional (*se escapó* por entre *los dedos*).

Clases de preposiciones

Puede decirse que casi todas las preposiciones, en su origen, eran palabras de otra especie, generalmente nombres. El paso de una categoría a otra es un proceso lento, y puede darse el caso de que una palabra siga manteniendo algún matiz de su antigua naturaleza mientras ya apunta hacia una nueva, quedándose en una especie de etapa de transición. Como ejemplo de esto tomemos *excepto*, que era un participio con variación de género y de número y que convirtiéndose en invariable, llegó a tomar la apariencia de preposición. Sin embargo, se construye de forma distinta a como lo hacen las preposiciones auténticas, por lo que se refiere a los pronombres personales (*sobre* mí, *en* ti = *excepto* yo, *excepto* tú). Ocurre lo mismo con *salvo*, que de ser antes un participio ha llegado a usarse como preposición, aunque en ocasiones es posible encontrarlo como participio adjetivo (*estaba sana y* salva).

A las anteriores añadiríamos otras: como *durante, mediante, obstante* e incluso *cuando* (cuando *el motín*). Todas estas palabras se comportan como preposiciones de modo imperfecto.

Hay que distinguir, por ello, entre las preposiciones *impropias* (todas las anteriores) y las llamadas preposiciones *propias*, que son además las más usuales en castellano: *a, ante, bajo, con, contra, de, desde, en, entre, hacia, hasta, para, por, según, sin, so, sobre* y *tras*.

La preposición *so* ha quedado relegada para el uso de unas pocas frases (so *pretexto*, so *pena*).

Funciones de las preposiciones

1. Puede introducir un grupo nominal que sea adyacente de otro (*la casa de madera verde*).

2. Introductor de un núcleo nominal que complemente a otra palabra (*viene a Madrid*).

3. Puede ser nexo entre comparaciones (*el mejor* de *mis amigos*).

4. Para relacionar los elementos de las perífrasis verbales (*voy* a *comer*).

LA CONJUNCION

Sirven para ligar dos o más palabras o dos o más oraciones. Son, por tanto, una clase de palabras, vacías de contenido significativo y cuya función es, simplemente, la de servir de nexo, entre palabras, entre sintagmas o entre oraciones, no tiene ningún tipo de incidencia sobre los elementos que une.

Tradicionalmente se ha distinguido entre conjunciones coordinantes y conjunciones subordinantes. Las primeras caracterizadas porque unen elementos que están en el mismo nivel jerárquico. Son coordinadas:

— Las cojunciones *copulativas*, que suman los significados, y son: *y, e, ni, que (no habla* ni *come, viene* y *va).*

— Las conjunciones *disyuntivas*, que presentan dos opciones que se excluyen, y son: *o, u, ora, bien* (o *coges al niño* o *le das de comer).*

— Las conjunciones *adversativas*, que unen elementos, de los cuales el segundo corrige algo del primero; la más característica es *pero*, también *sin embargo, aunque, sino que, más bien, no obstante*, etc. (*es un libro corto* pero *muy interesante*).

— Las conjunciones *distributivas* presentan dos elementos que unen como alternantes, y son: *ya... ya, bien... bien*, etc. Ejemplo: *Esa tarde ya salía el sol, ya se escondía.*

— Y por último, son coordinantes las conjunciones *explicativas*, en las que el primer elemento de la coordinación es aclarado por el segundo (*los hombres somos omnívoros*, es decir, *comemos de todo*).

Con respecto a las conjunciones o nexos subordinantes, introducen oraciones adverbiales, éstas siempre dependen de la oración principal, también introducen oraciones sustantivas y adjetivas.

Dentro de las oraciones subordinadas adverbiales podemos distinguir varios tipos de oraciones adverbiales, caracterizadas por sus respectivos nexos conjuntivos, que en ocasiones poseen una categoría distinta, pero que funcionalmente se comportan como conjunciones:

— Las oraciones subordinadas de lugar aparecen frecuentemente introducidas por un nexo que es un adverbio relativo (*llegaron* donde *los pajarillos cantan*).
— Los nexos de las oraciones subordinadas temporales pueden ser: *cuando, antes que,* etc.
— Para las subordinadas de modo las conjunciones habituales son: *como, según, según que.*
— En las subordinadas comparativas los nexos son: *tan... como, igual... que, tanto... como, más... que, mejor... que, menos... que* (*Julio tiene* más *dinero que el que pueda reunir Miguel en toda su vida*).
— Las conjunciones más frecuentes que introducen oraciones subordinadas causales son: *que, porque, pues, ya que, como, visto que.* Hay que distinguir este *que* causal del que introduce oraciones sustantivas (*quiero* que *vengas*), o del que se utiliza en las comparaciones. Cuando es causal puede sustituirse por *porque* (*me voy a acostar que tengo sueño = me voy a acostar* porque *tengo sueño*).
— Las oraciones subordinadas adverbiales consecutivas se unen a las principales mediante las siguientes conjunciones y locuciones: *luego,*

conque, pues, por consiguiente, por tanto, de tal manera que (llora de tal manera que enternece, pienso luego existo).
— En las oraciones condicionales la conjunción más típica es *si*, pero puede haber otras fórmulas: *a condición de que, siempre que, como (no me hables* como *sigas en esa actitud).*
— Para las concesivas la más común es la conjunción *aunque* (*aunque me lo asegura, no lo creo*). También se utiliza *a pesar de, por... que (por mucho* que *estudie no aprobará*).
— En las oraciones finales los nexos más usados son: *a que* y *para que,* pero pueden usarse otros como *con objeto de, a fin de,* etc. *(vengo a que me cortes el pelo).*

LA INTERJECCION

La interjección es un recurso lingüístico que marca la expresividad, fuera de esta función este tipo de palabras no cumple ninguna otra. Esto ha provocado que los gramáticos tomaran distintas posturas ante ella, incluso se llegó a pensar que era algo ajeno a la lengua. Algunos autores, por su carácter onomatopéyico, pensaron que era el resto que nos quedaba del origen del lenguaje humano; si esto fuese así, tendrían que ser elementos comunes a todas las lenguas, y no parece que sea muy acertado, pues, pese a los intentos de encontrar analogías entre las interjecciones de las distintas lenguas, difieren lo suficiente unas de otras, cada lengua tiene las suyas.

Clasificación de las interjecciones

Teniendo en cuenta la actitud del hablante, Tesniére hace la siguiente clasificación:
— *Imperativas.* Aquellas que manifiestan una actitud activa del ha-

blante en relación al medio exterior (*¡cuidado!, ¡oiga!*).

— *Impulsivas.* Manifiestan la actitud pasiva del hablante en relación al medio (*¡ay!, ¡oh!*).

— *Imitativas.* El hablante está en equilibrio, ni influye ni es afectado por el medio, imita la impresión que el medio le produce (*¡pum!, ¡zas!*).

Por la forma que presentan las interjecciones, las gramáticas tradicionales las dividen en dos tipos:

— *Primarias.* Aquellas que originariamente surgen como auténticas interjecciones (*¡eh!, ¡hola!*), se han creado para expresar la emotividad, forman un inventario de palabras abierto al que se pueden incorporar otras de nueva creación.

— *Impropias.* Son las que proceden de otro tipo de palabras, su funcionamiento como interjecciones es puramente ocasional y si les añadimos otros elementos lingüísticos formamos frases exclamativas (*¡ojo!, ¡cuidado!*).

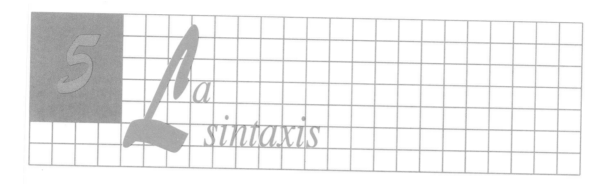

5 La sintaxis

INTRODUCCION

Las lenguas humanas funcionan, básicamente, relacionando sonidos con significados. Esta relación no fue claramente delimitada y definida hasta que el lingüista suizo Ferdinand de Saussure, a comienzos de este siglo, introdujo el concepto de *signo lingüístico*. Gracias a él se comenzó a contemplar la lengua como un mecanismo que funciona a base de estructuras, es decir, moldes fijos que permiten analizar, e incluso predecir, los enunciados de una lengua dada. Misión del lingüista es descubrir y describir esas estructuras que subyacen a cualquier enunciado de lengua.

El problema se plantea ante los diferentes niveles que existen dentro de una lengua natural: fonológico, morfológico, sintáctico y semántico. Cada uno de ellos se encarga de establecer las estructuras de las unidades que lo componen: los fonemas en fonología, las palabras en morfología, las unidades de significado en semántico y las diferentes combinaciones de palabras en la sintaxis. Por tanto, la sintaxis es el producto final, lo dicho o escrito por el hablante. Es el estudio de la lengua ante el enunciado, ante el estudio del uso de las palabras no aisladamente, sino en combinación con otras palabras.

El límite máximo de combinación de palabras es la ORACIÓN, y de ella parte la sintaxis para describir todas las estructuras que le corresponden. Definiremos entonces la sintaxis como aquella disciplina gramatical que se ocupa de las relaciones entre palabras dentro del enunciado lingüístico.

EL CONCEPTO DE «ESTRUCTURA»

Decíamos anteriormente que la tarea del lingüista es descubrir las estructuras del lenguaje; en el caso de la sintaxis se trata de las estructuras que permiten relacionar palabras para su uso comunicativo. Vamos a ver, entonces, en qué consiste el concepto de «estructura». Nuestra idea básica es la que las oraciones presentan una ESTRUCTURA INTERNA, que se rige por principios de jerarquía y linealidad. Esto es como decir que la oración es el resultado de combinar en distintos niveles unidades sintácticas inferiores, que son los CONSTITUYENTES. Comprobemos la necesidad de esta estructura jerárquica. Si ésta no existiese, una oración como *La selección argentina ganó el mundial de fútbol* presentaría el siguiente análisis (véase diagrama 5.1).

Este análisis no permite explicar ciertas relaciones que nuestra intuición nos señala como existentes: las que se producen entre *selección* y *argentina*, entre *mundial* y *de fútbol*, entre *ganó* y *el mundial de fútbol*. Tampoco explica por qué el sintagma *la selección argentina* puede ser sustituido por *este equipo*. De todas estas cuestiones dará explicación el análisis jerárquico, según veremos (véase diagrama 5.2).

Con este nuevo análisis comprobamos la existencia de una estructura jerarquizada, pues presenta de arriba abajo una progresiva división binaria que va delimitando la ESTRUCTURA de esta oración. Así conseguimos explicar por qué el sintagma nominal (SN) *la selección argentina* puede ser sustituido por otro sintagma nominal como *este equipo*, ya que se trata de la misma unidad sintáctica en los dos casos (sintagmas nominales). También consigue explicar que la relación entre *fútbol* y *mundial* es más estrecha que entre *fútbol* y *selección*, pues los dos primeros forman un único constituyente, como se mencionó anteriormente.

Además de la división en constituyentes, comprobamos también la división en NIVELES jerárquicos que se van complicando de arriba abajo, hasta llegar al nivel de la palabra. De este modo quedan recogidas las relaciones internas de los constituyentes, así como las relaciones entre constituyentes, que son las que definen la estructura completa de la oración.

Gracias al análisis jerárquico se consigue dar explicación a fenómenos como el de la CONCORDANCIA entre el sujeto de la oración y la flexión de la forma verbal. A través del análisis lineal, la concordancia entre el sujeto de una oración y su verbo se nos aparece como accidental, mientras que en el análisis jerárquico esa concordancia aparece como la relación de constituyentes entre el sintagma nominal sujeto y el verbo de la oración.

El análisis jerárquico resuelve también casos de ambigüedad, como:

1. *El entrenador habló a los jugadores del equipo.*

Esta oración presenta dos sentidos:

— El entrenador habló del equipo a los jugadores.

— El entrenador habló a los jugadores que formaban el equipo.

Si aplicamos a 1 el análisis lineal del diagrama 5.1, no nos quedará recogido el diferente comportamiento sintáctico de las unidades en cada uno de los dos sentidos que presenta la frase. Sin embargo, con el análisis jerárquico, la unidad (se trata de un sintagma preposicional) *del equipo* depende del verbo en el primer sentido, y del nombre *jugadores* en el segundo sentido, con lo cual se explica la ambigüedad asignando dos análisis diferentes a cada uno de los sentidos de la oración.

Las categorías léxicas

La definición de las unidades léxicas (o categorías léxicas) se realizó en la Antigua Grecia, y desde entonces ha permanecido prácticamente inmodificada. Era la definición de los distintos tipos de palabras atendiendo a sus relaciones con la lógica filosófica. Así, el nombre indica sustancia (de ahí le vino la denominación de «sustantivo»), el adjetivo cualidad, el verbo acción, el adverbio la circunstancia, etc. Las categorías léxicas, junto con las funciones sintácticas, han sido las unidades que ha manejado la lingüística tradicional hasta la llegada del estructuralismo.

Las categorías léxicas son las siguientes:

— El nombre, representado por el símbolo N. *Mesa, niño, moneda*, por ejemplo.
— El adjetivo: Adj. *Azul, sincero, cansado*, por ejemplo.
— El verbo: V. *Correr, ganar, olvidar*.
— El artículo: Art. *El, la, los*.
— El pronombre: Pron. *Yo, ellos, este, suyo*.
— El adverbio: Adv. *Cómodamente, mañana, pronto*.
— La preposición: P. *Sobre, de, hasta*.
— La conjunción: Conj. *Y, ni, que*.
— La interjección: Intj. *Ay, oh, uy*.

En un análisis sintáctico, son las unidades que ocupan el último nivel o escalón, pues remiten directamente a las palabras, como se puede observar en el análisis del diagrama 5.2. Así, la oración *Antonio habló con el médico viejo* presenta dos nombres, un adjetivo, un verbo, una preposición y un artículo.

Para definir estas unidades, se acude a las propiedades distribucionales de la palabra en cuestión. Llamamos *distribución* al conjunto de contextos sintácticos distintos en que puede aparecer una misma unidad. Veamos algunos de esos contextos:

— *El niño tiene hambre.*
— *Juan abrigó al niño con una manta.*

Si sustituimos *niño* por otra unidad léxica (por ejemplo, *comprar*), las oraciones resultantes serán incorrectas sintácticamente:

— ** El correr tiene hambre.*
— ** Juan abrigó al correr con una manta.*

Pero, sin embargo, hay otras unidades léxicas que sí pueden sustituir a *niño* en esos contextos, como por ejemplo *perro, hombre, pájaro,* etc.:

— *El perro/hombre/pájaro tiene hambre.*
— *Juan abrigó al perro/hombre/pájaro con una manta.*

Hemos comprobado que *niño, perro, hombre,* etc., pueden tener los mismos contextos sintácticos (o un número considerable de ellos); esto quiere decir que presentan las mismas propiedades distribucionales, presentan la misma distribución. De esta manera, se trata de las mismas unidades o categorías léxicas, en este caso nombres.

Las categorías sintagmáticas

Las categorías sintagmáticas (o constituyentes) resultan de la expansión de una de las categorías léxicas mayores, que actúa en tal caso como núcleo. El grado máximo de esa expansión se denomina «sintagma». Con el concepto de expansión se establece el criterio de expansión, según el cual un sintagma puede ser sustituido correctamente por su núcleo y al revés, lo que es una prueba para la delimitación de sintagmas. Comprobemos lo que acabamos de decir. Dadas las siguientes oraciones, certifiquemos que sus sintagmas pueden ser sustituidos por sus núcleos:

1. *El niño que vino ayer ha vuelto esta mañana.*
2. *El niño ha vuelto esta mañana.*
3. *El niño que vino ayer ha vuelto.*

En la oración número 2 comprobamos que el sintagma nominal *el niño que vino ayer* puede ser sustituido por su núcleo, *el niño.* Asimismo, en la oración número 3 comprobamos que el sintagma verbal *ha vuelto esta mañana* puede ser sustituido por su núcleo, *ha vuelto.* Gracias a estas sustituciones comprobamos que en la oración 1 la relación no se da entre *el niño* y *ha vuelto,* sino entre *el niño que vino ayer* y *ha vuelto esta mañana.*

Las categorías sintagmáticas son el sintagma nominal, el sintagma verbal, el sintagma adjetival, el sintagma preposicional y el sintagma adverbial. Las dos primeras (SN y SV) forman la oración. El resto depende de estas dos, incluido el sintagma nominal, pues también puede depender directamente del sintagma verbal, como se verá. Sus análisis arbóreos son los siguientes (véanse diagramas 5.3, 5.4, 5.5, 5.6 y 5.7).

Las funciones sintácticas

Las funciones sintácticas se aplican a las categorías sintagmáticas (y no a las léxicas), pero no unívocamente, es decir, una a una, pues una misma categoría sintagmática puede presentar distintas funciones sintácticas, según las relaciones que establezca con el resto de unidades. Este es el concepto esencial de la sintaxis.

Las funciones sintácticas son las siguientes:

● **Sujeto**, desempeñada por aquel sintagma nominal que se halla en relación

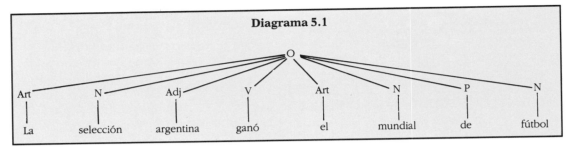

Diagrama 5.1

con el sintagma verbal, y que además depende directamente de la oración. Dada la oración 1:

1. *La hermana de Pedro trajo el pastel de fresa,*

decimos que el sintagma nominal *la hermana de Pedro* es el sujeto, pues se relaciona con el sintagma verbal *trajo el pastel de fresa* y además depende directamente de la oración. El sintagma nominal *el pastel de fresa* también se halla en relación con el sintagma verbal, pero no depende de la oración, sino de aquél, lo cual le impide ser el sujeto, como prueba el análisis siguiente (diagrama 5.8).

La relación entre el sujeto y el sintagma verbal es de CONCORDANCIA. La relación de concordancia establece que el sujeto y los morfemas verbales deben concordar en número. En la oración anterior comproba-

mos que los dos sintagmas nominales concuerdan en número con el verbo, pero si modificamos el número de éstos, sólo el cambio en el caso del sujeto puede afectar al verbo:

— *La hermana de Pedro trajo los pasteles de fresa.*
— *Las hermanas de Pedro trajeron el pastel de fresa.*

● **Predicado,** desempeñada por el sintagma verbal que depende directamente de la oración y que concuerda en número con el sujeto. En la oración 2.

2. *El coche que arreglé la semana pasada se ha vuelto a estropear,*

el sujeto es *el coche que arreglé la semana pasada* y el predicado es *se ha vuelto a estropear*. El sintagma verbal *arreglé la semana pasada* no puede ser el predicado, pues

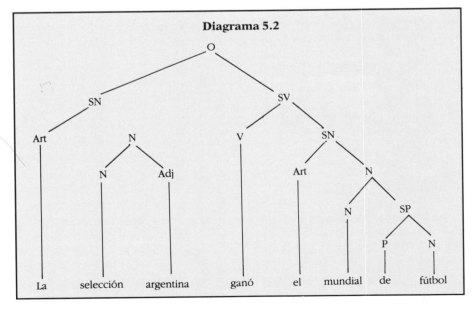

Diagrama 5.2

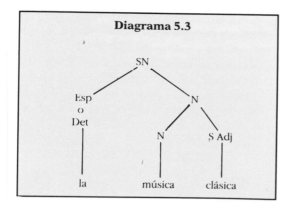

Diagrama 5.3

no depende directamente de la oración, sino del sujeto de ésta.

- **Atributo**, desempeñada por el sintagma nominal, adjetival, preposicional o incluso adverbial. El atributo es lo que se predica del sujeto en las oraciones copulativas, es decir, en las oraciones donde aparecen verbos copulativos. Para su uso, consúltese el epígrafe dedicado a las oraciones nominales, copulativas o de predicado nominal, que los tres nombres pueden recibir.

- **Objeto directo**, desempeñada por el sintagma nominal que depende directamente del sintagma verbal, y con el cual no concuerda. En la oración 1 (*la hermana de Pedro trajo el pastel de fresa*), el sintagma nominal *el pastel de fresa* es el objeto directo, pues depende del sintagma verbal, como demuestra el análisis de aquella frase.

- **Objeto indirecto** es el sintagma preposicional encabezado siempre por la preposición *a*, que depende directamente de verbos que además presentan (o pueden presentar) objeto directo, sustituible por la forma pronominal de dativo *le/les* y, por último, capaz de ser duplicado por el citado pronombre.

Como se observa, esta unidad es una de las más complejas para definir. Las tres características que acabamos de apuntar se producen en las siguientes oraciones, lo que lleva a caracterizar a la unidad *a Juan* como objeto indirecto:

— *Pedro dijo la verdad a Juan.*

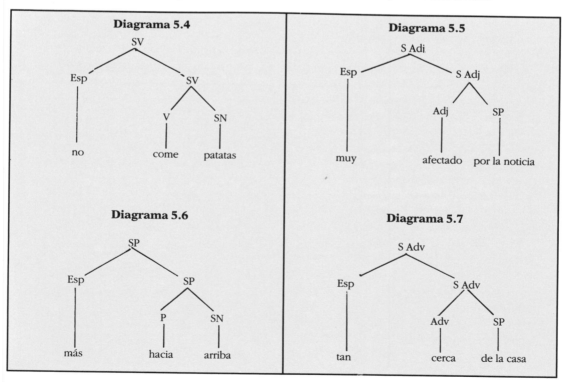

Diagrama 5.4

Diagrama 5.5

Diagrama 5.6

Diagrama 5.7

— *Pedro le dijo la verdad.*
— *Pedro le dijo la verdad a Juan.*

● **Complemento del nombre**, desempeñada por el sintagma adjetival, el sintagma preposicional o la oración de relativo que dependen directamente del sintagma nominal. Presentan la característica semántica de completar la significación denotada por el nombre núcleo del sintagma:

— *El amigo de Pedro no te olvida.*
— *El amigo fiel no te olvida.*
— *El amigo que es fiel no te olvida.*

Los sintagmas *de Pedro, fiel* y la oración de relativo *que es fiel* dependen directamente del sintagma nominal y completan la significación denotada por el nombre *amigo*. Son, por tanto, complementos de este nombre.

● **Suplemento**, desempeñada por aquel sintagma preposicional que depende directamente del sintagma verbal y cuya estructura viene determinada por el verbo de éste. Esta función sintáctica se define por su relación con la de objeto directo y por su oposición a la de complemento circunstancial.

Al igual que la relación entre el verbo y el objeto directo, que presenta un alto grado de ligazón, pues la ausencia de éste acarrea en muchos casos la incorrección sintáctica de la oración, la relación entre el verbo y su suplemento por esa cercanía provoca dos cosas: que la estructura del suplemento venga determinada por el verbo, y que su ausencia produzca la incorrección de la frase.

1. *Pedro tiene muchos juguetes.*
   * *Pedro tiene.*

2. *Pedro depende de su padre.*
   * *Pedro depende.*

Como nos prueban las oraciones de 1 y 2, la relación entre el verbo y el objeto directo o suplemento es muy estrecha. En cuanto a la estructura del suplemento, es decir, la determinación de la preposición, la establece el verbo, pues *depender* exige *de*, así como *hablar* y otros, *casarse* exige la preposición *con* como *concordar*, etc.

La oposición entre el suplemento y el complemento circunstancial afecta a su distinto grado de dependencia del verbo, ya que la ausencia del circunstancial no provoca incorrección, pues el complemento circunstancial explicita un extremo de la acción, una circunstancia de tiempo, mo-

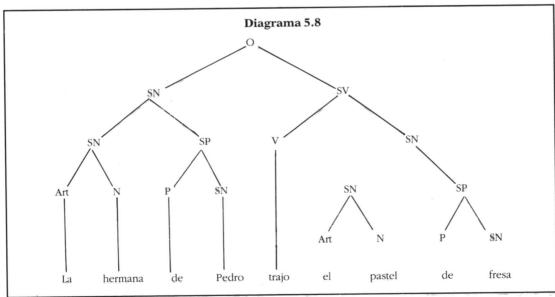

Diagrama 5.8

do, etc., que no afecta a la esencia de la significación expresada por la oración. Esta característica explica por qué su presencia no es necesaria, al contrario que el suplemento, que sí lo es:

3. *Juan lo hizo muy despacio.*
   * Juan lo hizo.

• **El complemento circunstancial**, desempeñada principalmente por un sintagma adverbial o sintagma preposicional, cuya presencia no es obligatoria sintácticamente, es decir, se trata de una presencia facultativa. Semánticamente, se caracterizan por expresar circunstancias de modo, tiempo, lugar, etc.:

4. *Juan se calló rápidamente.*
   * Juan se calló.

5. *El partido se jugó a las cinco.*
   * El partido se jugó.

6. *Lo vimos en su casa.*
   * Lo vimos.

LA ESTRUCTURA DEL SINTAGMA NOMINAL

El sintagma nominal es un constituyente ENDOCÉNTRICO. La endocentricidad, definida por el distribucionalismo (o estructuralismo americano), consiste en que un sintagma o categoría sintagmática puede ser sustituida por su núcleo, es decir, resulta de la expansión de éste. Por tanto, el sintagma nominal resulta de la expansión de una categoría de carácter nominal. De este modo, el núcleo ha de estar presente, ya sea con una categoría léxica, ya con una categoría vacía. Esta unidad, que no se mencionó al tratar de las unidades de análisis, sirve para explicar ejemplos como

— *La hija de Pedro y la Ø de Juan no se llevan bien.*

En esta oración tenemos dos sintagmas nominales (como nos lo prueba el hecho de que el verbo vaya en plural) coordinados por la conjunción *y*. El problema que plantea el SN *la de Juan* es la ausencia de núcleo

nominal. Para resolver este problema se estableció la categoría vacía nominal, según la cual un sintagma nominal puede carecer de núcleo léxico (es decir, de un núcleo con una realidad léxica), apareciendo en su lugar una categoría vacía, que representará a una unidad nominal perfectamente determinada por el contexto y la estructura.

En el ejemplo que hemos expuesto, la categoría vacía representa a la unidad léxica *hija* por las relaciones que las hermanan, y que afectan a la igualdad de estructura de los dos sintagmas nominales.

Al contrario que el núcleo nominal, cuya presencia es obligatoria, la presencia de los complementos o de los especificadores del núcleo es totalmente facultativa:

— *Me gusta hablar de ajedrez.*
— *Me gusta hablar de ajedrez moderno.*
— *Me gusta hablar del ajedrez.*
— *Me gusta hablar del ajedrez que practica Kasparov.*

Estas cuatro oraciones indican que sólo la presencia del núcleo es obligatoria, pues aparece en todas ellas, mientras que el especificador (artículo, pronombre, etc.) o los complementos (adjetivos, sintagmas preposicionales, oraciones de relativo...) no presentan esa obligatoriedad. El único caso de obligatoriedad de aparición de alguno de los complementos es en el caso de núcleo elidido (es decir, categoría vacía), pues gracias a ellos se consigue la RECUPERABILIDAD de la elisión.

La posición de especificador del nombre recibe también la denominación de DETERMINANTE. Las posiciones de determinante y complemento pueden ser ocupadas a la vez por varias unidades, aunque la posibilidad de aparición de unidades en la posición de determinante se halla mucho más restringida que en el caso de la posición de los complementos.

Los complementos del núcleo nominal son básicamente de dos tipos:

1. *Especificativos* (o *restrictivos*), que restringen el contenido significativo del núcleo nominal. El empleo de este tipo de

complementos será necesario mientras el significado expresado por el sintagma nominal exceda en cantidad o calidad a lo que el hablante desea referirse. Su presencia, entonces, es necesaria para la perfecta comprensión de la frase, aunque no necesaria para su corrección.

2. *Explicativos* (o *apositivos*), que presentan una información complementaria a la de todo el sintagma nominal, sin modificar en nada el contenido de este último. Se trata de información adicional sobre la información base que se quiere transmitir.

Veamos el comportamiento de los complementos especificativos y explicativos:

— *Las películas de Buñuel que encantan a Mario son horribles.*
— *Las películas de Buñuel, que encantan a Mario, son horribles.*

En ambas oraciones nos encontramos con dos sintagmas nominales que presentan dos complementos, un sintagma preposicional y la oración de relativo *que encantan a Mario*. La diferencia estriba en que el primer caso se trata de un complemento especificativo que restringe el significado del sintagma, de tal suerte que sólo se habla de las películas de Buñuel que encantan a Mario (unas cuantas). Es, por tanto, una restricción de la cantidad denotada por el sintagma nominal.

En la segunda oración se trata de un complemento explicativo, es decir, de una información adicional a la expresada por el sintagma. De este modo, se trata de todas las películas de Buñuel, y como información adicional se nos dice que el cine de este director encanta a Mario.

El núcleo del SN: nombres y pronombres

En cualquier sintagma, la categoría léxica que desempeña un papel más importante es el núcleo. En el caso del sintagma nominal, se trata de una categoría nominal. De sus características categoriales y semánticas dependen en gran medida las posibilidades de aparición de los determinantes y complementos.

En español, las tres variantes más importantes de categorías nominales son el nombre el común, el nombre propio y el pronombre personal:

— *Esta asignatura me resulta muy difícil.*
— *Dionisio ha traído toda la comida.*
— *Yo no puedo acompañarte.*

La diferencia más importante entre las tres unidades se da entre el nombre común y las otras dos. Los nombres comunes pueden ser definidos por medio de un conjunto de propiedades intrínsecas, es decir, presenta una serie de rasgos semánticos constantes. El conjunto de estos rasgos recibe el nombre de CONNOTACION. Los pronombres, por el contrario, designan a las personas que intervienen en el acto de habla, por lo que su interpretación en cada caso depende de las circunstancias del contexto en que se encuentra el enunciado. Asimismo, los nombres propios denotan elementos individuales sin aludir a sus cualidades intrínsecas, y así no es posible definirlos por medio de rasgos semánticos connotativos: son unidades exclusivamente DENOTATIVAS (es decir, nombradoras).

Los complementos del nombre

Las unidades que pueden funcionar regularmente como complementos del nombre son: el sintagma adjetival, el sintagma preposicional y las oraciones de relativo. En español, estas unidades suelen ir a la derecha del núcleo nominal, con alguna excepción adjetival, como se verá más adelante:

— *Hemos comprado una televisión estupenda.*
— *Me gusta mucho el abrigo de pieles.*
— *La mujer que vino ayer ha vuelto hoy.*

A estas tres unidades se puede añadir una cuarta, que son las construcciones de participio concordadas con el sustantivo.

— *Las tierras reclamadas a Juan por su hermano están bajo el pantano.*

La mayor parte de las gramáticas analiza estos sintagmas como un caso especial del adjetivo. Pero el hecho de que estas construcciones presenten complementos con las funciones propias de los complementos del verbo, lleva a pensar que se trata de oraciones.

El sintagma adjetival

La función sintáctica propia del adjetivo es la de referir al sustantivo una calificación o especificación, ya por simple unión atributiva (*película interesante*), ya por medio de un verbo copulativo (*esta película es interesante*). Las gramáticas suelen considerar que el adjetivo se sustantiva, es decir, pasa a ser sustantivo en construcciones con el artículo neutro, ya que toma todas las funciones del sustantivo:

— *Me asusta lo difícil que es esta asignatura.*

Esta sustantivación otorga al adjetivo un carácter abstracto, en concurrencia con los sustantivos abstractos, si es que existen: *lo bueno* y *la bondad, lo bello* y *la belleza*. Con los adjetivos sustantivados puede designarse también una colectividad o pluralidad, más o menos indeterminada, de cosas que presentan la misma cualidad, que es la que designa el adjetivo: *lo mío, lo preciso*, parecen indicar *las cosas mías* o *las cosas precisas*.

El sintagma adjetival como complemento del nombre

De un modo general, el sintagma adjetival puede seguir o preceder al nombre al que se refiere. Lo que nos hace preferir una u otra colocación son factores lógicos, estilísticos y rítmicos, más o menos regulados, y que provocan que no siempre sea indiferente el lugar que ocupe.

El adjetivo que sigue al sustantivo realiza el orden lineal o progresivo, en que el determinante sigue al determinado; su función normal es, de este modo, determi-

nativa, definitoria, restrictiva de la significación del sustantivo. El caso extremo de este caso ocurre cuando el sustantivo y el adjetivo guardan entre sí la relación lógica de género y especie: *máquina cosechadora/excavadora/computadora, arquitectura civil/religiosa/militar*. En este caso recibe el nombre de ESPECIFICATIVO, pues especifica o restringe el significado del sustantivo.

El adjetivo antepuesto al sustantivo realiza el orden envolvente o anticipador en que el determinante precede al determinado. De este modo, su función es explicativa, pero no definidora: la cualidad envuelve previamente a la cosa calificada. La diferencia entre los sintagmas *blancas nubes, valiosos cuadros* y *nubes blancas, cuadros valiosos* es puramente estilística, pues la anteposición responde al deseo de avalorar la cualidad por los motivos que sea. En este uso, el adjetivo recibe el nombre de CALIFICATIVO, pues denota una actitud valorativa al destacar la cualidad.

Con el nombre de EPÍTETO se designa un adjetivo calificativo (es decir, de los que acostumbran anteponerse al sustantivo) usado con intención artística. Por ello tiene su campo de acción principial en la lengua literaria. El realce expresivo con que lo emplean los escritores explica que el epíteto se anteponga al sustantivo con la mayor frecuencia (*blanca nieve, hermosos cabellos*), aunque también se documenta la posposición del epíteto, sin que pierda por ello su fuerza expresiva.

El sintagma preposicional

La estructura del sintagma preposicional se divide en preposición y término. En el sintagma nominal *un coche de carreras* nos encontramos la complementación de un sintagma preposicional: *de* es la preposición y *carreras*, el término.

Pueden funcionar como término de la preposición los sintagmas nominales (que pueden llevar, a su vez, otro u otros sintagmas preposicionales dentro), las oraciones de relativo o adjetivas, las completivas o sustantivas y los sintagmas adjetivales, como ilustran los siguientes ejemplos:

— *Un coche de carreras es lo que quiero.*
— *No he leído el libro de que nos habló.*
— *El hecho de que hablemos de ella no le gusta.*
— *Ha venido la mujer de rojo.*

La significación denotada por un nombre se completa con un sintagma preposicional (es decir, un sintagma nominal precedido de una preposición), pero siempre que el concepto expresado por éste sea, por su función sintáctica, equivalente a un adjetivo o a una oración de relativo.

La preposición más usada es *de*, que indica propiedad, posesión, origen, pertenencia o materia. Esta relación equivale a la que puede establecer un adjetivo, y por éste puede sustituirse el sintagma preposicional cuando existe en la lengua. De esta manera, *la casa del padre* es lo mismo que *la casa paterna.*

El complemento con *de* puede ser también un infinitivo (*es hora de almorzar*), una oración de relativo o adjetiva (*el libro de que nos habló Juan*), o una oración completiva o sustantiva (*el hecho de que hablemos de María*). En el segundo caso, la preposición siempre viene determinada por el verbo de la oración de relativo (*hablar de*), lo que las diferencia de las completivas, cuya preposición viene determinada por el hecho de que el nexo introductor *que* carezca de valor, al contrario que el relativo. Los infinitivos presentan las mismas características que las oraciones sustantivas o completivas, y por ello los asimilamos a ellas. Nos extenderemos más sobre la subordinación adjetiva y sustantiva en el capítulo de la oración.

El sintagma preposicional como complemento del nombre puede presentar en ciertos casos una doble interpretación. Así, *el amor de Dios* puede significar el amor de que Dios tiene hacia las criaturas, o el amor que las criaturas tienen hacia Dios. En el primer caso, el sintagma preposicional *de Dios* se denomina GENITIVO SUBJETIVO, pues *Dios* sería el sujeto de la oración que podría deducirse de ese sintagma nominal: *Dios ama a los hombres.* En el segundo caso, el sintagma preposicional de *Dios* recibe el nombre de GENITIVO OBJETIVO,

pues *Dios* sería objeto directo de la oración extraíble del sintagma: *Los hombres aman a Dios.*

Funciones del sintagma preposicional

El sintagma preposicional presenta tres funciones básicas: complemento de un nombre, complemento de un adjetivo (como se vio en el epígrafe dedicado al sintagma adjetival) o complemento regido de un verbo o suplemento.

Como complemento de un nombre, el sintagma preposicional sigue de ordinario al sustantivo cuyo significado completa, pero en la lengua literaria, sobre todo la poética, es frecuente la inversión de este orden lineal. Incluso en poesía llegan a interponerse entre el sintagma nominal y el sintagma preposicional complemento, el verbo de la oración y algunos otros complementos:

Llora, pues, llora: otros amigos fieles,
de más saber y de mayor aventura,
DE LA ESTOICA VIRTUD *en tus oídos*
harán sonar LA VOZ.

(MARTINEZ DE LA ROSA)

Como complemento regido del verbo, tiene un funcionamiento similar al del objeto directo. La preposición viene totalmente determinada por el verbo, y este sintagma preposicional se presenta como desarrollo propio del verbo:

— *Juan y yo siempre hablamos de literatura.*
— *No concuerdo con él.*
— *Mi hermano depende de mi madre.*

El determinante

El determinante (representado por las iniciales Det) es el modificador más externo del sintagma nominal, categoría de la que depende directamente. El tipo de modificación que realiza el determinante es diferente del que realizan los complementos ya analizados. Estos restringen la extensión del concepto expresado por el nombre. Pero la función primordial del determinante no consiste en añadir rasgos semánticos al nombre, sino en identificar su referencia a través de la situación espacio-temporal o delimitar su número por medio de la cuantificación.

Según Coseriu, las dos operaciones primordiales de la determinación son la actualización y la discriminación. El actualizador por antonomasia es el ARTICULO. Esta unidad convierte al núcleo (o al núcleo más complemento) en un sintagma nominal con referencia concreta e inequívoca. Así, entre las oraciones

— *Han venido niños*
— *Han venido los niños*

La diferencia estriba en que en la segunda oración se está mencionando un grupo concreto de niños, cuya referencia precisa se encuentra en el contexto o en la situación pragmática de los hablantes.

Los otros medios para actualizar un nombre son los que Coseriu engloba bajo el concepto de discriminación. Las unidades que desempeñan esta función son los cuantificadores y los demostrativos y posesivos. Los cuantificadores, numerales (*tres, cinco*) o indefinidos (*muchos, pocos*), limitan la extensión semántica del nombre por medio de la expresión de su número. En este grupo puede incluirse el artículo indeterminado *un*, pues según Alonso y Alarcos Llorach, su valor es el mismo que el de la cuantificación. Por último, los demostrativos y posesivos localizan los objetos denotados por los nombres en el espacio o tiempo, o en la dependencia respecto de alguna de las personas gramaticales.

Entre las unidades que pueden ocupar la posición de determinantes, se pueden establecer dos grupos:

— Aquellos determinantes que ocupan obligatoriamente la primera posición del sintagma nominal, o que tan sólo pueden ir precedidos por el PREDETERMINANTE *todo*, que por ello recibe tal nombre, o por ciertos adverbios de cuantificación. Este grupo incluye el artículo,

los posesivos y demostrativos, y algunos indefinidos y cuantitativos (*algún, cualquier, ningún, un, ambos*, etc.).
— Los determinantes que pueden ocupar la primera posición del sintagma nominal o cualquiera de las interiores. Forman este segundo grupo los numerales cardinales, y algunos indefinidos y cuantitativos (*poco, otro, mucho*, etc.).

El predeterminante *todo*, como lo denominan varios lingüistas, presenta comportamientos sintácticos muy peculiares.

— Ocupa siempre el primer lugar entre los determinantes del sintagma nominal, precediendo incluso al artículo (*todos los jugadores del equipo estaban de acuerdo*).
— Puede aparecer junto a los pronombres personales (*todos ellos, todos nosotros*, etc.).
— Cuando el núcleo del sintagma nominal es un sustantivo si aparece en plural (** todas mesas*).
— Puede separarse del sintagma nominal y aparecer junto al verbo de la oración (*los alumnos salieron todos de la clase*).

Semánticamente, *todo* es el cuantificador universal, y por ello incluye dentro de su campo de acción al resto de unidades que componen el sintagma nominal.

EL SINTAGMA NOMINAL CON NUCLEO ELIPTICO

¿Qué es un sintagma nominal con núcleo elíptico? Es aquel cuyas únicas realizaciones (es decir, presencias) son el determinante y los complementos del núcleo:

— *El padre de María y el de Lola se han enfadado.*
— *La selección argentina y la española jugarán la final.*
— *El chico que vino y el que ha venido hoy son hermanos.*

En cada una de estas oraciones encontramos dos sintagmas nominales coordinados por la conjunción *y*. El segundo de ellos (*el de Lola*, *la española* y *el que ha venido hoy*) carece fonéticamente de núcleo, pero presenta determinante y complemento (sintagma preposicional, adjetival y oración de relativo, respectivamente). Son los determinantes y los complementos en cada uno de los casos los que nos prueban que se trata, efectivamente, de sintagmas nominales, sólo que sin núcleo.

La falta de realización fonética del núcleo no implica que una categoría sintagmática no esté presente en la oración. De hecho, para la correcta interpretación de esos constituyentes es necesario suponer la existencia de un NUCLEO VACIO que recibe el contenido semántico de su antecedente (*padre*, *selección* y *chico*). Sin esta unidad vacía es imposible obtener la interpretación semántica de esas tres oraciones.

Se puede elidir el núcleo del sintagma nominal no sólo cuando el determinante es un artículo, sino con otros determinantes (*yo quiero este libro de literatura y tú aquél de física*). Cuando el artículo determinado aparece en las construcciones con núcleo elidido, la presencia de un complemento resulta obligatoria, pues el artículo, por ser forma átona, no puede convertirse en único representante de un sintagma nominal.

EL SINTAGMA VERBAL

Los dos constituyentes básicos de la oración son el sintagma nominal y el sintagma verbal. Funcionalmente, el sintagma verbal es la base del predicado. Como señaló el gran gramático Andrés Bello, una oración puede carecer de sujeto pero nunca de predicado, pues, aunque no lo tenga expreso, hay siempre alguno que puede fácilmente suplirse.

Aunque el sintagma verbal forma un dominio estructural cerrado, donde el verbo ejerce su influencia sintáctica y semántica sobre los restantes elementos que lo forman, tal influencia incide indirectamente sobre el sintagma nominal sujeto a través de la relación de predicación. Por ello, es norma general de cualquier gramática emplear, junto al criterio basado en la modalidad de la oración, el relativo a la naturaleza sintáctica del predicado. Así, surge la tradicional división entre oraciones atributivas y predicativas, división que sale de la estructura misma del sintagma verbal.

ATRIBUCION Y PREDICACION

Para la gramática tradicional, la distinción entre oraciones atributivas y predicativas descansa en el eje sobre el que se haya la predicación, que puede ser de carácter nominal, como en

— *Mi hermano es simpático*

o bien de carácter verbal, como en

— *Mi hermano juega.*

Para delimitar entre atribución y predicación son los formales y sintácticos. La primera evidencia sintáctica consiste en que en las oraciones atributivas se produce CONCORDANCIA de género y número entre el sujeto y la base de la predicación o ATRIBUTO:

— *La amiga de Juan es muy guapa.*
— *Tus padres parecen simpáticos.*

De todas maneras, la concordancia no basta como criterio único a la vista de oraciones como

— *Los niños juegan inquietos*

donde el adjetivo concuerda con el sujeto, pero no hay atribución, pues en este tipo de oraciones el eje de la predicación recae en el verbo y no en el adjetivo, como demuestra el hecho de que se pueda suprimir el adjetivo en estas oraciones y no en las propiamente atributivas:

— *La amiga de Juan es.*
— *Los niños juegan.*

La imposibilidad de prescindir del atributo en las oraciones con verbo *ser* o *estar* o similares se relaciona significativamente con una de las características de las oraciones atributivas que más ha interesado a los lingüistas, a saber: la frecuente omisión de la cópula, proceso que da lugar a la llamada FRASE NOMINAL. Esta se define como la expresión normal allí donde la eventual forma verbal hubiera aparecido en tercera persona del presente de indicativo del verbo *ser*, como demuestran las oraciones

— *Seguro que no viene.*
— *Bienaventurados los pobres, porque ellos verán a Dios.*

Las dos propiedades sintácticas de la atribución hasta aquí expuestas (concordancia del atributo con el sujeto y posibilidad de elipsis de la cópula) se correlacionan con un hecho interesante en el plano del significado. Dadas las oraciones

1. — ** La mesa dormita*
   — *La mesa ardió*

2. — ** La mesa está triste*
   — *La mesa está rota*

comprobamos que, en el primer par, la buena o mala formación se debe exclusivamente al verbo y su contenido semántico apropiado para tal sujeto. En el segundo par, la buena o mala formación no reside en el verbo, sino en el adjetivo *triste*. Por tanto, el adjetivo acumula en las oraciones atributivas un privilegio semántico que en las oraciones predicativas corresponde al verbo: el de restringir la posibilidad de aparición de sintagmas nominales sujeto.

Estructura de la atribución

Cualquier categoría sintagmática resulta de la expansión o proyección de una categoría léxica mayor que funciona como núcleo. En el caso del sintagma verbal se trata del verbo, y en el caso del sintagma verbal atributivo se trata de la cópula, que en español presenta dos formas: *ser*, que

refiere la relación atributiva pura, no marcada en cuanto al ASPECTO, y *estar*, marcada positivamente en cuanto al aspecto. Junto a estos dos verbos, la tradición gramatical ha incluido a otros verbos como *parecer, resultar, seguir, continuar, volverse, ponerse, permanecer*, etc. Estos verbos, construidos con adjetivos, presentan idéntica configuración sintáctica que las oraciones atributivas, es decir, concordancia del adjetivo atributo con el sujeto, y no restricción de la posibilidad de aparición de sintagmas nominales sujeto, sino a través del adjetivo:

— *La mantequilla parece triste.*
— *La mantequilla parece rancia.*

Otra evidencia sintáctica para considerar esos verbos como atributivos consiste en que son capaces de sustituir satisfactoriamente a *ser* y *estar:*

— *La mesa está/parece/sigue rota.*
— *El niño es/resulta/continúa muy pequeño.*

El sintagma verbal atributivo incluye, además del verbo, un ATRIBUTO, según se ha visto. Esta función no tiene por qué recaer en un sintagma adjetival, pues pueden aparecer sintagmas preposicionales, sustantivos, adverbios, etc.:

— *La pulsera es de plata.*
— *Juan es médico.*
— *Este hombre es así.*

Sea de la forma que fuere, el atributo en español es sustituible por *lo* cuando el verbo atributivo son *ser, estar* y *parecer* solamente:

— *La manzana es/está/parece madura.*
— ** La manzana lo es/lo está/lo parece.*

— ** María sigue/se encuentra/continúa enferma.*
— *María lo sigue/se lo encuentra/lo continúa.*

Tomando como punto de partida este contraste entre *ser, estar* y *parecer* con el resto de los verbos copulativos, se ha establecido una división entre VERBOS COPU-

LATIVOS Y VERBOS PSEUDOCOPULATIVOS, según puedan o no sustituir el atributo por la forma *lo*. Esta clara frontera sintáctica se corresponde con el valor semántico vacío de los verbos copulativos *ser, estar* y *parecer,* frente al semántico mucho menos difuso de los pseudocopulativos *seguir, continuar, permanecer,* etc.

Los complementos predicativos

Al hablar de la distinción entre las oraciones atributivas y las predicativas se mencionó que entre las oraciones *los niños estaban inquietos* y *los niños juegan inquietos* median diferencias, a pesar de que en los dos casos aparece un adjetivo en concordancia con el sujeto.

En la segunda de las oraciones, la supresión del adjetivo no produce incorrección, mientras que en la primera sí. De aquí se deduce que en las oraciones del tipo de la segunda el verbo es el soporte de la predicación. Entonces, si *inquietos* en este caso no es atributo, ¿cuál es su función?

La gramática tradicional no ha dado soluciones definitivas a este problema. Aparecen muchos términos para referirse a este tipo de construcciones (complemento atributivo, adjetivo adverbial, complemento predicativo, que será el término que aquí se empleará).

Es innegable que el atributo y el complemento predicativo comparten dos propiedades importantes: concuerdan con un sintagma nominal de la oración y aportan una predicación a la misma. Pero, sin embargo, presentan también notables diferencias. Los atributos constituyen la única predicación aislable en una oración copulativa, mientras que los complementos predicativos representan una predicación secundaria, subsidiaria de la predicación base, que es la que hace el verbo de la oración respecto del sujeto de la misma.

La relación predicativa involucra un sujeto y un predicado. En el ejemplo de predicación secundaria hasta ahora visto, el «sujeto» del complemento predicativo coincide con el del verbo principal (*los niños juegan inquietos*). Puede suceder también que dicho «sujeto» se corresponda con el del complemento directo de la oración:

— *María considera injusta la repartición.*
— *Los alumnos vieron preocupada a la maestra.*
— *Declararon nulo el matrimonio.*

La existencia, tanto en nuestro primer ejemplo como en estos tres, de una doble predicación (la que aporta el verbo principal respecto del sujeto de la oración y la que introduce el complemento predicativo) permite separar dichas oraciones de las atributivas, a la vez que supone un elemento de juicio decisivo para diferenciar los complementos predicativos de los adjetivos que aparecen en

— *Este disco suena horrible.*
— *Pepe habló muy claro.*
— *El helado sabe divino.*

Existen evidencias suficientes para suponer que *horrible, claro* y *divino* funcionan en esas oraciones como adverbios, y que se hallan desprovistos, por ello, de capacidad de predicadora. La carencia de concordancia parece la prueba más concluyente:

— *Estos discos suenan horrible (*horribles).*

Estructura de la predicación

La distinción entre sintagmas verbales atributivos y predicativos va asociada a la existencia de dos grandes clases de verbos: los verbos copulativos, meros temporalizadores vacíos de contenido semántico, y los verbos capaces de convertirse en eje de la predicación. Se trata de los VERBOS PREDICATIVOS.

La influencia del verbo sobre el sintagma verbal se organiza en tres planos diferentes que deben ser determinados en su estructura léxica. En primer lugar, el verbo implica una serie de ARGUMENTOS, cuyo número variará en función de factores propios de cada verbo. Así, *ladrar* se construye con un solo argumento (agente); *matar*, con dos (agente y paciente), y *prometer* o *invitar*, con tres (la persona que promete, lo que promete y a quién se le promete). En segundo lugar, cada uno de los argumentos exigidos por el verbo, bien sea el argumento EXTERNO (el sujeto), bien sean los argumentos INTERNOS (los complementos), recibe de éste papel temático: de los dos argumentos ligados a *matar*, uno es agente y el otro, paciente.

El verbo, por último, determina el marco estructural o sintagmático en el que se integran sus argumentos internos. *Prometer* e *invitar*, aun siendo cada uno verbos que se construyen cada uno con dos argumentos internos, prefiguran un entorno sintáctico para éstos: *prometer* lleva complemento directo e indirecto (*María les prometió un regalo*), mientras que *invitar* lleva complemento directo y complemento preposicional (*María la invitó a una fiesta*).

Lo que aquí se ha expuesto es la SUBCATEGORIZACION del verbo, es decir, los argumentos que precisa, el papel temático de cada uno de ellos y el entorno sintagmático. Dicho en otras palabras, lo que realmente tiene de específico *prometer* frente a *ladrar*, *matar*, etc., debe quedar recogido por la subcategorización.

Uno de los hechos que se imponen al analizar el sintagma verbal es que el número de constituyentes susceptible de integrar dicho módulo excede, en muchos casos, los límites prefijados por la subcategorización. Es evidente que cualesquiera de los verbos mencionados puede aparecer con complementos de tiempo, lugar, modo, causa, etc.:

— *El ladrón mató al guardia*, tras un largo forcejeo.
— *El alcalde la invitó* cortésmente *a la fiesta*.

La consideración detenida de estas dos oraciones sugiere que no todos los sintagmas que en ellas figuran mantienen el mismo grado de dependencia con respecto al núcleo del sintagma verbal. Los constitu-

yentes subrayados son, en efecto, más externos al verbo que los que no lo están. El que sean facultativos es, pues, lógica consecuencia de su falta de conexión con la estructura léxica verbal.

A estos complementos facultativos les denominaremos NO SUBCATEGORIZADOS, frente a los SUBCATEGORIZADOS por el verbo. Dentro de la tradición gramatical, la frontera entre complementos subcategorizados y no subcategorizados aparece trazada con relativa nitidez, cuando menos terminológicamente: son los complementos directo e indirecto (subcategorizados) y complementos circunstanciales (no subcategorizados) de la gramática tradicional; o la oposición entre «complementos» y «adjuntos» formulada por Lyons; o la que estipula Tesnière entre «actantes» y «circunstantes».

Muchos autores consideran la SUPRESION como una de las pruebas más seguras a la hora de deslindar entre complementos subcategorizados (de realización obligatoria) y no subcategorizados (facultativos). Según este criterio, la supresión de un complemento subcategorizado implicaría consecuencias sintácticas importantes para la oración resultante, mientras que la supresión de un complemento no subcategorizado no afectaría en nada a la estructura sintáctica de la oración, como se observan en

— *María tiene una casa en la Costa Brava.*
— *María tiene una casa.*
— **María tiene en la Costa Brava.*

LAS RELACIONES ENTRE EL VERBO Y SUS COMPLEMENTOS

Los complementos subcategorizados

La noción de transitividad

Dentro de las gramáticas es habitual trazar una línea divisoria neta (la transitividad) entre los verbos que llevan un solo argumento (que suele corresponderse con el sujeto o argumento externo) y los que admiten uno o dos complementos (o argumentos internos). Para la gramática tradicional, dicha distinción se fundamenta sobre bases lógico-nocionales. De esta manera, verbo TRANSITIVO sería aquel que expresa una acción que trasciende de un «agente» a un «paciente».

Las definiciones nocionales de transitividad han sido rechazadas por numerosos lingüistas, que en lo sustancial coinciden en criticar su limitado alcance, tanto en el plano semántico como en el sintáctico. Es evidente que en verbos como *golpear, matar, cortar*, etc., el objeto expresa la persona o cosa que recibe la acción del verbo. Sin embargo, esto no es así en innumerables casos en que los gramáticos siguen hablando de objeto:

— *María tiene miedo.*
— *Juan siente dolor.*

Estas críticas no suponen negar la existencia de una base semántica para el concepto de transitividad. La cuestión de fondo consiste en perfilar los términos en que dicha base semántica debe plantearse, así como los aspectos sintácticos que en ella pueden verse involucrados. En el sentido de TRANSITIVO aparecen dos facetas estrechamente relacionadas: una de carácter semántico —el concepto de «incompleto» de un determinado elemento— y otra sintáctica —la peculiar cohesión estructural entre dos elementos de la oración.

Entendida de esta manera, la transitividad recoge muchos más fenómenos que los que la gramática tradicional incluyó como tales. De entrada, no tiene por qué quedar circunscrita a los verbos que llevan complemento directo. Este supuesto es el que preside la adscripción de unidades léxicas como *agradar, interesar, convenir*, etcétera, a la categoría de los verbos «intransitivos». Sin embargo, el que éstos se construyan con dativo (como lo demuestra la pronominalización) y no con acusativo puede considerarse un hecho marginal que no afecta a la dependencia semántica y sintáctica entre verbo y complemento.

Lo mismo cabe decir de los complementos preposicionales: entre *lamentar la desgracia* y *lamentarse de la desgracia* podrán establecerse diferencias de significado más o menos tenues; pero, en lo sustancial, la naturaleza de la relación entre verbo y complemento no se ve modificada por la presencia de la preposición:

— *Este hombre sabe* de matemáticas / *Este hombre sabe* matemáticas.
— *Se aprovechó* de la ocasión / *Aprovechó la ocasión.*

Podemos concluir, entonces, que tanto si el objeto va unido directamente a la palabra transitiva como si la transición se realiza a través de una preposición de significado más o menos limitado, en ambos casos tenemos las mismas fuerzas en juego, las mismas agrupaciones de términos interdependientes. En el primer caso hablamos de TRANSITIVIDAD DIRECTA, y en el segundo caso de TRANSITIVIDAD INDIRECTA. Esta última engloba lo que definimos entre las funciones sintácticas como suplemento o sintagma preposicional regido por el verbo.

Los complementos u objetos subcategorizados se agrupan en tres grandes clases, en función de sus características sintácticas: complemento directo (CD), complemento indirecto (CI) y complemento preposicional o suplemento (CP). Cada uno de ellos se vincula con una forma diferente de transitividad verbal: TRANSITIVIDAD DIRECTA el primero, DOBLE TRANSITIVIDAD el segundo y TRANSITIVIDAD DE REGIMEN PREPOSICIONAL el tercero.

El complemento directo

Tres son las características principales que permiten identificar un complemento directo:

— Es un sintagma nominal, o un sintagma nominal precedido de la preposición *a* cuando se trata de un nombre de persona:

— *María golpeó la silla.*
— *María golpeó a Luis.*

Estos complementos directos de persona con *a* presentan dos características peculiares que los diferencian de los sintagmas preposicionales: pueden pasar a sujetos de una pasiva (*Luis fue golpeado por María*) y alternan con sintagmas nominales sin que ello altere el régimen del verbo, como ilustran nuestros dos primeros ejemplos.

— Adopta las formas del clítico de acusativo cuando se pronominaliza:

— *María regó las plantas / María las regó.*

— Puede pasar a sujeto de una oración pasiva:

— *Las plantas fueron regadas por María.*

De estas tres características parece desprenderse una gran regularidad, que es más aparente que real, pues el dominio de aplicación de la pasiva y el de la pronominalización no son coincidentes:

— *Luis tiene coche / Luis lo tiene / * El coche es tenido por Luis.*
— *La obra duró tres horas / La obra las duró / * Tres horas fueron duradas por la obra.*

El criterio de la pasiva no es lo suficientemente general como para ser considerada una definición real del complemento directo. El problema se encuentra en que la relación transitiva no es en absoluto nada semántico. La pasiva sólo funciona en aquellos casos en que la relación verbo-objeto es tal y como la define la gramática tradicional, es decir, verbo de acción con agente y paciente. Estos requisitos no se cumplen en *tener* y *durar*.

Tener plasma una relación de posesión que nada tiene que ver con una acción que pase de un agente a un paciente. Algo parecido ocurre con *durar*, donde *tres horas* no puede interpretarse como un objeto pa-

ciente de la acción del verbo, pues éste es estativo. Podríamos pensar que se trata de un complemento circunstancial que indica extensión temporal, como en *Pedro cantó tres horas*. Pero se dan grandes diferencias entre una y otra construcción, las cuales nos permiten clasificar como complemento directo *tres horas* en la frase *la obra duró tres horas*. En esta oración podemos pronominalizar el complemento por un acusativo, lo que no puede ser en la otra:

— *La obra las duró.*
— **Pedro las cantó.*

Sin embargo, podemos sustituir el complemento circunstancial por *durante tres horas* y no el complemento directo:

— *Pedro cantó durante tres horas.*
— **La obra duró durante tres horas.*

Por último, en el caso de circunstancial, éste puede desaparecer sin que la oración cambie, pero no así en el caso del complemento directo, pues el verbo pasa a tener un sentido absoluto:

— *Pedro habló.*
— *La obra duró.*

La discusión desarrollada en torno al complemento directo ha concluido con el escaso rendimiento de la pasiva para descubrir aquél. Mucho más fiable parece la pronominalización en acusativo, criterio no siempre decisivo, pero que posee la ventaja de ser mucho menos sensible a las relaciones semánticas entre el verbo y el objeto directo.

El complemento indirecto

Junto a la transitividad directa representada por el complemento directo, cabe hablar de las construcciones de doble transitividad, en las cuales el verbo exige la presencia de dos argumentos internos. En español, la doble transitividad va asociada, en la mayoría de los casos, a verbos que llevan un complemento directo y un complemento indirecto.

145

El complemento indirecto no posee un status perfectamente delimitado y definido en los estudios gramaticales.

Aunque la cuestión no queda resuelta, una forma bastante fiable de acercarse al problema consiste en combinar criterios léxicos, formales y sintácticos. De acuerdo con esto, definiremos el complemento indirecto como un argumento interno ligado a verbos que exigen además un complemento directo, introducido siempre por la preposición *a* (y nunca la preposición *para*), sustituible por la forma pronominal de dativo *le/les*, y, por último, capaz de ser duplicado por el citado pronombre. Veamos uno a uno estas características en los siguientes ejemplos:

— *El médico prohibió el tabaco* a la enferma.
— *El médico* le *prohibió el tabaco.*
— *El médico* le *prohibió el tabaco* a la enferma.

Ninguna de estas características del complemento indirecto resulta por sí sola suficiente para determinarlo: hay casos de doble transitividad en que no cabe hablar de complemento indirecto (como veremos en el siguiente epígrafe, dedicado a los complementos preposicionales); no todos los complementos introducidos por la preposición *a* o pronominalizables por *le/les* son complementos indirectos.

La preposición *a* se emplea para una amplia gama de configuraciones estructurales: complementos preposicionales, o circunstanciales, etc. El que éstos no puedan ser pronominalizados por un dativo impide, sin embargo, equipararlos como complementos indirectos:

— *Vengo a que me paguen*
— **Le vengo.*

Los motivos que justifican la exclusión de *para*, como preposición del complemento indirecto, se basan en el hecho de que dicha preposición nunca es sustituible por *a* en los casos de doble transitividad:

— *El médico prohibió el tabaco a la enferma / *para la enferma.*

Sin embargo, ejemplos como *compramos flores a/para María* parecen contradecir este supuesto. Pero si ambos tipos de construcción fuesen idénticos, no podrían aparecer combinados, cosa que sí hacen (*compramos gardenias a la florista para María*), y sería posible coordinarlos, cosa que no hacen (**compramos flores a la florista y para María*).

El pronombre *le*, como es sabido, se corresponde con otras funciones sintácticas, además de la de complemento indirecto:

— *Le enyesaron el brazo.*
— *El niño le ha aprobado las matemáticas.*
— *Se les escapó.*

En las dos primeras oraciones, *le* no puede analizarse como complemento indirecto debido a que ni *enyesar* ni *aprobar* son verbos que exijan tres argumentos, sino dos (sujeto y complemento directo). El complemento representado por el pronombre —dativo posesivo, en el primer caso, y dativo ético, en el segundo— queda fuera del alcance del régimen verbal, pues su presencia es facultativa:

— *Enyesaron el brazo de ella.*
— *El niño ha aprobado las matemáticas.*

La situación de la tercera oración es distinta: en este caso, *les* representa un complemento encabezado por la preposición *de* exigida por el verbo (*se escapó de ellos*). En este punto se plantean dos problemas: el status funcional de dicho complemento y la viabilidad de que un dativo pronominal sustituya un sintagma de una configuración diferente de *a*+SN.

El tipo de verbos como *escapar*, llevan un único complemento que no va introducido por la preposición *a*. Dicho complemento puede ser un objeto material, en contra de lo que es habitual en los complementos indirectos.

Se puede concluir, entonces, que los complementos de verbos como *escapar* no son indirectos, sino complementos preposicionales pronominalizables por *le*, por cuanto son susceptibles de alternar con sintagmas ajustados al esquema *a*+SN:

— *A la policía se le escapó el ladrón.*

Parece que, en muchos casos, es la presencia del pronombre dativo la que permite la presencia de un sintagma *a*+SN, que de otra forma sería excluido:

— *Se escapó a la policía.*

El complemento preposicional

El tercer y último tipo de complemento regido (o subcategorizado) por el verbo —el complemento preposicional— se vincula a la transitividad de régimen preposicional. Al igual que el complemento indirecto, va encabezado por una preposición, aunque ésta no tiene por qué ser *a*, sino cualquier otra. A diferencia del complemento indirecto, sin embargo, no se halla subordinado a la presencia de un complemento directo. Veamos algunos ejemplos de complementos preposicionales:

— *La empresa se avino* a la negociación.
— *Mi hermano confía mucho* en ti.
— *Este hombre se burla* de todo.

La relación existente entre el verbo y el complemento preposicional presenta paralelismos importantes con la que se establece entre aquél y el complemento directo. Esto se debe a que la relación del verbo con cada uno de estos dos complementos no se halla mediatizada por otro argumento.

La relación que se produce entre complemento directo y preposicional se muestra a través de determinados verbos que admiten ambas estructuras, una con complemento directo, otra con complemento preposicional: *discutir/discutir de, pensar/pensar en, dudar/dudar de,* etc. Aunque algunos de estos dobletes no son estrictamente sinónimos, la diferencia de significación no es predecible por la preposición.

Los complementos no subcategorizados

La heterogeneidad de los complentos circunstanciales

Los complementos circunstanciales forman una clase muy heterogénea, desde el punto de vista sintáctico y desde el punto de vista semántico. Semánticamente, recubren una gran variedad de significados: tiempo, lugar, modo, causa, finalidad, instrumento, etc. Sintácticamente, pueden ser constituyentes de varios tipos: sintagmas nominales, preposicionales y adverbios:

— *Esta mañana ha venido Juan.*
— *Jugaremos el partido* en el campo de la escuela.
— *La mujer sonrió* amablemente.

De estas tres clases sintácticas, el adverbio es el que más se ha asociado a la función de complemento circunstancial. Esto ha provocado grandes confusiones en el plano terminológico entre las llamadas función «adverbial» y función «circunstancial», muy especialmente en el dominio de la oración compuesta. Así, unos autores hablan de «subordinación adverbial» y otros de «subordinación circunstancial».

Los complementos circunstanciales externos al sintagma verbal: los modificadores oracionales

Veamos los siguientes ejemplos:

— *Lamentablemente, usted ha llegado tarde.*
— *Aquella mujer viste elegantemente.*

A primera vista, estos dos ejemplos presentan diferencias significativas. En la primera oración, el adverbio *lamentablemente* es un modificador de toda la oración desligado del resto de elementos que la integran, como se verá. Puesto esto así, este tipo de adverbios se opone a los complementos circunstanciales habitualmente considerados como tales por las gramáticas.

Los adverbios pueden dividirse en dos grupos con un distinto comportamiento sintáctico: *a*) los que denotan circunstancia de lugar, tiempo, modo, etc., y *b*) el MODIFICADOR ORACIONAL, que se refiere a la oración entera. Este segundo tipo de adverbios se caracteriza por constituir una unidad fónica independiente de la oración y marcada en la escritura por una coma.

147

Como característica sintáctica, el modificador oracional puede transformarse en el atributo de una oración copulativa en que el sujeto sea todo el resto de la oración:

— *Lamentablemente, ha llegado usted tarde.*
— *Es lamentable que usted haya llegado tarde.*

Debido a su carácter externo a la oración, el modificador oracional puede ocupar cualquier lugar, aunque siempre entre pausas:

— *Lamentablemente, ha llegado tarde.*
— *Ha llegado tarde, lamentablemente.*
— *Ha llegado, lamentablemente, tarde.*

Los «pseudo-circunstanciales»

Veamos un par de oraciones:

— *María trabaja duramente.*
— *María viste elegantemente.*

Ambas oraciones presentan, cada una, un adverbio de modo. Sin embargo, los adverbios presentan un comportamiento distinto respecto del verbo en cada una de ellas. La supresión de éste produce incorrección en la segunda oración, pero no en la primera:

— *María trabaja.*
— **María viste.*

Este contraste claro demuestra que, en la segunda frase, el adverbio *elegantemente* viene exigido por el verbo. Por consiguiente, debe analizarse como un complemento subcategorizado o regido por el verbo, y no, como es habitual en los circunstanciales, como un complemento no regido.

Este tipo de construcciones era analizado por la gramática tradicional como complementos circunstanciales, aunque es claro que de su supresión se obtiene la incorrección sintáctica. Son complementos regidos por verbos como *comenzar, terminar, suceder, acercarse...*, que subcategorizan complementos circunstanciales de tiempo, lugar, instrumento, modo, etc.

LA PASIVIDAD

La pasividad es un procedimiento gramatical observable en las formas verbales. Recibe también el nombre de VOZ PASIVA.

La diátesis o voz pasiva se caracteriza por el empleo de una forma verbal específica: el participio de pasado, que en español ya nos viene desde el latín, más los tiempos gramaticales del verbo SER. La forma verbal del verbo SER debe concordar en número y persona con el sujeto de la oración pasiva, que suele ser el objeto directo de la versión activa de la misma oración. De este modo, sólo pueden presentar pasiva los verbos transitivos, que son los que pueden tener objeto directo. Vamos a ver unos ejemplos de oraciones activas con verbos transitivos, junto a las cuales colocaremos la versión pasiva:

a) *Juan comió la fruta / La fruta fue comida por Juan.*
b) *María compró las naranjas / Las naranjas fueron compradas por María.*
c) *Los generales declararon la guerra / La guerra fue declarada por los generales.*
d) *Yo leía ese libro / El libro era leído por mí.*

En estos cuatro pares de oraciones se pueden observar las características de la voz pasiva: su estructura básica SER + participio y el que la forma del verbo SER concuerda en número y persona con el sujeto de su oración, así como el participio. En español tenemos dos tipos de estructuras pasivas que presentan identidad semántica, pero no sintáctica. Estas estructuras son la pasiva con SER, de la que ya hemos visto algunos ejemplos, y la pasiva refleja.

La pasiva con ser

Como se mencionó anteriormente, en la construcción pasiva el sujeto de la oración se reinterpreta semánticamente como el paciente de la acción expresada por el verbo. De esta manera, en las cuatro oraciones del epígrafe anterior los sujetos de ellas son los pacientes de las acciones (*fruta, naranjas, guerra* y *libro*). Por eso se les denomina en la gramática tradicional SUJETOS PACIENTES.

Por tanto, cuando no queremos expresar el agente de la acción, sino el paciente, o simplemente la acción verbal, usamos la construcción pasiva. La diferencia, entonces, entre voz activa y voz pasiva estriba principalmente en que con la primera el sujeto es el agente de la acción (*Juan leyó un libro*), mientras que con la segunda el sujeto es el paciente de la acción (*El libro fue leído por Juan*). Se trata de una diferencia de intención que el hablante realiza.

Resumiendo las principales características de la pasiva con SER, podemos decir:

1. La pasiva con SER se construye con el participio del verbo que nos interesa, concordando en género y número con el sujeto. Por ejemplo, si el sujeto es *las paredes* y el verbo que nos interesa es *pintar*, la forma del participio será *pintadas*.

2. Al participio se le añade una forma flexionada (es decir, concordando en persona y número con el sujeto, y en el tiempo verbal que nos interese) del verbo copulativo SER. Si queremos enunciar una acción pasada, por ejemplo, usaremos *fueron* o *eran* para nuestro sujeto *las paredes*. Por tanto, ya tenemos la oración pasiva:

— *Las paredes fueron pintadas.*

3. Por último, si queremos hacer mención al agente de la acción (lo cual es enteramente opcional, recuérdese), lo podemos hacer a través de una fórmula sintáctica: un sintagma preposicional encabezado por la preposición *por* seguida del agente en cuestión. Este sintagma preposicional desempeña la función de complemento agente. Así, en nuestra oración pasiva podemos incluir que el agente es *el pintor*:

— *Las paredes fueron pintadas por el pintor.*

La voz pasiva, a lo largo de los siglos, ha sufrido un proceso claro de disminución en su uso, sobre todo coloquialmente, en favor del otro tipo de construcción con significado pasivo. Esta otra construcción de significado pasivo aparece tempranamente en los textos de español antiguo, y fue reforzándose como alternativa a la pasiva con SER + participio, para acabar por desbancar a ésta. Se trata de la denominada PASIVA REFLEJA.

La pasiva refleja

La construcción sintáctica de la pasiva refleja presenta algunas restricciones respecto de la pasiva con SER. Se emplea con los verbos transitivos únicamente cuando el sujeto de la versión pasiva (objeto directo de la activa, recuérdese) es tercera persona del singular o del plural. Asimismo, exige la presencia de la forma *se*, que en esta construcción no es otra cosa que un marcador de la pasivización. El verbo puede aparecer en cualquiera de sus tiempos, y es obligatorio que sea en la voz activa. Vamos a poner unos ejemplos, ofreciendo la versión activa, la pasiva con SER y la pasiva refleja, por ese orden.

— Activa: *Juan compró el coche en enero*. Pasiva con SER: *El coche fue comprado en enero*. Pasiva refleja: *El coche se compró en enero.*
— Activa: *Marta y María firmaron los documentos*. Pasiva con SER: *Los documentos fueron firmados por Marta y María*. Pasiva refleja: *Se firmaron los documentos por Marta y María.*

Por tanto, el hablante cuenta con dos construcciones sintácticas para la expresión del significado pasivo: la pasiva con SER y la pasiva refleja. Al igual que en el caso de la pasiva con SER, el sujeto de la pasiva refleja es el objeto directo de la correspondiente versión activa, y con él debe concordar el verbo: *el coche se compró* o *se firmaron los documentos*.

149

Por otro lado, la referencia al agente o productor de la acción (pues el sujeto de la pasiva refleja, como en la pasiva con SER, es el paciente de la acción, con lo cual se prueba la no coincidencia entre funciones sintácticas y funciones semánticas, que la gramática tradicional confundía) se puede realizar a través del mismo procedimiento sintáctico que en el caso de la pasiva con SER: que funciona como complemento agente del verbo, y cuya presencia es totalmente opcional, como se puede observar en los ejemplos anteriormente expuestos.

LA REFLEXIVIDAD

Podemos definir la reflexividad como aquella característica gramatical según la cual el agente y el paciente de una acción son el mismo. Quiere esto decir que esa entidad realiza una acción de la cual él mismo es el paciente o receptor, y no otro distinto:

— *Juan se afeitó esta mañana.*
— *María se quiere demasiado a sí misma.*
— *La niña ya se viste sola.*

Como toda diferencia semántica implica una modificación sintáctica, la estructuración formal de este tipo de oraciones se distingue de la construcción activa y de la pasiva, aunque se acerca más a aquélla. Se caracteriza por la expresión de la forma verbal en su forma activa (por ejemplo, *afeitó* y no *fue afeitado*), a la cual se debe añadir la mención de determinadas formas átonas de los pronombres personales. Sólo pueden funcionar como reflexivos los verbos transitivos, porque si fuesen intransitivos no podría formarse la reflexividad al no existir un objeto directo u objeto indirecto para expresar al paciente o receptor de la acción. La correlación entre los pronombres y los sujetos para expresar la reflexividad es la siguiente:

1. Sujeto primera persona singular: pronombre *me (yo me afeito todos los días).*

2. Sujeto segunda persona singular: pronombre *te (tú te afeitas todas las mañanas).*

3. Sujeto tercera persona singular: pronombre *se (él se afeita todas las mañanas).*

4. Sujeto primera persona plural: pronombre *nos (nosotros nos afeitamos todas las mañanas).*

5. Sujeto segunda persona plural: pronombre *os (vosotros os afeitáis todas las mañanas).*

6. Sujeto tercera persona plural: pronombre *se (ellos se afeitan todas las mañanas).*

Cualquier discordancia entre el sujeto y el pronombre trae consigo la ausencia de significado reflexivo y la aparición del significado activo normal (*yo te afeito, tú nos afeitas, él me afeitó*, etc.).

Las funciones desempeñadas por estos pronombres pueden ser la de objeto directo y la de objeto indirecto, pero siempre son correferentes con el sujeto de la oración. De este modo, en la oración *yo me afeito* el pronombre *me* desempeña la función de complemento directo del verbo *afeito*; en *yo me afeito la barba*, el complemento directo es *la barba*, y *me* es complemento indirecto.

La reflexividad directa

Ya hemos visto que el pronombre en las oraciones reflexivas puede desempeñar la función de objeto directo o la de objeto indirecto. Cuando funciona como complemento directo, la reflexividad que existe en la oración recibe el nombre específico de REFLEXIVIDAD DIRECTA, con el cual se quiere indicar que el pronombre realiza esa función sintáctica. Ejemplos de oraciones reflexivas directas son las siguientes:

— *Manolo se ha fotografiado a sí mismo.*
— *María se ha peinado.*

La reflexividad indirecta

El otro tipo de reflexividad se produce cuando la función del pronombre es la de complemento indirecto. Recibe el nombre de REFLEXIVIDAD INDIRECTA. Ejemplos de ese tipo de reflexividad son las siguientes oraciones:

— *Manolo se ha fotografiado las manos.*
— *María se ha peinado el cabello.*

Como prueban estos ejemplos, ambos tipos especiales de reflexividad se hayan muy cercanos. Semánticamente, la reflexividad indirecta presupone una derivación de la directa, es decir, representa una aclaración o concreción.

LA RECIPROCIDAD

Al igual que en el caso de las oraciones de verbo reflexivo, donde la acción es realizada y recibida por la misma persona, podemos imaginar oraciones en que la acción la realizan dos o más agentes y es recibida mutuamente, es decir, que la acción que uno realiza es recibida por el otro, y viceversa. Este tipo de oraciones son las denominadas ORACIONES RECIPROCAS.

La estructuración sintáctica de este tipo de oraciones presenta paralelismos con la de las oraciones reflexivas. En primer lugar, como éstas, exigen que el verbo sea transitivo. En segundo lugar, los agentes de la acción (que pueden ser dos o más) se construyen como sujetos coordinados por la conjunción copulativa *y*. La forma verbal debe ir en la voz activa y acompañada de pronombres personales átonos. Vamos a ver algunos ejemplos para ver claro el contraste entre oraciones activas puras, reflexivas y recíprocas:

— Construcción activa: *Juan y Pedro comieron el pastel.*
— Construcción reflexiva: *Juan se afeita por la mañana.*
— Construcción recíproca: *Juan y Pedro se insultan.*

En la construcción activa queda muy patente que se trata de dos acciones realizadas por dos agentes (*Juan* y *Pedro*) sobre el mismo paciente (el *pastel*). En la construc-

ción reflexiva queda claro que el agente es el mismo que el paciente (*Juan*). En la construcción recíproca, sin embargo, la acción desarrollada por cada uno de los agentes (*Juan*, por un lado, y *Pedro*, por el otro) se realiza sobre el otro (*Pedro* y *Juan*, respectivamente), es decir, que *Juan* insulta a *Pedro* y *Pedro* a *Juan*. Ambos agentes realizan y reciben la acción mutuamente.

Para resaltar de manera inequívoca el sentido recíproco de una construcción y evitar cualquier tipo de ambigüedad, podemos usar de determinadas unidades que lo aclaren, como por ejemplo los adverbios *mutuamente* o *recíprocamente*, o la frase *el uno al otro*:

— *Juan y Pedro se insultan mutuamente.*
— *Estos dos hermanos se quieren mucho el uno al otro.*

LA IMPERSONALIDAD

Nuestro idioma dispone de una posibilidad característica de hacer mención al transcurso de una determinada acción, independientemente de un agente que la realice. En esta construcción la posición del sujeto (la preverbal, es decir, la posición antes del verbo) aparece vacía y no se puede sobreentender de ninguna manera un sujeto/agente. Este tipo especial de construcción recibe el nombre de ORACION IMPERSONAL, con el cual se pretende marcar esa ausencia léxica de agente.

Como la atención del hablante no va dirigida ni al sujeto/agente ni al complemento directo/paciente, los verbos que pueden aparecer en la construcción impersonal pueden ser transitivos o intransitivos, con la condición sintáctica de aparecer en la voz activa.

— *Tocan música en la otra habitación.*
— *Me han suspendido el examen.*
— *No han admitido mi queja.*

Este es uno de los tipos de la construcción impersonal. Sus características sintácticas son la aparición del verbo en tercera persona del plural, con lo cual se consigue un alto grado de impersonalidad:

— *Han asesinado al presidente.*
— *Ayer dijeron que continuaría el racionamiento de agua.*
— *Han anunciado que el vendaval ya ha pasado.*
— *Este año no podrán robarnos las manzanas.*

Las oraciones impersonales y las de pasiva refleja

Ya se mencionó, a propósito de las oraciones pasivas, que tanto la pasiva con *ser* como la pasiva refleja presentan como constituyente opcional el complemento agente. De esta manera, cuando éste no aparece, por su significado se acercan las construcciones pasivas a las impersonales, ya que no se puede conocer de ninguna manera el agente de la acción. De cualquier modo, las oraciones pasivas, sin mención al agente, no son sintácticamente oraciones impersonales, pues, al contrario que éstas, presentan ocupada la posición de sujeto, es decir, hay un sujeto sintáctico:

— *El partido fue ganado.*
— *Se ganó el partido.*

Aquí nos encontramos con dos oraciones pasivas (con *ser* la primera y pasiva refleja, la segunda) sin mención al agente, pero presentan dos sujetos, que son los pacientes de la acción: *el partido* en los dos casos. Por eso decimos que, si semánticamente son impersonales, no lo son formalmente; por este motivo, muchos gramáticos no las incluyen entre las impersonales.

La construcción impersonal con *se*

La construcción impersonal se caracteriza por la aparición de la forma *se* con un verbo en voz activa. Aparece vacía obligatoriamente la posición de sujeto, y si el verbo es transitivo puede presentar un objeto directo, con la salvedad de que si es de persona, debe llevar la preposición *a*. Ejemplos de oraciones impersonales son los siguientes:

— *Allí se comió paella, aquí cordero asado.*
— *Se lloró mucho aquella noche.*
— *Se convocó a todos los participantes a una reunión.*

Uno de los usos de esta construcción impersonal es el absoluto, empleado para colocar una determinada acción verbal como regla o precepto, es decir, como generalización independiente de los valores temporales asociados al verbo. Para que se produzca este uso absoluto, además de la aparición de *se*, el verbo debe aparecer en presente de indicativo de la voz activa:

— *¡En esta casa no se llora por una tontería!*
— *Un partido se gana jugando por la bandas.*
— *En nuestro club no se habla de política.*

Las oraciones unipersonales

Numerosos autores consideran a las oraciones que vamos a estudiar ahora un subtipo de las oraciones impersonales. Efectivamente, en ellas no puede aparecer ocupada la posición de sujeto, pero frente a las impersonales puras se caracterizan porque el verbo sólo puede aparecer en tercera persona y en las formas no personales del verbo, es decir, el infinitivo, el participio y el gerundio. Si aparece cualquiera de las otras personas, eso acarrea la pérdida del sentido impersonal, pero sólo cabe tal uso como consecuencia de un procedimiento metafórico. La impersonalidad no proviene de procedimientos sintácticos (como el *se*), sino de la propia naturaleza léxica y semántica de esos verbos, ya que no pueden presentar ocupada la posición de sujeto, a no ser a través de otro proceso metafórico. Vamos entonces a analizar los dos tipos básicos de verbos que presentan esta particular construcción sintáctica.

Verbos de fenómenos naturales

Uno de los tipos de verbos que presentan la construcción impersonal son los que indican fenómenos físicos de la naturaleza, sobre todo meteorológicos, como *llover*, *nevar, granizar, tronar, relampaguear, alborear, amanecer, anochecer.* En este tipo de verbos resulta muy complicado determinar un agente de la acción, ya que cuando aparece efectivamente un sujeto, nuestra intuición de hablantes no puede por menos que extrañarse:

— *El sol amanece.*
— *La noche anocheció.*

Por tanto, su construcción sintáctica específica (salvo los sentidos figurados o metafóricos) es en la tercera persona del singular de cualquier tiempo de la voz activa, con la posición de sujeto vacía. Veamos algunos ejemplos:

— *En verano amanece muy temprano.*
— *Llovía una lluvia finísima.*
— *Granizó y se estropearon las cosechas.*

Como verbos impersonales que son, pueden presentar complementos directos, aunque siempre se derivan del propio lexema del verbo, y representan cierta redundancia. Sin embargo, pueden llevar sin ningún tipo de problema complementos circunstanciales, como *muy temprano.*

Haber, hacer y ser como unipersonales

Existe otro tipo de verbos que se construyen también de esa manera, aunque no exclusivamente, pues presentan otros usos sintácticos. Son *hacer, haber* y *ser.* Vamos a ver algunos ejemplos de los usos unipersonales de estos tres verbos:

— *Es muy tarde para ir al cine.*
— *Hay mucha gente en esta habitación.*
— *Hoy hace un frío helador.*

Presentan un comportamiento sintáctico muy similar al del otro tipo de verbos unipersonales, con la diferencia de que *haber* y *hacer* (*ser* no, por ser un verbo copulativo) van acompañados obligatoriamente por un complemento directo, y decimos obligatoriamente porque la información contenida en el objeto directo es la información pertinente. *Mucha gente* y *frío helador* son complementos directos de las formas verbales *hay* y *hace.* Al igual que los verbos de fenómenos físicos, *haber* y *hacer* presentan con gran facilidad complementos circunstanciales.

Las gramáticas normativas de nuestra lengua tachan de incorrecta la construcción de los verbos *haber* y *hacer* como impersonales, concordándolos con su objeto directo que, de este modo, se recategoriza como sujeto. La frase *había muchos niños en la casa,* construcción impersonal con un objeto directo *(los niños),* se transforma en la incorrecta *habían muchos niños en casa,* donde el objeto directo se interpreta como el sujeto de la frase. Este vulgarismo se da en ciertas zonas españolas de Levante y en países de Hispanoamérica.

LA ORACION

La problemática definición de oración

Aunque parezca extraño, no existe una sola definición generalmente aceptada de qué es una oración. A pesar de las numerosas definiciones aportadas a lo largo de la historia, todas se muestran insatisfactorias a la hora de aplicarlas en la práctica. En los últimos años, los lingüistas has decidido determinar como oración aquella unidad que se compone de un sintagma nominal con un sintagma verbal. Esta definición no abarca a todo lo que se considera intuitivamente como oración, pero ha demostrado ser muy efectiva como hipótesis de trabajo sintáctico.

Vamos a ver las dos definiciones tradicionales del concepto de oración que han sido más representativas de esta teoría lingüística. Los criterios que usan cada una de esas definiciones son totalmente opuestos, lo cual ya nos indica el grado de dificultad de delimitar el concepto de oración.

Una buena parte de los autores tradicionales define la oración exclusivamente con criterios formales: «Oración es aquella unidad lingüística que contiene una forma verbal flexionada». Otro grupo de autores recurre a criterios semánticos, es decir, de significado, para delimitar la oración: «Oración es aquella secuencia lingüística dotada de significación». Vamos a presentar algunos ejemplos para ver cómo los clasifican estas dos definiciones:

1. — *No voy a ir a tu casa.*
   — *Me gustaría verte allí.*
   — *Su portero es muy ágil.*

2. — *¡Vaya gol!*
   — *¡Buenas tardes, amigo!*
   — *¡Cuánta belleza!*

Para la primera de las definiciones, tan sólo serían oraciones los ejemplos de 1, pues en los de 2 no aparece un verbo flexionado. Para la segunda definición, en cambio, tanto los ejemplos de 1 como los de 2 serían oraciones, lo cual se muestra, a todas luces, como inoperante. La definición semántica de oración se muestra muy insatisfactoria, pues cualquier unidad lingüística emitida aisladamente puede contener un sentido completo si se lo asigna el contexto.

Vamos ahora a ver un par de oraciones para mostrar la inadecuación de la primera definición, la cual asigna un verbo en forma personal a la oración:

— *Prometió que vendría.*
— *Prometió venir.*

En el primero de los dos ejemplos nos encontramos con dos formas personales (*prometió* y *vendría*), con lo cual nos hallamos ante dos oraciones, una dentro de la otra (*que vendría* es una oración subordinada sustantiva que funciona como complemento directo del verbo *prometió*). En el segundo ejemplo sólo hay una forma verbal personal (la otra es un infinitivo), con lo cual se deduciría que sólo hay una oración. Pero esta conclusión es incorrecta, *venir* es una oración subordinada, como demuestra el hecho de que pueda ser sustituida sin cambio semántico por la oración *que vendría*. Con esto queda demostrado que tanto la definición sintáctica como la semántica son insatisfactorias e inoperantes.

Los componentes de la oración

Cualquier enunciado de cualquier lengua está compuesto por palabras. Esta idea es básica en la lengua. Sin embargo, no de toda alineación de palabras resulta una oración, como demuestran los siguientes ejemplos:

— *La selección jugó el partido de exhibición.*
— **Partido exhibición la jugó de selección el.*

El primer ejemplos es una oración correcta de español, mientras que la segunda no. ¿Qué es lo que diferencia un ejemplo del otro para que uno sea correcto y el otro no? Básicamente, es la ESTRUCTURA. El primer ejemplo presenta una estructura que es la de toda oración en español. El segundo, por contra, no presenta tal estructura y así no puede convertirse en oración. Ya hemos descubierto la obligatoriedad de la estructuración en la lengua, operación que se realiza mediante reglas sintácticas fijadas.

Disposición interna y expansión

Toda estructuración presenta una organización y una jerarquía de CONSTITUYENTES. Estos constituyentes son estructuras más pequeñas que la oración y cuya composición también se halla sujeta a reglas sintácticas. Toda oración, por tanto, se hallará compuesta por esos constituyentes más pequeños que la oración. Debemos, entonces, intentar descubrir, a través de procedimientos exactos, cuáles son y cómo funcionan esos constituyentes.

En sintaxis hay dos procedimientos para descubrir los constituyentes de un enunciado lingüístico, según se tengan en cuenta sus características internas (es decir, considerados en sí mismos), o sus relaciones con el resto de unidades (es decir, considerados dentro de un contexto). Se denominan, respectivamente, criterio de la estructura interna y criterio de la expansión. Ambos criterios son necesarios para establecer los constituyentes.

Con ellos podemos decir que *el partido de exhibición* es un sintagma nominal, porque consta de un nombre núcleo del constituyente, condición indispensable del sintagma nominal, un determinante, y un complemento del nombre. Sin embargo, el otro sintagma nominal, *la selección*, no presenta esta misma estructura sintáctica. Para identificar a ambas unidades como sintagmas nominales es necesario recurrir al criterio de expansión. Según éste, dos unidades que compartan los mismos contextos sintácticos, es decir, que funcionen distribucionalmente de modo parejo, se pueden adscribir al mismo tipo de constituyente. De este modo, tanto *el partido de exhibición* como *la selección* pueden funcionar en las siguientes oraciones:

— *El partido de exhibición / la selección me ha gustado mucho.*
— *La recuperación moral no depende del partido de exhibición / de la selección.*

Sin embargo, en ninguno de esos contextos puede aparecer otro constituyente que no sea un sintagma nominal, pues si los sustituimos por el sintagma verbal *jugó el partido de exhibición*, las oraciones resultantes son incorrectas:

— ** Jugó el partido de exhibición no me ha gustado.*
— ** La recuperación moral no depende de jugó el partido de exhibición.*

El análisis de la oración

Como queremos determinar la estructura de la oración para acercarnos a su definición, sólo hay una manera de hacerlo: presentar todos los análisis posibles para una oración y comprobar si, efectivamente, recogen las características internas y los comportamientos de cada uno de sus constituyentes.

Para nuestra oración *la selección jugó el partido de exhibición* podemos establecer cuatro análisis posibles. En primer lugar vamos a presentarlos, para después ver cuál es el más satisfactorio, es decir, aquel que recoja la estructura de todas las oraciones.

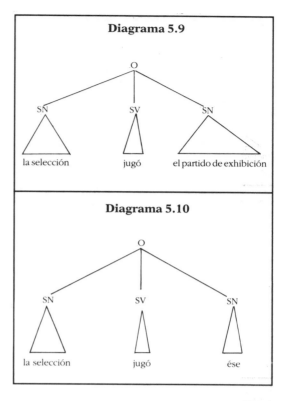

Los análisis posibles de nuestra oración son los siguientes:

1. *[la] [selección] [jugó] [el] [partido] [de] [exhibición].*
2. *[la selección] [jugó] [el partido] [de exhibición].*
3. *[la selección] [jugó] [el partido de exhibición].*
4. *[la selección] [jugó el partido de exhibición].*

Análisis 1. Según este análisis, no existe en la oración más estructura que la de la sucesión lineal de las palabras. Pero ya vimos anteriormente que entre las palabras y la oración existen unidades intermedias, es decir, que la oración presenta una estructuración por encima del nivel de las palabras. Por tanto, el análisis 1 queda rechazado al no recoger de ninguna manera la estructura oracional.

Análisis 2. Este análisis también debe ser rechazado, pues, a pesar de recoger cuatro constituyentes por encima del nivel de la palabra, no recoge, sin embargo, que *el partido* y *de exhibición* forman un único constituyente, como prueba el criterio de expansión antes definido, es decir, la posibilidad de que un constituyente sea sustituido por una palabra:

— *La selección jugó ése.*

De este modo, el análisis para esta oración y la nuestra debe ser el mismo, como ilustran los diagramas 5.9 y 5.10, de tal manera que llegamos al análisis 3.

Análisis 3. En este tercer análisis se recoge la relación que existe entre *el partido* y *de exhibición,* con lo cual se muestra bastante más satisfactorio que el análisis 2, permitiendo asignar la misma estructura a la oración *la selección jugó ése* y a la nuestra. Sin embargo, este análisis no recoge otro constituyente más de la oración: el que forman las unidades *jugó* y *el partido de exhibición*. La prueba de que éste es un constituyente unitario nos los proporciona, una vez más, el criterio de expansión: *jugó el partido de exhibición* puede ser sustituido por una sola palabra (por ejemplo, *ganó*):

— *La selección ganó.*

Los diagramas 5.11 y 5.12 presentan la estructura de esta oración y la nuestra, que es idéntica.

Análisis 4. Con estos argumentos llegamos hasta el cuarto análisis, donde se solucionan todos los problemas planteados por los otros análisis. El diagrama arbóreo de este tipo de análisis es el presentado en los diagramas 5.11 y 5.12. Por tanto, dos son los constituyentes básicos de la oración: el sintagma nominal y el sintagma verbal. Y estos constituyentes están presentes en cualquier oración de la lengua, sea cual fuere el grado de su complejidad, y con ellos se puede analizar la oración más simple de español, pues ya vimos que el criterio de expansión determina que todo constituyente puede ser sustituido por una sola palabra:

— *Juan llora.*

Toda la argumentación sintáctica precedente nos ha llevado a la conclusión de que toda oración se estructura a partir de dos unidades básicas, el sintagma nominal y el verbal, los cuales pueden presentar, a su vez, nuevas divisiones o nuevos constituyentes; de esta manera, la oración en su análisis va complicándose a medida que éste avanza, hasta llegar al nivel de las palabras.

La concordancia

Según la definición de oración que acabamos de presentar, cualquier combinación de un sintagma nominal y de un sintagma verbal produce una oración. Esto no es del todo exacto, pues si es verdad que la oración presenta esos dos constituyentes básicos, no es menos verdad que es nece-

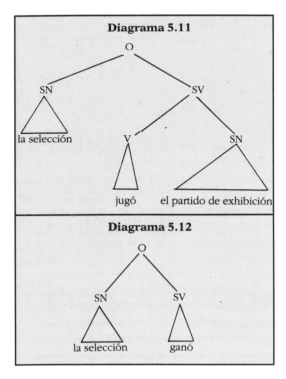

Diagrama 5.11

Diagrama 5.12

sario cierto tipo de relación entre ambos, relación que presenta condiciones obligatorias.

La relación entre el sintagma nominal y el verbal se denomina CONCORDANCIA. La concordancia es, en nuestra lengua, la coincidencia de rasgos morfológicos entre el adjetivo y el nombre, por un lado, y el sujeto y el verbo, por otro. Esta última es la que nos interesa ahora; después revisaremos la concordancia entre adjetivo y nombre.

La concordancia entre el sujeto y el predicado

A pesar de que hemos definido la concordancia en términos morfológicos, ésta presenta importantes funciones sintácticas, sobre todo la que se produce entre el sujeto y el predicado. Este tipo de concordancia es de APARICIÓN OBLIGATORIA, es decir, que el verbo debe concordar en persona y número con el sujeto. Esta concordancia es la relación entre el sintagma nominal (el sujeto, como función sintáctica) y el sintagma verbal (el predicado). Veamos algunos ejemplos ilustrativos:

    1. a)   * *Maradona juegan en el mundial.*
       b)   * *Maradona jugar en el mundial.*

A pesar de que ambas secuencias presentan un SN y un SV cada una, no son correctas: les falta la relación entre una y otra unidad, les falta concordancia. En el primer caso, *Maradona* presenta número singular y es tercera persona, mientras que el verbo se halla en tercera persona del plural: no existe coincidencia de rasgos morfológicos, y eso acarrea la incorrección de la frase. El segundo caso es un poco más complejo; la incorrección sobreviene por la incapacidad del infinitivo (y del participio y del gerundio) para presentar rasgos flexionales. Esa incapacidad impide la concordancia obligatoria.

Estos dos ejemplos demuestran que la concordancia, a pesar de ser un procedimiento morfológico, introduce esenciales repercusiones sintácticas. Por ello, numerosos lingüistas incluyen la concordancia como un elemento oracional más, ya que su presencia no es sólo necesaria, sino obligatoria.

Las reglas de concordancia

Como mencionamos anteriormente, la concordancia se produce en nuestra lengua entre el sujeto y predicado (persona y número), por un lado, y entre el adjetivo y el sustantivo (género y número), por otro. Estos dos tipos de concordancia están sujetos a dos reglas básicas de construcción definidas por el gramático Andrés Bello en el siglo pasado. Son las siguientes:

1. La primera regla general ya la hemos apuntado al hablar de la concordancia entre el sujeto y el predicado. Cuando el sujeto es uno solo, el verbo debe concertar con él en número y persona, como puede observarse en los ejemplos siguientes:

    — *Juan mintió descaradamente.*
    — *Tú no puedes hacer eso.*
    — *Nosotros no creemos que Antonio gane.*

En el caso de los adjetivos y sustantivos, la primera regla general dice que, cuando se trata de un solo sustantivo, el adjetivo debe concordar con él en género y número, como en los siguientes ejemplos:

    — *La mesa blanca se ha roto.*
    — *Aquí no quiero ver perros sucios.*

2. La segunda regla general se emplea cuando las estructuras mencionadas, a propósito de la primera, se complican. De este modo, cuando hay dos o más sujetos en la oración, el verbo debe ir en plural. En cuanto a la persona, si concurren varias distintas, la segunda se prefiere siempre a la tercera y la primera se prefiere a todas:

    — *El delegado y tú no entendéis nada.*
    — *Tú y yo nos vamos a ir ahora mismo.*

157

Cuando el adjetivo se refiere a dos o más sustantivos, debe ir en número plural. Si esos sustantivos son de diferente género, se prefiere el masculino en el adjetivo:

— *La casa y el terreno son muy hermosos.*
— *Quiero comprar un lápiz y una pluma blancos.*

Irregularidades en la concordancia. En este epígrafe dedicado a las anomalías en la concordancia respecto de esas dos reglas generales, vamos a estudiar las principales. Una de ellas es la que afecta a las construcciones copulativas con el verbo *ser*. En numerosas ocasiones, en nuestra lengua se concierta el verbo *ser* con el atributo y no con el sujeto de tal forma que, cuando el sujeto es singular y el atributo plural, se produce una discordancia respecto de la regla primera de concordancia, discordancia permitida:

— *El premio son trescientos dólares.*
— *Su familia son dos hijos y tres hijas.*

Una irregularidad consciente es la que se produce cuando nos dirigimos a una sola persona utilizando la primera del plural, con lo cual denotamos afectividad:

— *¿Qué tal andamos hoy?*
— *¿Tenemos hambre?*

También empleamos esta primera del plural en casos donde deberíamos usar la primera del singular con el fin de disminuir la responsabilidad de una acción:

— *Hemos roto la televisión.*
— *Nos hemos equivocado.*

El plural de modestia se utiliza, sobre todo, en textos escritos por parte del autor que los escribe, el cual, a pesar de ser uno solo, emplea la primera persona del plural:

— *Creemos que esta teoría es errónea.*
— *Por esto concluimos que el experimento fracasó.*

Las otras irregularidades en la concordancia se producen por la posición del verbo respecto de los sujetos. De este modo, cuando el verbo precede a dos o más suje-

tos, puede emplearse el singular, opcionalmente. Así, decimos:

— *Me gustan el fútbol, el béisbol y la hípica.*
— *Me gusta el fútbol, el béisbol y la hípica.*

Cuando los varios sujetos aparecen coordinados por la conjunción *ni*, el verbo puede ir en singular o en plural:

— *Ni Juan ni Pedro me harán cambiar de opinión.*
— *Ni Juan ni Pedro me hará cambiar de opinión.*

Lo mismo sucede cuando los varios sujetos se hallan coordinados por la conjunción disyuntiva *o*, pues el verbo puede presentar número singular o plural:

— *Juan o Pedro puede venir.*
— *Juan o Pedro pueden venir.*

El orden básico de palabras en español

Toda lengua presenta un orden de palabras dominantes, que viene definido por la disposición relativa del sujeto (S), verbo (V) y objeto directo (O) en las oraciones de esa lengua. De las posibles combinaciones entre estos tres elementos resultan seis configuraciones teóricas: SOV, SVO, VSO, VOS, OVS y OSV. Los dos primeros tipos son bastante frecuentes; el tercero y el cuarto son algo menos comunes, mientras que el quinto y el sexto son prácticamente inexistentes.

Esos son los tipos básicos de ordenamientos sintácticos. Sin embargo, resulta muy problemático intentar determinar cuál es el tipo de ordenamiento de una lengua, pues dentro de cada una se producen grandes variaciones en la disposición de los elementos. El problema es distinguir entre las variaciones que vienen determinadas por factores sintácticos, como en las interrogativas parciales, y aquellas que son simplemente opcionales. El español, que presenta el ordenamiento SVO (sujeto, verbo y objeto directo), en las interrogativas parciales modifica este orden:

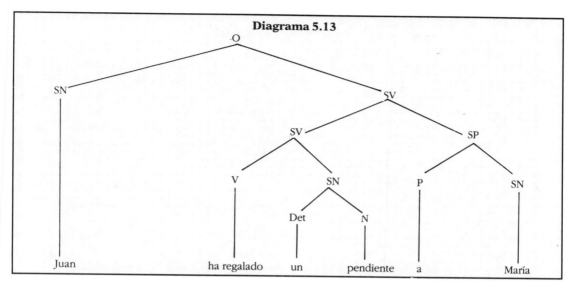

Diagrama 5.13

— *¿Qué está comiendo Juan?* (OVS).
— *¿A quién has traído tú?* (OVS).

Sin embargo, en general, las oraciones enunciativas presentan el ordenamiento típico de nuestra lengua, el orden SVO, es decir, sujeto, verbo y objeto directo:

— *Juan come manzanas.*
— *Marta se ha comprado un lápiz.*

— *La editorial ha sacado una nueva edición del libro.*

Otra de las variaciones más importantes se produce en las oraciones imperativas, que suelen presentar pospuesto el sujeto:

— *Cómelo tú.*
— *Hazlo tú.*
— *¡Callaos vosotros!*

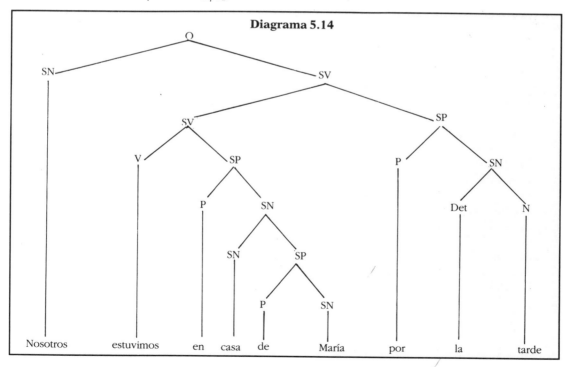

Diagrama 5.14

Aunque las interrogativas parciales representan normalmente una inversión del orden dominante, las interrogativas totales, por el contrario, pueden invertir ese orden o conservarlo:

— *¿Juan ha comido sopa?*
— *¿Ha comido sopa Juan?*
— *¿Ha comido Juan sopa?*

En español, los complementos directos de persona llevan la preposición *a*. Los complementos directos de cosa la llevan normalmente cuando su ausencia puede provocar ambigüedad en el sentido general de la oración, sobre todo en aquellos casos particulares en que tanto el sujeto como el objeto directo pueden desempeñar la otra función. Esto se puede observar en las siguientes oraciones:

1. *La columna sostiene la piedra.*
2. *La piedra sostiene la columna.*
3. *A la piedra sostiene la columna.*
4. *A la columna sostiene la piedra.*

Observando atentamente estas cuatro oraciones, se llega a la conclusión de que en las dos primeras se produce una ambigüedad importante: en ambas, tanto la piedra como la columna pueden sostener o ser sostenidas. Esta ambigüedad proviene del hecho de que tanto *la columna* como *la piedra* pueden funcionar como sujetos u objetos directos de la oración. Si se quisiese colocar en primer lugar el objeto directo, ya sea *la columna* o *la piedra*, la ambigüedad seguiría produciéndose. Para resolverla, se coloca la preposición *a* antes del objeto directo, como demuestran las oraciones 3 y 4, donde no existe ambigüedad.

Los complementos indirectos y los circunstanciales presentan una gran libertad de ordenación, ya que su asignación sintáctica y semántica no se halla sujeta a determinadas posiciones, como el resto de funciones, sino que viene causada por el empleo de preposiciones características de ellos:

— *Juan ha regalado un pendiente a María.*
— *Juan ha regalado a María un pendiente.*
— *A María Juan ha regalado un pendiente.*

— *Estuvimos en casa de María por la tarde.*
— *Estuvimos por la tarde en casa de María.*
— *Por la tarde estuvimos en casa de María.*

Esta libertad sintáctica debe registrarla el análisis, y para ello se hace derivar del sintagma verbal, en primer lugar, a los complementos indirectos y circunstanciales y, después, el resto de complementos, como prueban los análisis arbóreos de esas dos oraciones (véanse diagramas 5.13 y 5.14).

Clasificación de las oraciones

A la hora de clasificar las diferentes variedades de la oración, dos son los criterios que el análisis gramatical ha estipulado para ello. Estos dos criterios o puntos de vista no son excluyentes, sino que se complementan. Quiere esto decir que para definir exactamente una oración, es decir, para caracterizarla dentro del esquema sintáctico de nuestra lengua, son necesarios ambos tipos de clasificación.

En una oración hay dos aspectos fundamentales observables directamente: uno es la forma con la que el hablante la anuncia, es decir, la relación que se produce entre el hablante y su enunciado. El otro es el significado que subyace a ese enunciado lingüístico, es decir, la información que el hablante transmite con su comunicación lingüística. Vamos a ver esta división con un ejemplo. Imaginemos las siguientes oraciones:

— *Me gustaría saber si has visto a Juan.*
— *¿Has visto a Juan?*

En estas dos oraciones, el significado subyacente es el mismo: el deseo por parte del hablante de conocer si el interlocutor ha visto a Juan. Pero la diferencia estriba en la forma en que el hablante enuncia esa información, es decir, la relación que establece entre el enunciado y él mismo; en el primer caso se trata de una oración interrogativa indirecta con una subordinada interrogativa total; en el segundo caso se trata de una interrogativa directa. Después veremos con atención cada una de estas clasificaciones.

Por tanto, en toda oración cabe distinguir esos dos aspectos. El MODUS es esa relación que se establece entre el hablante y su enunciado, es decir, el modo en que lo enuncia. Es, por tanto, una actitud subjetiva del hablante. El DICTUM es el significado que subyace a un enunciado, es decir, el contenido objetivo que reside en la intención del hablante. El hablante decide directamente el *modus* con que desea representar el *dictum*. Vamos a verlo con una serie de ejemplos. Dado un *dictum* básico, por ejemplo, el hecho de que Juan ha venido, los distintos *modus* que se pueden apreciar son los siguientes:

1. *Ha venido Juan.*
2. *¡Ha venido Juan!*
3. *Quizá ha venido Juan.*
4. *¿Ha venido Juan?*
5. *¡Ojalá haya venido Juan!*
6. *¡Que venga Juan!*

Cada una de estas oraciones se diferencia en el *modus*. En la oración 1 se enuncia un hecho simplemente, es decir, se transmite una información. Por tanto, la relación entre el hablante y el enunciado, su intención, es comunicativa. El *modus* es enunciativo, y la oración recibe el nombre de ENUNCIATIVA. En el segundo caso, la intención del hablante es exclamar una información, es decir, manifestar una sorpresa. La oración recibe el nombre de EXCLAMATIVA. En el tercer ejemplo, la relación entre hablante y enunciado es el manifestar una duda o posibilidad sobre la información

que se transmite. La oración se clasifica como de POSIBILIDAD O DUDA. En el cuarto ejemplo, el hablante pretende manifestar una pregunta, es decir, el deseo de saber si la información que está anunciando es correcta o verdadera. La oración recibe el nombre de INTERROGATIVA. En el quinto ejemplo, el hablante expresa el deseo de que se cumpla (o se haya cumplido) la información transmitida. La oración recibe el nombre de DESIDERATIVA. En el último ejemplo, el hablante expresa un mandato, es decir, ordena que se cumpla la información transmitida, el *dictum*. Esta oración recibe el nombre de EXHORTATIVA. Estos son los seis tipos básicos de *modus* lingüístico. Ellos son los que delimitan el primer criterio de clasificación de las oraciones.

El segundo es la naturaleza gramatical del predicado, el tipo de relación verbal que se produce en la frase. Los distintos tipos de predicados ya fueron estudiados a propósito del sintagma verbal. De esta manera, al definir una oración tenemos que incluir dos catalogaciones: el tipo de *modus* de la oración y el tipo de predicado. Veamos algunos ejemplos:

1. *¿Juan es el portero del equipo?* Es una oración interrogativa directa de predicado nominal o copulativo.
2. *¡Ojalá llore por lo mismo que yo!* Es una oración desiderativa con verbo intransitivo.
3. *¡Te has afeitado!* Es una oración exclamativa de verbo reflexivo.

Diagrama 5.15

Clasificación de las oraciones según el modus

1. Enunciativas: *Juan es el médico del pueblo.*
2. Exclamativas: *¡Juan es el médico del pueblo!*
3. De duda o posibilidad: *Quizá sea Juan el médico del pueblo.*
4. Interrogativa: *¿Juan es el médico del pueblo?*
5. Desiderativas: *¡Ojalá sea Juan el médico del pueblo!*
6. Exhortativas: *¡Que sea Juan el médico del pueblo!*

Diagrama 5.16

Clasificación de las oraciones según el predicado

1. Copulativas: *El portero es muy ágil.*
2. Transitivas: *Juan come dos huevos diarios.*
3. Intransitivas: *Juan ha llorado.*
4. Pasivas: *Los acuerdos han sido firmados ayer.*
5. Reflexivas: *Hoy no me afeito.*
6. Recíprocas: *Marta y Pedro se odian.*
7. Impersonales: *Llovió toda la noche.*

Por tanto, al clasificar cualquier oración de la lengua debemos incluir una clasificación del *modus* de la oración, y otra respecto a la naturaleza gramatical del predicado. Incluimos aquí los dos cuadros de clasificación de las oraciones (véanse diagramas 5.15 y 5.16).

Las oraciones enunciativas

Cuando el hablante transmite una información, generalmente lo hace a través de un sujeto y un predicado. Por tanto, usando como relación básica ésta, el hablante puede expresar el acuerdo o el desacuerdo entre el sujeto y el predicado. La oración enunciativa afirmativa es la expresión de ese acuerdo, y la enunciativa negativa es la expresión de ese desacuerdo. Con la primera se manifiesta como verdadera la información transmitida a propósito del sujeto, y con la negativa se rechaza esa información. El modo del verbo suele ser el indicativo, ya que el hablante interpreta como objetiva la relación entre sujeto y predicado, ya sea para expresar el acuerdo o el desacuerdo. Veámoslo con dos ejemplos:

1. *Juan se ha comido el pedazo de tarta.*
2. *Juan no se ha comido el pedazo de tarta.*

En la oración 1, enunciativa afirmativa, se expresa un acuerdo entre el sujeto y el predicado. Con ella se afirma que Juan se ha comido el pedazo de tarta. Con la segunda, sin embargo, se expresa el desacuerdo, es decir, se niega que Juan se haya comido el

pedazo de tarta. Vamos a ver más detenidamente cada uno de estos dos tipos de oraciones enunciativas.

Las oraciones exclamativas

Las oraciones exclamativas no presentan ninguna particularidad sintáctica específica. Su expresión material se realiza a través de la entonación. Para la oración exclamativa, el tono medio normal de los enunciados se supera o se desciende, de tal manera que el interlocutor percibe la emoción que el hablante quiere transmitir. Esta diferencia entonacional se registra en la escritura a través de dos signos ortográficos, que son los signos de admiración (¡...!), entre los cuales se coloca la oración. Veamos algunos ejemplos:

— *¡Qué mujer más guapa!*
— *¡Juan es el portero!*
— *¡Agua!*

Al ser la entonación el marcador material de la exclamación, cualquier enunciado lingüístico (ya sea oración, palabra, sintagma o simple interjección) puede ajustarse al *modus* exclamativo. Por tanto, la disposición interna de la oración no afecta a su posibilidad de convertirse en exclamativa.

Las oraciones de posibilidad o dubitativas

Otra posibilidad de *modus* lingüístico es que el hablante considere que la información transmitida es sólo posible, probable o dudosa, es decir, que no tiene la seguridad de que sea verdadera o no lo sea. Cuando el *modus* es de esta clase, la oración es de posibilidad o dubitativa.

Al contrario que las oraciones enunciativas y exclamativas, que no presentan una característica sintáctica específica, las oraciones de posibilidad o dubitativas sí que presentan concreciones sintácticas en su expresión. Esas características sintácticas dependen de algunas variables.

Esas variables a que hacemos mención son el tiempo de la acción sobre la que descargamos la posibilidad o duda. De este modo, para expresar la duda o posibilidad sobre un hecho presente o del pasado inmediato utilizamos el futuro simple o compuesto, respectivamente. Veamos algunos ejemplos:

— Oración enunciativa: *Juan está llorando* (presente); oración de posibilidad: *Juan estará llorando.*
— Oración enunciativa: *Juan ha estado llorando* (pasado inmediato); oración de posibilidad: *Juan habrá estado llorando.*

Cuando se quiere expresar la posibilidad o duda sobre un hecho del pasado o del futuro se emplean el condicional simple, de forma que se produce una ambigüedad que sólo será resuelta por el contexto. Veamos también algunos ejemplos:

— Oración enunciativa: *Juan se comió la tarta* (pasado); oración de posibilidad: *Juan se comería la tarta.*
— Oración enunciativa: *Ganaremos el torneo* (futuro); oración de posibilidad: *Ganaríamos el torneo.*

Existen una serie de adverbios con los cuales se expresa la posibilidad o duda. Son *acaso, quizá* y *tal vez.* Estos adverbios pueden combinarse con modo subjuntivo o modo indicativo en el verbo. La diferencia de sentido entre cada uno de estos modos es intensificadora: con el modo subjuntivo

se acentúa la duda o posibilidad, mientras que con el indicativo se atenúa:

— *Quizá compraré esta televisión / Quizá compre esta televisión.*
— *Acaso lloverá mañana / Acaso llueva mañana.*
— *Tal vez ganaremos el partido / Tal vez ganemos el partido.*

Las oraciones interrogativas

Con el *modus* interrogativo, el hablante plantea la intención de saber si algo es correcto o verdadero. El instrumento sintáctico es la PREGUNTA. Esa intención va dirigida a uno o varios interlocutores, y se puede enunciar de dos maneras:

1. Interrogativa DIRECTA, cuando preguntamos directamente por algo que deseamos saber, enunciando simplemente la pregunta, que se representa ortográficamente entre los signos ¿...?:

— *¿Has comido ya?*
— *¿Qué has comprado?*

2. Interrogativa INDIRECTA, cuando subordinamos la pregunta a un verbo, de tal manera que ésta se convierte en complemento directo del susodicho verbo. No presenta ninguna representación ortográfica especial:

— *Dime si has comido ya.*
— *Me gustaría saber qué has comprado.*

Tanto las interrogativas directas como las indirectas se pueden clasificar según un aspecto de las preguntas. Al preguntar, podemos hacerlo en dos maneras básicas: preguntar por el acuerdo entre el sujeto y el predicado, o preguntar por el sujeto o alguno de los complementos del verbo. El primer tipo de preguntas se denominan INTERROGATIVAS TOTALES O GENERALES, y el segundo tipo, INTERROGATIVAS PARCIALES.

Las interrogativas totales

Empleamos una interrogativa total cuando preguntamos por el acuerdo o desacuerdo entre el sujeto y el predicado. De esta manera, la respuesta puede ser *sí* (cuando se nos comunica el acuerdo), o *no* (cuando se nos comunica el desacuerdo). Veamos algunos ejemplos:

— *¿Has arreglado la televisión?*
— *¿Has estado alguna vez en Australia?*

Las interrogativas parciales

Las interrogativas parciales son las que empleamos cuando queremos preguntar por el sujeto o alguno de los complementos del verbo, no cuando queremos saber el desacuerdo entre sujeto y predicado. Por tanto, para ello se utilizan los pronombres interrogativos, con los cuales nos referimos a aquella parte de la oración de la que buscamos información. Estos pronombres son *quién, qué, cuál, cuándo, dónde, cuánto* y *cómo*. Veamos algunos ejemplos:

— *¿Quién ha venido?* (preguntamos por la identidad del sujeto).
— *¿Qué has comprado?* (preguntamos por la identidad del complemento directo).
— *¿Cuándo vamos a jugar el partido?* (preguntamos por el tiempo de la acción).
— *¿Dónde la viste?* (preguntamos por el lugar de la acción).
— *¿Cuántos soldados tienes?* (preguntamos por la cantidad).
— *¿Cómo lo has hecho?* (preguntamos por el modo en que transcurre la acción).

Como se puede observar, las interrogativas parciales llevan el pronombre interrogativo en primer lugar, y después el resto de la oración. Esto no ocurre siempre. Las interrogativas-eco (que son preguntas a enunciados pronunciados por el interlocutor y que no han sido percibidos enteramente) presentan el pronombre interrogativo al final:

— *¿Has comprado qué?*
— *¿El partido se jugó dónde?*
— *¿Ha llegado hoy quién?*

Las oraciones desiderativas

Con el *modus* desiderativo expresamos el deseo de que se cumpla un hecho, o de

que no se cumpla (para lo cual es necesario el adverbio *no*). Sus características formales más relevantes son el modo del verbo, que es el subjuntivo, y el hecho de que comúnmente se enuncien exclamativamente:

— *¡Ojalá tengas todo lo que quieras!*
— *¡Qué no le aprueben!*

Al igual que en las oraciones de duda o posibilidad, cambia el tiempo del verbo según se refieran a un hecho presente, pasado o futuro; en las oraciones desiderativas, cambia el tiempo verbal según el deseo sea de un hecho presente, pasado o futuro.

Cuando queremos expresar el deseo de que se cumpla un hecho en el presente o en el futuro, empleamos el presente de subjuntivo:

— *¡Ojalá se muera!*
— *Que en paz descanse.*
— *¡Así se caiga el cielo sobre ese pueblo!*

Cuando el deseo se refiere a un hecho pasado o futuro, se emplea el imperfecto de subjuntivo, de tal manera que sólo el contexto puede decidir hacia dónde se dirige el deseo:

— *¡Así se lo comiesen los gusanos!* (pasado o futuro)

Cuando se emplean los tiempos compuestos del subjuntivo, el deseo siempre se refiere al pasado:

— *¡Ojalá se hubiese ganado el partido!*
— *¡Qué haya venido mi padre!*

Como se ha podido observar por los ejemplos, las oraciones desiderativas emplean para su expresión los adverbios *así* y *ojalá*, así como el *que* anunciativo.

Las oraciones exhortativas

Con el *modus* exhortativo, el hablante pretende que el interlocutor o interlocutores hagan algo (mandato o exhortación), o que no lo hagan (prohibición). Cada uno de estos tres tipos de exhortación presenta sus características propias no sólo de significado, sino también sintácticas. Por este motivo, vamos a estudiarlos separadamente.

La exhortación. La exhortación no es otra cosa que una atenuación educada del mandato o la prohibición. Por este motivo, la empleamos cuando consideramos que el interlocutor es superior a nosotros de alguna manera (en edad, socialmente, jerárquicamente, etc.). La exhortación puede llegar a resolverse en ruego más que en mandato. Su expresión sintáctica se concreta en el modo subjuntivo que debe llevar el verbo. Pero esto sólo no basta, pues es necesario también usar un registro educado:

— *Quédese usted, por favor.*
— *No se vaya ahora, señora.*
— *Haga usted el favor de comer un poquito.*

El mandato. Si la exhortación sólo se emplea cuando nuestro interlocutor es superior a nosotros, el mandato lo empleamos cuando el interlocutor es igual o inferior. El modo verbal de la acción es específico: el imperativo. Este sólo presenta flexión para la segunda persona del singular y del plural:

— *¡Cállate!*
— *¡Callaos!*

Para expresar el mandato a otras personas gramaticales, empleamos las personas del presente de subjuntivo, precedidas por el *que* anunciativo:

— *¡Que le nombren secretario!*
— *¡Que muera!*

Cuando el mandato se expresa con el subjuntivo, estas oraciones pueden confundirse con las desiderativas.

Tanto las exhortativas de mandato como las de prohibición suelen expresarse exclamativamente para acentuar la orden expresivamente.

La prohibición. Cuando no queremos que nuestro interlocutor o interlocutores hagan algo, usamos de la prohibición para

su expresión. Al igual que ocurría con el mandato, la prohibición neta sólo se emplea para personas que consideramos iguales o inferiores. El modo verbal de la prohibición es el subjuntivo, en cualquiera de sus personas, precedido del adverbio *no* o alguna otra unidad de negación:

— *No te muevas.*
— *Ninguno hable.*
— *¡No lo maten!*

También pueden presentar el *que* anunciativo: *que ninguno hable, ¡que no lo maten!*, etc.

Las gramáticas normativas suelen tachar de vulgarismo el emplear el infinitivo para mandar o prohibir: *¡Callar!, ¡No jugar aquí!* en vez de *¡Callad!* o *¡No juguéis aquí!*

La oración compuesta

Introducción

Oración compuesta es aquella que contiene más de una oración gramatical, y la relación entre ellas, o es de coordinación, o es de subordinación. En el nivel fonético, la unidad de la oración compuesta se percibe a través de la unidad entonacional que forman las oraciones.

La oración compuesta se caracteriza esencialmente por la presencia de nexos gramaticales que indican la unión entre esas dos oraciones o más. Esos nexos, que son las preposiciones y las conjunciones, pueden representar dos tipos de relación entre las oraciones simples que forman la compuesta. Estas dos relaciones son la coordinación y la subordinación.

La coordinación

La coordinación, también denominada PARATAXIS, se produce entre dos o más oraciones cuando éstas se hallan en el mismo nivel sintáctico, es decir, que ninguna de ellas desempeña una función sintáctica dentro de cualesquiera de las otras. La re-

ч

lación, por tanto, es de igualdad. Por lo que respecta a su significado único, éste puede ser de varios tipos, como luego se estudiará. Veamos ahora algunos ejemplos de oraciones coordinadas:

— *Juan come fresas y Pedro bebe leche.*
— *No he ido hoy a clase, pero he estudiado todo el día.*
— *O vienes aquí ahora mismo o yo voy para allá.*

En estos ejemplos se puede observar que la relación de igualdad se produce efectivamente: los tres ejemplos presentan dos oraciones coordinadas sin que ninguna de ellas desempeñe una función sintáctica dentro de otra. En el primer caso se enuncian dos hechos distintos. En el segundo caso, la segunda oración (*pero he estudiado todo el día*) corrige el significado de la primera (*no he ido hoy a clase*). En el tercer ejemplo se plantea una elección a dos posibles acciones: que tú vengas o que yo vaya.

La subordinación

La subordinación, también denominada HIPOTAXIS, es el otro tipo de relación entre las oraciones de una composición. Se diferencia de la coordinación en que una (o más) de las oraciones es constituyente de la otra, es decir, desempeña una función sintáctica dentro de la otra. Esa función puede ser de varios tipos. La relación, frente a la igualdad de la coordinación, es de inferioridad de una de las oraciones respecto de la otra: la oración que desempeña una función dentro de la otra (la subordinada o incorporada) se halla en un plano inferior al de la oración principal (o subordinante). Veamos algunos ejemplos:

— *Juan no quiere* que vengas.
— *Me gustaría* que ganase la selección argentina.
— *El chico* que vino ayer ha vuelto hoy.
— *No me preocupa el hecho de* que te hayan suspendido.

Estos cuatro ejemplos presentan, cada uno, dos oraciones. En todos los casos, una de las oraciones (la subordinada) desempeña una función sintáctica dentro de la otra (la principal o subordinante): *que vengas* es una oración subordinada sustantiva en función de complemento directo del verbo de la principal (*no quiere*); *que ganase la selección argentina* es otra subordinada sustantiva en función de sujeto del verbo *gustaría*; *que vino ayer* es una subordinada adjetiva complemento del nombre *chico*; por último, *que te hayan suspendido* es otra subordinada sustantiva complemento del nombre *hecho*.

Clasificación de las oraciones coordinadas

La coordinación copulativa. La coordinación copulativa es la simple edición de una oración (u oraciones) a otra (u otras) sin que, por ello, se siga una especial significación del nuevo conjunto oracional. La coordinación copulativa se produce a través de una serie de nexos que, por ello, reciben el nombre de conjunciones copulativas. Esos nexos son las conjunciones *y*, *e* y *ni*. Los dos primeros se emplean para la coordinación de oraciones cuando al menos una de ellas es afirmativa. La tercera conjunción se emplea cuando todas las oraciones son negativas. Vamos a ver algunos ejemplos:

— *Juan ha visto el partido y no se ha enterado del gol.*
— *Mi hermana quiere verte y tú siempre la esquivas.*
— *Mi padre llegó enfadado e irrumpió en el salón como un basilisco.*
— *Ni Martín ha comprado la comida ni Oscar ha preparado el café.*

La coordinación distributiva. Ya se mencionó que, cuando entre las oraciones se producen algún tipo de diferencias o distinciones, el hablante puede construir con ellas una estructura paralela, de tal manera que las enfrenta sintácticamente y, por consiguiente, semánticamente. Esa confrontación puede ser de muy diversos tipos, según los casos especiales, y no cabe hablar de una generalización de usos.

Esa estructura paralela, en muchos casos simétrica, se realiza a través de una serie correlativa de palabras, cada una de las cuales se incrusta en cada una de las oraciones. Veamos algunos ejemplos:

— *Juan bien estará en su casa, bien en casa de María.*
— *Aquí se trabaja duro, allí no se hace nada.*
— *Ya tenemos el equipo curado, ya se lesiona alguno.*

En estos ejemplos podemos conservar esa estructuración paralela y esa confrontación de sentidos, de donde proviene el término de coordinación *distributiva*. Las principales series de unidades que producen la estructura distributiva son las siguientes: *bien... bien, ya... ya, tal... tal, aquí... allí, este... aquel,* y series por el estilo.

La coordinación disyuntiva. La Academia Española interpreta la coordinación disyuntiva como una aplicación especial de la coordinación distributiva. Se obtiene la disyunción cuando la confrontación entre las oraciones es tal que, o no pueden ser ciertas todas las oraciones coordinadas, o no pueden producirse al mismo tiempo. De esta manera, la coordinación disyuntiva se plantea como una serie de alternativas excluyentes, es decir, que sólo una de las oraciones es efectiva. Veamos algunos ejemplos ilustrativos:

— *Tiene usted un esguince de tobillo o un fuerte calambre.*
— *Este año o apruebas todo o no vienes de vacaciones.*
— *O lo redactas de nuevo u omites esa palabra.*
— *¡Ven aquí ahora mismo o voy yo allí!*

El principal nexo disyuntivo es la conjunción *o*. Como se puede observar por el tercer ejemplo, sucede con la conjunción *o* algo semejante a lo que ocurría con *y*: cuando la siguiente palabra comienza por *o-* u *ho-*, la conjunción adopta la forma *u*.

Cuando las coordinadas disyuntivas son varias, la conjunción puede ir inmediatamente antes de la última, o delante de todas. En este último caso, la repetición de

la conjunción produce un efecto expresivo de énfasis, como se aprecia en el ejemplo segundo y en el tercero.

La coordinación adversativa. La coordinación adversativa se produce cuando el significado de las dos oraciones se opone de tal manera que lo que una significa corrige el significado de la otra, o lo llega a excluir. De esta manera, algunas gramáticas distinguen entre adversativas restrictivas (que serían las primeras) y las adversativas exclusivas (que serían las segundas). Esta distinción, dentro de las adversativas, sólo se aplica a un caso especial: el significado excluyente de la coordinación adversativa sólo se alcanza con la conjunción *sino*, de tal manera que esta conjunción es el único representante del sentido exclusivo. El resto de conjunciones adversativas presenta el sentido restrictivo, como después veremos. Ofrecemos ahora dos ejemplos adversativos: el primero restrictivo, con la conjunción *pero* (que no es la única), y el segundo con la conjunción *sino*, con el sentido excluyente:

— *Juan no gana mucho, pero se permite algún lujo.*
— *Maradona no es buen jugador, sino un excepcional jugador.*

Al hablar de las coordinadas copulativas se mencionó la construcción de una oración afirmativa, más una negativa, que adquiere significado adversativo. La coordinación adversativa no presenta ninguna estructura a la hora de combinar oraciones afirmativas o negativas. Quiere esto decir que se puede conseguir el significado adversativo con cualquier combinación de oraciones afirmativas y negativas, pues éste no proviene de particularidades sintácticas, sino del propio significado de las oraciones y la interpretación que se les asigne. Es decir, el hablante puede relacionar con una coordinación adversativa cualesquiera oraciones siempre que por el contexto se entienda que existe una adversación semántica. Veamos algunos ejemplos:

1. *Juan no tiene dinero, pero eso no le preocupa.*
2. *Mi hermano suspendió el primer examen, pero aprobó el segundo.*
3. *María no tiene automóvil, pero llega la primera a todos los sitios.*
4. *Se acabó la bebida, pero no se pidió más.*

En estos cuatro ejemplos encontramos las cuatro combinaciones posibles (en oración compuesta de dos oraciones simples) de afirmativas y negativas, y en todas ellas cabe la coordinación adversativa.

Clasificación de las oraciones subordinadas

La subordinación sustantiva. *El sujeto oracional.* Hablamos de sujeto oracional (o de oración subordinada en función de sujeto) cuando la función sintáctica de la oración es la de sujeto del verbo de la oración principal. Veamos algunos ejemplos:

— Que el Papa nos visite *es un acontecimiento importante.*
— *Conviene* que trabajes.
— *Me preocupó* el que no vinieras a clase.

En estos tres ejemplos, las oraciones en redonda desempeñan la función de sujeto de sus verbos *es, conviene* y *preocupó,* por ese orden. Como se observa en estas oraciones, la subordinación sustantiva presenta el nexo *que* encabezando la oración (aunque no es el único de la subordinación, como se verá después). También pueden presentar el artículo *el* para reforzar la equiparación con los sustantivos.

El complemento directo oracional. Al igual que los sustantivos, las oraciones subordinadas sustantivas también pueden funcionar como complementos directos del verbo de la principal:

— *Juan dijo* que no venía.
— *Mi madre quería* que fuese a la Universidad.
— *No preguntes* si ha venido.
— *Yo sé* cuántos ríos tiene Francia.

Las subordinadas en redonda desempeñan la función de complemento directo de los verbos respectivos. Las oraciones que pueden funcionar como complemento directo de verbos son las enunciativas y las interrogativas, como queda reflejado en los cuatro ejemplos expuestos. En el caso de las enunciativas, el subordinante es el nexo *que.* En el caso de las interrogativas, los subordinantes dependen del tipo de interrogativa. Si ésta es total, el subordinante es la conjunción *si:*

— *Te he preguntado* si querías mate.
— *¿Sabes* si hemos ganado el campeonato?

Si la interrogativa es parcial, él subordinante es el pronombre interrogativo que lleve la oración:

— *Te he preguntado* qué has dicho.
— *Jamás sabrán* cuándo hicimos el experimento.
— *Dime* cuántas muñecas tienes.

Como se aprecia en los ejemplos, las oraciones interrogativas se hallan subordinadas al verbo de la oración principal, la cual puede ser, a su vez, interrogativa o no serlo. Este tipo de interrogativas recibe el nombre de INTERROGATIVAS INDIRECTAS, por hallarse subordinadas, y se diferencian claramente de las interrogativas directas:

— *¿Quieres mate?*
— *¿Qué has dicho?*
— *¿Cuándo hicimos el experimento?*

Una particularidad sintáctica reseñable de las interrogativas indirectas es que a veces presentan un *que* delante del nexo suyo propio, aunque éste sea el pronombre interrogativo *qué:*

— *Te he preguntado* que si querías mate.
— *Me preguntaron* que qué había dicho.

El complemento oracional de un sustantivo. Un sustantivo puede ser complemento de otro sustantivo, como en *Juan tiene miedo de la reprimenda.* Esta función también puede ser desempeñada por una oración subordinada. En este caso, la oración siempre es término de la preposición *de,* la cual se encarga de relacionar el sustantivo núcleo con su complemento oracional. De esta manera, la oración subordinada depende de la preposición y a ella debe su funcionamiento sintáctico. La conjunción que encabeza las oraciones de este tipo siempre es *que*. Veamos algunos ejemplos:

— *Juan tiene miedo de que su padre lo castigue.*
— *Nadie tiene la seguridad de que no se produzca una guerra.*
— *Maradona tiene la opinión de que su selección va a ganar el mundial.*

Cuando la preposición no es *de*, la oración deja de ser subordinada sustantiva para pasar a subordinada adjetiva o de relativo, como en:

— *No me gusta la atención con que nos tratan.*

En este ejemplo, la preposición *que* no relaciona el sustantivo *atención* con la subordinada, pues esta preposición viene determinada por el verbo *tratar: tratar con atención*.

El complemento oracional de un adjetivo. Un sustantivo, además de complemento de otro sustantivo, puede funcionar como complemento de un adjetivo, como en *Oscar está contento de su suerte*, donde el sustantivo *suerte* es complemento del adjetivo *contento*. Por ello, una oración subordinada puede funcionar como complemento de un adjetivo:

— *Oscar está cansado de que no le dejemos jugar.*
— *Mi padre siempre está dispuesto a que juguemos al ajedrez.*
— *María está harta de que la llamemos.*

Al contrario que en el caso de las sustantivas complemento de un nombre, las subordinadas complemento de un adjetivo no presentan una preposición específica de su uso. Sin embargo, los gramáticos aún no están de acuerdo respecto de la caracterización sintáctica de la preposición. Algunos afirman que viene impuesta por el tipo de adjetivo, sobre todo si éste proviene de un verbo (*disponerse a = estar dispuesto a*),

mientras que otros sostienen que el empleo de otras preposiciones que *de*, introduce matices de significación causales, finales, etcétera.

Al igual que en el caso de las oraciones complemento de un sustantivo, en el caso de las que son complemento de un adjetivo, la preposición se encarga de ligar el adjetivo con la oración, y ésta se convierte en término de la preposición, dependiendo directamente de ella. El nexo que encabeza la oración subordina, y el que mantiene esa subordinación, es siempre la conjunción *que*.

La subordinación adjetiva. Una oración subordinada puede ser complemento de un nombre de la misma manera que un adjetivo. Se diferencian de las subordinadas sustantivas complemento de un nombre en que en las adjetivas no es obligatoria la preposición. Según sea el tipo de complementación de la subordinada adjetiva, se clasifican en explicativas, cuando la oración aporta información adicional sobre el sustantivo, y especificativas, cuando la oración individualiza el sustantivo con la información que aporta.

La organización sintáctica de la subordinación adjetiva. La subordinación adjetiva es, probablemente, la subordinación más compleja en nuestra lengua. Y ello se debe a un motivo claro: los nexos que introducen las subordinadas adjetivas no son simples marcadores de la subordinación, sino que refieren a un ANTECEDENTE de la oración principal, con el cual mantienen una relación de correferencia, y además desempeñan una función sintáctica dentro de su propia oración. De esta manera, las dos unidades correferenciadas (el antecedente y el nexo subordinante, que recibe el nombre de RELATIVO) desempeñan una función sintáctica dentro de su oración respectiva, es decir, el antecedente en la principal y el relativo en la subordinada. Esas funciones pueden ser la misma; por ejemplo, ambos pueden ser sujetos de sus respectivas oraciones, pero pueden también ser distintas. Veamos algunos ejemplos aclaratorios:

— *El* CHICO *que vino ayer ha preguntado por ti.*
— *Han traído las* COSAS *que pediste.*
— *Me he comprado el* RELOJ *que te gusta.*
— *La cena se celebró en la* CASA *que vimos ayer.*

Se han escrito en mayúsculas los antecedentes de los relativos, los cuales van en cursiva para mayor claridad. En la primera oración, el antecedente es *chico*, el cual es sujeto de su oración (*el chico ha preguntado por ti*); su relativo también es sujeto de su propia oración (*que vino ayer*). En la segunda oración, el antecedente y el relativo funcionan como complementos directos de sus respectivas oraciones. En la tercera, *reloj* es complemento directo de su oración, y *que* sujeto de la suya. En la última, *casa* forma parte del sintagma preposicional complemento circunstancial del verbo *se celebró*, y su relativo, *que*, es complemento directo de su oración.

Cuando el verbo de la oración subordinada selecciona preposición para la función desempeñada por el relativo, ésta debe colocarse antes de él en la disposición de la oración compuesta, aunque el verbo se coloque en último lugar:

— *El chico a quien llamaste ha venido.*
— *La persona en quien más confías al final te traiciona.*
— *La mujer con la que te casaste es mi prima.*

Las preposiciones *a* (de *a quien*), *en* (de *en quien*) y *con* (de *con la que*) vienen seleccionadas por los verbos de las oraciones subordinadas adjetivas: *llamar* A *alguien*, *confiar* EN *alguien* y *casarse* CON *alguien*.

Diferencias entre subordinación especificativa y explicativa. La diferencia que existe entre adjetivos especificativos y explicativos del nombre se reproduce en las subordinadas adjetivas, hablando entonces de oraciones especificativas y explicativas. Antes se mencionó que el término que se le asigna al nexo de la subordinación adjetiva es el de RELATIVO. Extendido éste al resto de la oración, se llama también a las subordinadas adjetivas ORACIONES DE RELATIVO. Así pues, tenemos oraciones de relativo especificativas y oraciones de relativo explicativas.

Las oraciones especificativas individualizan a su antecedente, es decir, al sustantivo que complementan, lo especifican, lo restringen. Esta relación tan estrecha entre sustantivo y oración se refleja en la enunciación en el hecho de que forman un grupo fónico solidario, y en la escritura en la ausencia de coma, frente a las explicativas, que sí la presentan. A continuación, veamos algunos ejemplos:

— *La mesa* que arregló tu padre *se ha vuelto a romper.*
— *El niño* que vino ayer *ha vuelto hoy.*

En estos dos ejemplos, las oraciones en redonda restringen el significado de *mesa* y *niño*, lo individualizan. En este sentido, la información que ellas aportan es esencial para el entendimiento de la oración compuesta, pues se puede interpretar que hay más de una mesa o más de un niño, y las oraciones entonces aclararían la mención particular de tal mesa o tal niño. Por esa significación especial, las oraciones de relativo especificativas no se pueden suprimir, sin que ello represente importantes modificaciones semánticas en la oración.

Las oraciones de relativo explicativas, sin embargo, aportan al sustantivo antecedente una información adicional, no necesaria; no hacen sino expresar una cualidad o circunstancia del sustantivo. Por ello, su dependencia, tanto sintáctica como semántica, respecto del antecedente, es mucho más relajada que en el caso de las especificativas. Este hecho se registra fonéticamente por una pausa en el discurso, y en la escritura por la presencia de dos comas, que envuelven la oración de relativo:

— *La mesa*, que arregló tu padre, *se ha vuelto a romper.*
— *El niño*, que vino ayer, *ha vuelto hoy.*

La oraciones en redonda representan aquí una información adicional, lateral, de tal manera que su presencia no es obligatoria para el perfecto entendimiento de la oración. Aquí ya no hay dos o más mesas o niños, sino una sola mesa y un solo niño, de los cuales se nos presenta una información adicional.

La subordinación circunstancial. La determinación de la subordinación circunstancial se realiza con criterios semánticos, de tal manera que en muchas ocasiones se confunden e incluso se llegan a perder las diferencias entre los tipos de subordinadas circunstanciales.

Las subordinadas de lugar. La Gramática de la Academia distingue entre subordinadas de relativo de lugar y subordinadas circunstanciales de lugar. Las primeras presentarían como nexo la secuencia *en que* y las segundas el adverbio *donde*:

— *La escuela en que estudié de niño.*
— *La escuela donde estudié de niño.*

Sin embargo, esa distinción nos parece inexistente, y así clasificamos a las oraciones subordinadas con *en que* y *donde* como circunstanciales de lugar. Estas oraciones subordinadas pueden llevar un antecedente expreso o sobreentenderse (en este caso se sobreentiende *lugar*), que puede ser un sustantivo o un adverbio de lugar:

— *Juan está siempre donde nadie le encuentra.*
— *Llegamos allí donde nace el río Ebro.*
— *Quiero ver la tumba donde yace Cervantes.*

Con los verbos de movimiento, como *ir, venir, viajar, llegar,* etc., *donde* puede presentar las formas *a donde* y *adonde*, sin que exista una distinción en el uso de una u otra, ya que son totalmente equivalentes:

— *Fuimos donde estaba la casa.*
— *Fuimos a donde estaba la casa.*
— *Fuimos adonde estaba la casa.*

Las subordinadas de tiempo. Con estas oraciones subordinadas se expresa el tiempo en que transcurre lo significado en la oración principal. Su antecedente puede ser un adverbio, locución o sustantivo que indique tiempo. Esa indicación temporal de la subordinada siempre va en relación con la principal, de tal manera que es esa relación la que decide los nexos que presenta la subordinada circunstancial de tiempo.

Si la relación temporal entre la principal y la subordinada es de simultaneidad, es decir, que las acciones se producen, más o menos, en el mismo intervalo de tiempo, los nexos pueden ser los siguientes: *cuando, mientras (que), mientras tanto, entre tanto que,* etc.:

— *Cuando Juan llegó, Pedro se marchaba.*
— *Mientras mi madre preparaba el viaje, yo me escapé a despedirme de ti.*
— *Entre tanto que hacemos la cena, puedes sacar los cubiertos.*

Cuando la relación es de sucesión inmediata, los nexos pueden ser muchos y variados: *en cuanto, apenas, aun no, no bien, luego que, así como, tan pronto como,* etc.:

— *En cuanto (apenas/luego que/así como) saliste de casa, llegó tu hermano.*
— *Tan pronto como se fue la luz, volvió de nuevo.*

Cuando la sucesión mediata es de anterioridad, los nexos pueden ser *primero que* y *antes (de) que*. Si la sucesión mediata es de posterioridad, el nexo es *después (de) que*:

— *Antes de que saliese el número, ya lo había cantado yo.*
— *Después de que salió el número, yo lo canté.*

Las subordinadas de modo. Las oraciones de modo o modales indican la forma o manera en que sucede la acción de la oración principal. Los nexos principales de la subordinación modal son *como* y *según*, cuyos antecedentes pueden ser un adverbio de modo o un sustantivo que indica modo, como *manera, procedimiento, forma,* etc.:

— *Lo hicimos así, como tú querías.*
— *Todo salió según dijiste.*
— *La selección jugó como todo el mundo esperaba.*

171

Las subordinadas comparativas. Usamos la estructura comparativa cuando queremos relacionar dos hechos desde el punto de vista del modo o la cantidad, viéndolos como iguales o desiguales. Comenzaremos por estudiar las comparativas de modo.

1. *Las comparativas de modo.* Con las comparativas de modo se relacionan dos hechos considerados semejantes en cuanto a su cualidad o modo. La relación se establece a través de una pareja de unidades especializadas en el uso comparativo de modo, como por ejemplo *como... así, así como... así también*, etc.:

— *Como el frío que pasé en la montaña, así lo pasaréis vosotros.*
— *Así como a mí me lo han hecho, así también a vosotros os lo harán.*

2. *Las comparativas de cantidad.* La estructura comparativa de cantidad relaciona dos hechos en cuanto a su cantidad (ya sea intensidad, ya sea número) como relación de igualdad o de desigualdad. Cuando la comparación de igualdad es en cuanto a la cualidad, se emplea la secuencia *tal... cual.* Si la comparación de igualdad es de cantidad, se emplea *tanto... como.* Las locuciones *igual... que, lo mismo... que* se emplea también la comparación de igualdad. Veamos algunos ejemplos:

— *Espero que tal volvamos cual vamos.*
— *Tanto dinero tienes cuanto gastas.*
— *Juana es igual de guapa que su hermana.*

En cuanto a las comparativas de desigualdad, ésta puede ser de superioridad, cuando el elemento superior se halla en la oración principal, o de inferioridad, cuando el elemento inferior se encuentra en la principal. La superioridad se expresa sintácticamente a través de dos procedimientos: la secuencia *más... que (de)* o *adjetivo comparativo... que.* Veamos algunos ejemplos ilustrativos:

— *Maradona gana más dinero que Hugo Sánchez.*
— *Maradona es superior que Hugo Sanchez.*

— *Juan es más alto que tú.*
— *Juan es mayor que tú.*

En cuanto a la inferioridad, ésta también presenta dos procedimientos sintácticos de expresión, muy semejantes a la superioridad: *menos... que* o *adjetivo comparativo... que*:

— *Hugo Sánchez gana menos dinero que Maradona.*
— *Hugo Sánchez es inferior que Maradona.*
— *Mi casa tiene menos cuartos que la tuya.*
— *Mi casa es menor que la tuya.*

Las subordinadas finales. Las subordinadas circunstanciales finales expresan el fin o la intención con que se realiza la acción expresada por la oración principal. Sus principales nexos subordinantes son *para que* y *a fin de que*:

— *Juan ha pagado todo ahora para no tener que pedir después.*
— *No quiero saber nada de ese asunto, a fin de que no se preocupe mi madre.*

En estos ejemplos se plasman dos características sintácticas de la subordinación final complementarias. Cuando el sujeto de la oración principal y el de la subordinada son el mismo, el verbo de esta última va en infinitivo y se suprime el nexo *que*, como en la primera oración aparece construido. Cuando los dos sujetos son diferentes se emplea el subordinante *que* y el verbo de la subordinada va en modo subjuntivo, como se puede observar en el ejemplo segundo.

Las subordinadas causales. Las oraciones circunstanciales de causa expresan la razón o motivo por el que se realiza la acción expresada en la oración principal. Varias de las conjunciones causales han perdido grandemente su frecuencia, y alguna otra, que en principio no lo era, presenta hoy día significado causal. Los principales nexos de subordinación causal son *pues, pues que, porque, puesto que, ya que, como* y algún otro. Veamos un ejemplo de cada uno de estos nexos causales:

— *No viene a clase pues estará enfermo.*
— *Mi madre no puede caminar pues que tiene artrosis.*

— *El partido se ganó porque todo el equipo jugó bien.*
— *La hipótesis se rechazó puesto que no había pruebas suficientes.*
— *He dejado de fumar ya que me perjudicaba la salud.*
— *Como no venías me he preocupado.*

Las subordinadas consecutivas. Si la relación entre la subordinada causal y su principal es que la primera presenta el motivo de la segunda, la relación puede darse la vuelta de tal manera que la segunda sea consecuencia de la primera:

— *Mario no viene este año porque ha suspendido.*
— *Mario ha suspendido, pues no viene.*

Las subordinadas consecutivas expresan la consecuencia de algún hecho que aparece en la oración principal. La oración subordinada va introducida por el nexo *que*, el cual, como señala la Academia Española, se refiere a los antecedentes *tanto, tan, tal, de modo, de manera, así.* Veamos un ejemplo con cada uno de estos nexos:

— *Ha ganado tanto dinero que no sabe qué hacer con él.*
— *Es tan guapa que hasta ella se lo ha creído.*
— *Su inteligencia era tal que se lo llevaron a los Estados Unidos.*
— *Haremos la maniobra de modo que se no note nada.*
— *Juega de una manera que sorprende.*
— *El profesor estaba así de enfadado que no pude contarle el asunto.*

Las subordinadas condicionales. Con la estructura condicional expresamos que lo significado en la oración principal sólo se realiza si se cumple lo indicado en la subordinada. Es decir, la subordinada es CONDICION del cumplimiento de la principal; de aquí le viene el nombre de subordinación condicional. La conjugación que relaciona ambas oraciones es *si.* Cada una de las oraciones que forman la estructura condicional recibe un nombre específico: la oración subordinada, la que expresa la condición, se denomina PROTASIS. La oración principal, la que se cumple con la condición de la otra, se denomina APODOSIS. A continuación incluimos una lista de oraciones condicionales, en la que se ha destacado la prótasis en cada uno de los casos:

— Si Maradona no juega, *perderemos el partido.*
— *No comeré nada si no me traes el regalo que te pedí.*
— Si no os calláis, *no os dejo el balón de fútbol.*
— *Cógelo si puedes.*

En los ejemplos segundo y tercero nos encontramos con dos prótasis negativas, es decir, con dos condiciones negativas. La combinación *si* condicional más adverbio de negación *no* debe distinguirse de la conjunción adversativa *sino*, pues la primera son dos palabras distintas que, por tanto, se escriben separadamente, y la segunda es una sola palabra.

Las subordinadas concesivas. Con la estructura concesiva se relacionan oraciones de tal manera que la subordinada representa un obstáculo para que se realice la principal, pero en ningún caso lo impide. Es como una condición insuficiente, es decir, que no se tiene en cuenta.

El modo verbal de la oración subordinada puede ser indicativo o subjuntivo. La diferencia de matiz entre el empleo de uno y otro modo es la siguiente: cuando empleamos el modo indicativo, la condición insuficiente que representa la subordinada concesiva es real:

— *Aunque juega Maradona, les ganaremos.*

Si se emplea el modo subjuntivo, esa condición insuficiente se interpreta como posibilidad, no como realidad efectiva:

— *Aunque juegue Maradona, les ganaremos.*

Las principales conjunciones o nexos concesivos son *aunque, a pesar de que, aun cuando, así*, etc.:

— *A pesar de que no tenemos abrigo, vamos a salir.*
— *Aun cuando no tengamos abrigo, saldremos.*
— *Así juegue Maradona, les ganaremos.*

173

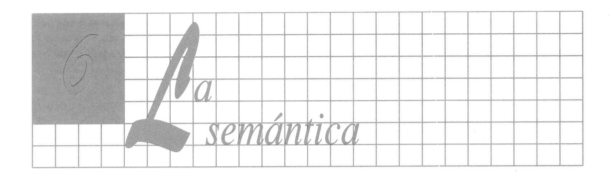

La semántica

INTRODUCCION

Entre las disciplinas que se dedican al estudio del lenguaje, la semántica es la que se centra en el análisis del significado de las palabras. A lo largo de la historia la semántica ha sido considerada como una rama más cercana a la filosofía, a causa de las relaciones que estableció Aristóteles entre la lógica y el lenguaje, que a los estudios propiamente lingüísticos. En un principio, las investigaciones sobre el significado de las palabras se limitaban a la búsqueda de su etimología, entendiendo como tal el estudio del origen y evolución de las palabras y de su significado originario.

Hasta finales del siglo XIX no le será reconocida una cierta autonomía a la semántica dentro de las ciencias lingüísticas, pero limitada al estudio de la historia de las palabras y los cambios de su significado a lo largo del tiempo.

Con la publicación del *Curso de lingüística general*, en 1906, por Ferdinand de Saussure, se abre camino una nueva concepción de la semántica como parte de la semiología o semiótica, ciencia general de los signos en la vida social. Para Saussure, es la comunidad de hablantes la que acuerda el valor significado de cada palabra, y únicamente será posible establecer un cambio, ampliación o restitución de los significados si el conjunto de la comunidad así lo decide.

A partir de esta formulación, la semántica ha recibido un enorme impulso que, unido a la aparición de los primeros trabajos de Noam Chomsky en los últimos años de la década de los cincuenta, la ha situado en un lugar preeminente entre las ciencias que se dedican al estudio del lenguaje.

Dentro de la semántica se pueden distinguir diferentes métodos de acercamiento al lenguaje:

- Semántica lingüística, que se centra en las relaciones existentes entre el significante y el significado desde todas las perspectivas posibles dentro de los límites lingüísticos.
- Semántica filosófica o lógica, que se dedica a estudiar el sistema de normas que nos garantizan la relación entre el signo lingüístico y el objeto de la realidad con el que se corresponden y al cual se refiere.
- Semántica psicolingüística, que analiza las relaciones entre el lenguaje y la actividad psíquica del individuo, junto a las posibles influencias comunes.
- Semántica sociolingüística, que se basa en la afirmación de que el lenguaje es un hecho social, por lo que se dedica a estudiar sus relaciones con los comportamientos de la sociedad que lo utiliza.

LA LEXICOLOGIA

La lexicología está considerada como una ciencia dependiente de la semántica, ya que, mientras ésta trata sobre el estudio del significado, la lexicología se limitaría a estudiar los procesos de derivación de las palabras. Pongamos por ejemplo la palabra *casa*. La semántica se encargará de analizar las relaciones que la unen con el concepto de recinto destinado a servir de residencia y las posibles connotaciones que adquiere en un determinado contexto.

Por su parte, la lexicología trataría de explicar por qué cuando a esta palabra se le añade un sufijo, pongamos por caso *-erio*, da lugar a una nueva palabra con un valor definido, *caserio*, pero si esa misma terminación la sumamos a otras palabras, como por ejemplo *hogar* o *vivienda*, da lugar a formaciones anómalas, como *hogarerio* o *vivienderio*.

Los alcances y límites de esta ciencia se encuentran muy difuminados entre otras disciplinas, en gran medida a causa de una falta de tradición, ya que se trata de una rama relativamente reciente dentro de la lingüística.

LA LEXICOGRAFIA

La lexicografía se dedica al estudio e investigación de una lengua con el fin de confeccionar sus diccionarios. Esta disciplina cuenta con una muy amplia tradición, y ya en el año 2600 a. C. se documentan las primeras referencias a un vocabulario o lista de palabras de origen acadio.

El objeto de la lexicografía presenta un carácter muy heterogéneo, ya que una lengua puede ser analizada desde diferentes perspectivas.

Los diccionarios más usuales son aquellos que intentan recoger todas las palabras de una lengua ordenándolas alfabéticamente, sobre las que nos ofrecen su ortografía correcta junto a una descripción de su significado o significados. En este tipo de diccionarios, denominados descriptivos, las formas flexivas, es decir el género y el número, no aparecen separadamente, sino que son remitidas al vocablo que se considera fundamental. Por ejemplo, en la entrada de la voz *niño* encontraremos la definición apta tanto para ella como para sus variantes femenina y plural, así como para sus compuestos y derivados, salvo en el caso de que estos dos últimos tipos hayan cobrado una autonomía plena como palabra, por lo que aparecerán como vocablos independientes. Sería el caso de los derivados *neñira* o *niñez,* pero no de los aumentativos y diminutivos *niñito, niñato* o *niñaza*.

En el caso de los verbos se suelen remitir en el español a su definitivo todas las informaciones referentes a su conjugación.

También es norma frecuente que los diccionarios, junto a esta información, incluyan la caracterización gramatical de la palabra indicando si se trata de un sustantivo, adjetivo, verbo, adverbio, etc.

El desarrollo de la lingüística ha llevado parejo un avance de la concepción de la lexicografía, lo que ha dado lugar a la realización de nuevos diccionarios basados en diferentes visiones de la lengua; así podemos encontrar diccionarios *históricos* y *etimológicos,* en los que se describe la historia de cada palabra y su origen etimológico; diccionario *ideológicos,* aquellos en los que las palabras son ordenadas según sus relaciones semánticas o ideológicas por grupos; los diccionarios de *sinónimos* y *antónimos;* los diccionarios *técnicos,* especializados en la terminología propia de una ciencia determinada; los diccionarios de frases hechas y refranes, o los bilingües o trilingües, en los que la explicación de una palabra se hace por medio de su equivalente en otra lengua destinados al aprendizaje de idiomas.

EL ARTICULO LEXICOGRAFICO

Por artículo lexicográfico se define el enunciado que en un diccionario pretende dar cuenta de la significación de una palabra. Esta definición se puede realizar siguiendo dos métodos diferentes: el sustancial y el relacional.

Una definición sustancial de una palabra es aquella que quiere responder a la pregunta ¿Qué cosa es X?, entendiendo por X la palabra a definir. Estas definiciones se pueden hacer de dos modos distintos, según el carácter que se le dé. Así, en primer lugar es posible realizarla partiendo de un incluyente positivo, que es la caracterización de la palabra partiendo de lo que es. Un ejemplo: si definiendo la palabra *pastor* encontramos el artículo «hombre que cuida el ganado», vemos que tal definición se realiza mediante la afirmación de sus propiedades. Dentro del incluyente positivo podemos distinguir dos clases: el incluyente lógico, que ha de abarcar a la palabra por medio de otra palabra de su misma categoría gramatical. En el caso de *pastor, hombre* sería su incluyente lógico. Por su parte, el incluyente sémico es el que señala las propiedades de la palabra. En el caso de nuestro ejemplo, el incluyente sémico sería «que cuida el ganado». Los artículos hechos por medio de un incluyente positivo suelen ir encabezados por los introductores *acción de...*, *persona...*, *estado...*, muy generalizados en cualquier diccionario.

Un segundo modo de definición sustancial es el que se basa en un incluyente negativo, el cual parte de una oposición de contrarios, definiendo la palabra en cuestión por lo que no es. Un ejemplo sería la definición de la palabra *insípido*, para la que se emplea el artículo «que no tiene sabor», donde no se describe el significado de insípido directamente, sino que se niega el de su opuesto. En estas definiciones es corriente la intervención de un negador como *no*, o de introductores con valor negativo del tipo de *falto de...*, *privado de...*, etc.

Las definiciones sustanciales únicamente son válidas para aquellas palabras que poseen una carga semántica, es decir, que presentan un significado léxico que permite ser analizado. Por tales entendemos los sustantivos, los adjetivos, los verbos y los adverbios.

Una definición relacional, por su parte, es aquella que establece una relación entre la palabra definida y la que se emplea para su definición: la *definidora*.

Esta definición se puede realizar por medio de dos procesos. Será una definición relacional de transformador relativo aquella que describe el significado de una palabra apoyándose en una construcción de relativo, la cual ha de incluir un verbo que exprese posesión, acción o estado, y un infinitivo que presente la misma raíz que la palabra definida. Por ejemplo, la definición de *soportable*, según el artículo, «que se puede soportar».

Un segundo proceso sería a través de un transformador preposicional, el cual incluye una preposición o construcción de carácter prepositivo a la que seguirá un sustantivo o verbo en infinitivo relacionados semánticamente con la palabra definida. La definición de *apasionadamente, con pasión*, sería un ejemplo de artículo relacional de transformado preposicional.

Las definiciones relacionales son útiles para definir adjetivos y adverbios exclusivamente.

EL ANALISIS DEL SIGNIFICADO

Las palabras de una lengua se encuentran ordenadas en los diccionarios de acuerdo a su significado descriptivo. Por ejemplo, la palabra *jilguero* podemos encontrarla descrita como «pájaro cantor». En esta definición, *jilguero* se relaciona, por su sentido, con la palabra *pájaro*, de donde automáticamente deducimos que esta segunda nos lleva a interpretar la primera.

De igual modo se encuentran relacionadas, por su sentido con *jilguero*, palabras como *canario, ruiseñor gorrión* o *pintadillo, colorín, ave*, etc.

Como vemos, para la definición de una palabra utilizamos otras muchas que se encuentran íntimamente relacionadas con aquéllas, delimitando su significado. La estructura del vocabulario de una lengua ha de entenderse como un extenso y, a la vez, complejo conjunto de relaciones de sentido de muy diversos tipos.

LOS RASGOS DE SENTIDO

Para poder precisar estas relaciones, el método frecuentemente empleado por los semánticos es el análisis de rasgos, con el que se persigue la identificación de todos los rasgos de sentido que forman parte de una palabra. Por ejemplo, las palabras *hombre* y *mujer* nos conducen a la idea de seres humanos, de ahí que de ambas podemos extraer el rasgo «humano». De la misma manera, de *hombre* podemos extraer el rasgo *varón*, mientras que en mujer advertimos el rasgo *hembra*. Si tomamos dos nuevas palabras en nuestro análisis, *niño* y *niña*, podremos aislar nuevos rasgos que delimiten con mayor claridad el sentido de cada palabra. Así, *niño* presenta los mismos rasgos que hasta ahora hemos delimitado en *hombre*, pero este último presenta también el rasgo *adulto*, el cual no es compartido por *niño*. Igual relación se puede establecer entre *mujer* y *niña*, ya que el primero de estos vocablos posee el rasgo *adulto*, rasgo que no incluye *niña*.

Los resultados de este análisis podemos resumirlos de la siguiente manera:

hombre	mujer	niño	niña
+ humano	+ humano	+ humano	+ humano
+ varón	- varón	+ varón	- varón
+ adulto	+ adulto	- adulto	- adulto

Donde los signos positivos (+) señalan la presencia del rasgo marcado; así, en la palabra concreta y los signos negativos (—), apuntan su ausencia. En el caso de la aparición de rasgos complementarios como varón y hembra, es una práctica convencional considerar a uno de ellos como pertinente y definir al otro por la negación de éste. En nuestro ejemplo señalaremos como rasgo positivo + *varón*, por lo que el rasgo hembra será definido —*varón*.

Para representar los rasgos, también es práctica frecuente utilizar diagramas, señalando la intersección de los diferentes rasgos la definición de cada palabra (véase esquema 6.1).

TIPOS DE RELACIONES DE SENTIDO

Como hemos dicho anteriormente, las relaciones de sentido pueden formalizarse de varias maneras, pudiéndose agrupar en dos tipos: relaciones sustantivas o paradigmáticas y relaciones combinatorias o sintagmáticas.

Relaciones sustitutivas

Las relaciones sustitutivas se establecen entre los miembros de una misma categoría que pueden conmutarse entre sí. Podemos distinguir dos clases: la hiponimia y la incompatibilidad.

Nuestro anterior ejemplo sobre la palabra *jilguero* nos ayudará a mostrar la naturaleza de las relaciones de hiponimia. Jilguero es un hipónimo de pájaro, pues el sentido de jilguero entraña el de pájaro. Este tipo de relación es asimétrica, ya que la hiponimia se da en un solo sentido, como podemos ver en el ejemplo mencionado: el sentido de pájaro no entraña obligatoriamente el de jilguero, pues, si bien todo jilguero está incluido dentro del *conjunto* imaginario *pájaro*, no todo pájaro se puede clasificar como perteneciente al *conjunto* de los jilgueros.

Por incompatibilidad entendemos la relación que existe entre dos palabras que no pueden aparecer conjuntamente en la misma proposición. Por ejemplo, *gorrión* sería en cualquier contexto incompatible con *jilguero*, pues si decimos de un pájaro que es un gorrión, esto entraña necesariamente que no puede ser al mismo tiempo un jilguero, y viceversa.

Un caso especial de incompatibilidad es la complementariedad, denominación que se aplica a los términos que forman parte de una relación gradual. Un ejemplo de palabras complementarias sería el par *ardiente* y *gélido*, entre las cuales se encuentran una serie de términos que se van acercando gradualmente de uno a otro: *ardiente - caliente - templado - tibio - fresco - frío - helado - gélido*.

Relaciones combinatorias

Las relaciones combinatorias se establecen en el nivel sintagmático, y generalmente se dan entre miembros de diferentes categorías, por ejemplo entre sustantivos y adjetivos.

Una muestra de esta clase de relaciones es la establecida entre el adjetivo *rápido* y el sustantivo *coche*, pues es posible construir una proposición en la que aparezcan juntos que sea sintácticamente correcta y que posea un significado congruente: *coche rápido*. Por estos mismos motivos, no sería aceptable una relación combinatoria que se estableciera entre el sustantivo *coche* y el adjetivo *honrado*, ya que este último hace mención a una cualidad propia de los seres humanos, por ejemplo *hombre honrado*, pero nunca de un objeto mecánico, por lo que la proposición *coche honrado* no sería aceptable.

De este ejemplo podemos extraer que la lengua posee un gran número de términos que presentan una serie de restricciones de tipo semántico que determinan, de forma concluyente, sus relaciones combinatorias. Así, el adjetivo *soleado* posee un campo relacional muy limitado, y en la gran mayoría de los contextos en que aparezcan podremos predecir fácilmente que será acompañando a sustantivos como *día* o *mañana*, pero difícilmente lo hará con cualquier otro.

LA MOTIVACION DE LAS PALABRAS

Desde muy antiguo, los estudiosos del lenguaje se han preguntado por los motivos que dan lugar a la creación de una palabra, cuestión que ha llegado hasta nuestros días. Fundamentalmente son dos las teorías que se enfrentan a la hora de encontrar una respuesta; por un lado, se agrupan aquellos que opinan que las palabras tienen su origen en el sonido de aquello a lo que aluden, afirmando que la onomatopeya consiste en la imitación de los sonidos reales mediante los procedimientos fonéticos de la lengua, es la forma primitiva del habla humana, y, por otro lado, encontramos a los autores que se inclinan a pensar que es una cuestión en la que entran a formar parte la tradición y las convenciones mantenidas por los hablantes a lo largo de la historia. Cada una de estas tendencias presenta una serie de argumentos a su favor de gran peso; sin embargo, el problema por el momento no se ha resuelto de manera convincente para todos.

Lo que de cualquier forma es innegable es que todas las lenguas poseen palabras que son consideradas en su origen como arbitrarias u opacas, es decir, en las que no se encuentra relación alguna entre sus sonidos y sus significados, y otras que muy bien podrían ser motivadas o transparentes.

TIPOS DE MOTIVACION DE PALABRAS

Las palabras pueden estar motivadas por onomatopeyas, por la forma de otras palabras y por relaciones de significado, lo que ha dado pie al lingüista S. Ullmann para distinguir tres tipos de motivación: fonética, morfología y semántica.

Motivación fonética

Las palabras onomatopéyicas son las únicas que muestran una relación directa entre su sonido y su significado. Dentro de este tipo de palabras se pueden distinguir dos clases de motivación: la de aquellas en las que se da una imitación del sonido por medio de otro sonido, por ejemplo *miau*, *guau*, y aquellas en las que la palabra hace

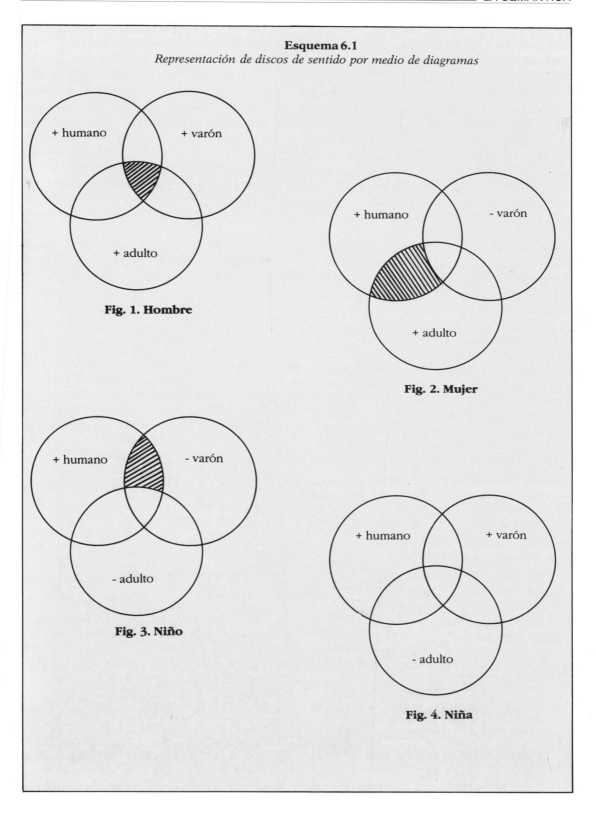

Esquema 6.1
Representación de discos de sentido por medio de diagramas

Fig. 1. Hombre

Fig. 2. Mujer

Fig. 3. Niño

Fig. 4. Niña

referencia a un movimiento, por ejemplo *zigzag, tictac.* La gran mayoría de las palabras que son motivadas de esta forma responden al segundo tipo.

Con gran frecuencia, estas palabras son reconocibles por la alternancia de vocales o la repetición de consonantes que presentan, característica más evidente cuanto más estrecha es la relación entre la palabra y el sonido. Así, lo comprobamos en la palabra *dindon*, que alude al sonido provocado por una campana.

Ocurre también que cuando un sonido se combina con un significado, se convierte en onomatopéyico. Esta es una práctica habitual en los poetas. Por ejemplo, en el verso de San Juan de la Cruz *el silbo de los aires amorosos,* el significado se ve reforzado por la expresividad de la estructura fonética en una especie de resonancia del sonido que produce el soplar del viento. Pero, cuando este efecto no es provocado, el sonido de la palabra pierde esta capacidad. Si extraemos la palabra *amorosos* del verso anterior, vemos que ese carácter sugestivo queda disuelto al no encontrarse con otros vocablos de fonetismo similar.

Podemos resumir, finalmente, que, aun en los casos en que se da una onomatopeya, ésta únicamente cobra sentido en aquellas situaciones en que sea favorecida por el contexto.

Motivación morfológica

La motivación morfológica para la creación de nuevas palabras se funda en asociaciones entre diferentes vocablos. Puede concretarse en los procesos de derivación y composición; por ejemplo, *caminante* y *correcaminos* se han formado a partir de la palabra *camino.*

Este procedimiento está basado, en el caso de la derivación, en la adición de sufijos a una raíz o base léxica. Podemos distinguir dos niveles: un primer nivel, cuando el sufijo se añade directamente a una palabra primitiva (por ejemplo, a partir de *pan* obtenemos panadero). El segundo nivel, cuando la nueva palabra se crea a partir del resultado del nivel anterior (así, tendremos de *panadero, panadería*).

El significado que los sufijos agregan a la palabra puede ser de muy variada naturaleza: aumentativo, por ejemplo de *casa, casón;* disminutivo, *casita;* despectivo, *casucha;* de posesión, *casero*, etc.

Dentro del grupo de los sufijos derivativos hemos de incluir los morfemas desinentes de la conjugación verbal. Partiendo de ellos tendremos, a partir de *amar,* «amó», «amábamos», «amarías», «amado», etcétera.

En cuanto a la composición, señalaremos que básicamente afecta al sustantivo, al adjetivo, al verbo y al adverbio.

Ejemplos:

> sustantivo + adjetivo: *pelirrojo*
> verbo + sustantivo: *tocadiscos*
> adverbio + verbo: *bienvenida.*

Si nos centramos en su contenido, por lo general una palabra compuesta suele abarcar una significación mayor a la de la suma de sus componentes, y, en gran medida, también distinta. En este punto hay que distinguir aquellos compuestos que no varían el significado de sus componentes, como por ejemplo *sordomudo*, y los que con la unión toman un nuevo sentido, caso de *fútbol*, procedente del inglés *football* (balompié).

Motivación semántica

La motivación semántica aparece cuando, para nombrar a un objeto, empleamos la palabra con la que designamos a otro, con el cual guarda una relación de cierta semejanza, ya sea ésta real o figurada. Por ejemplo, la palabra *cuello*, empleada para designar la parte del cuerpo que une la cabeza al tronco, junto a *cuello*, entendido como la parte estrecha de una botella. La misma relación guardan *cadena* en su acepción de conjunto de eslabones entrelazados, y *cadena* como una serie de estribaciones montañosas.

En el caso de muchas palabras motivadas semánticamente, esa relación entre el significado original y el figurado puede haber desaparecido, con lo que se pierde su motivación y los dos significados se sentirán como pertenecientes a palabras diferentes, entre las que parece no haber existido ninguna correspondencia, como, por ejemplo, entre la palabra *pupila* con el sentido de parte del ojo, y *pupila* como joven huérfana o discípula, o entre la palabra *cura*, «párroco», «sacerdote», y *cura*, procedimiento para sanar una herida. En estas ocasiones es preciso conocer la etimología de la palabra, su evolución histórica, para que el enlace sea posible.

EL PODER SUGESTIVO
DE LA PALABRA

Es una idea aceptada por todos que en muchas ocasiones el lenguaje se muestra incapaz de expresar correctamente aquello que ocurre en nuestro pensamiento. Tomemos por ejemplo la palabra *amistad*. Seguramente para cada hablante esta palabra encierra una serie de matices o de rasgos que la hacen diferente según la emplee una u otra persona. Es, por ello, que la lengua, como sistema de comunicación social, se ve obligada a prescindir de estos matices para preservar su validez comunicativa. Pero, aun así, no podemos olvidar que cada palabra contiene muchos aspectos que se escapan al control de la lengua.

A excepción de los nombres propios, y de algunos sustantivos comunes, que refieren a objetos únicos, las palabras que empleamos para aludir a las cosas se encuentran relacionadas por algún rasgo común, es decir, poseen un carácter genérico. Fijémonos en la palabra *fiesta*, puede referir a un acontecimiento privado o público, al aire libre o en un recinto cerrado, a una ciudad o a una casa, etc. *Fiesta* asume todos aquellos rasgos que en general afectan a cada apreciación y rechaza los particulares.

Pero esta generalización conlleva, a su vez, una idea de vaguedad al eliminar aquella que ofrece un valor individualizador y personal.

El significado de una palabra siempre depende del contexto situacional en el que se emplea. Por ejemplo, *balón* referirá sensaciones diferentes dependiendo de cada persona. Así, no significará lo mismo para un niño, un deportista, un aficionado, un comerciante, una persona poco interesada en el deporte o para un jubilado. Esta diversidad se presenta de forma más rotunda cuando la palabra posee un significado más abstracto, como, por ejemplo, *justicia, libertad, amor, miedo*, etc.

Es en esta propiedad del lenguaje, la sugestión, donde toma fundamento toda creación artística que esté relacionada con el lenguaje, la poesía, la literatura, el periodismo, etc. Un caso muy significativo es la publicidad. La eficacia de un anuncio reside en que la elección de un determinado mensaje sea la apropiada para acusar impacto entre sus receptores posibles.

Los procedimientos para conseguir esta clase de efectos son múltiples. La derivación es uno de ellos. Por ejemplo, cuando un niño emplea para referirse a su madre los términos *mamá, mamaíta, madraza*, etcétera, con cada uno de ellos expresa una modalidad afectiva diferente.

Otro mecanismo que infiere una carga afectiva a las palabras es su asociación con otras. Presentada así una determinada palabra, adquiere connotaciones nuevas gracias al contexto en el que se incluye. Por ejemplo, la serie *lluvia, sombras, fuego, grito* trae a la imaginación unas sensaciones muy diferentes a esta otra: *azul, almohada, cálido, pastor*. Cada una de estas palabras, a su propia significación suma aquellos rasgos con los que coincide con el resto de palabras que forman parte de su serie, con lo que su significado se ve enriquecido.

La entonación es también un factor a tener en cuenta a la hora de medir las connotaciones que toma una palabra. Así, no pronunciaría de igual forma la palabra *canalla* una madre que se dirige a su hijo y una persona que se encuentra en una discusión, siendo su significado muy diferente en cada caso.

EL SIGNIFICADO SEMANTICO

Hasta ahora nos hemos centrado en el análisis del comportamiento semántico de las palabras entendidas como entidades autónomas, pero hemos de considerar que éstas cobran completo sentido únicamente cuando entran a formar parte de una oración. Es por medio de las relaciones combinatorias cómo las palabras expresan con toda plenitud su significado.

Tomemos como ejemplo el siguiente par de oraciones:

— *María telefoneó a Juan.*
— *A Juan lo telefoneó María.*

En ambas, el contenido proposicional es el mismo, e incluso sintácticamente cada elemento cumple idéntica función en una y otra: *María* es, en los dos casos, el sujeto, y *telefoneó a Juan*, o *a Juan lo telefoneó*, es el predicado. La única diferencia que presentan es su ordenación, lo que condiciona el grado de información que aporta cada una de ellas. Esta variación en el orden de palabras es el reflejo de un orden prioritario que responde a las preocupaciones del emisor. Para éste, existe una información conocida, tema que, en nuestro ejemplo, coincide con *María*, sobre la que proporciona nuevos datos, lo que se conoce como *rema*, por lo que el rema, en este caso, será *telefoneó a Juan*.

La estructuración del contenido de una oración en tema y rema responde a dos modelos diferentes: el orden objetivo, en el que el tema precede al rema, tal y como muestra la oración *María telefoneó a Juan*, y el orden subjetivo, donde el rema es el que encabeza la oración, figurando por delante del tema, como en *a Juan lo telefoneó María*. En el español, el orden lógico de la oración coincide con el objetivo, pero, como hemos visto, también es posible hallar en nuestra lengua oraciones que respondan a una or-denación subjetiva, obedeciendo tal cambio a las condiciones contextuales de la enunciación.

El acento y la entonación también son factores a tener en cuenta en este procedimiento, pues, atribuyendo un énfasis especial a la parte considerada rema, en nuestro caso al sintagma *a Juan* en *María telefoneó a Juan*, se puede lograr en gran parte el mismo efecto comunicativo producido por *a Juan lo telefoneó María*.

La capacidad de advertir e interpretar estas variaciones son exclusivas de la competencia lingüística de cada hablante, siendo éste el que debe saber diferenciar su significado.

LA SINONIMIA

Para un desarrollo efectivo de la comunicación, lo ideal sería que a cada significante le correspondiera un significado, y viceversa. Pero esto no siempre ocurre en las lenguas. En el caso de la sinonimia, nos encontramos con dos o más palabras que poseen una representación gráfica y fonética distinta, pero que remiten a un significado muy similar o idéntico. Pongamos por ejemplo las palabras *pelea, lucha, combate*; o éstas, *coche, vehículo, automóvil*. Si comparamos sus formas, rápidamente advertimos que no existe ninguna conexión, pero es innegable que todas aluden a un mismo hecho, son sinónimas.

La siguiente pregunta que debemos plantearnos es que, si la sinonimia es absoluta, es decir, si en todos los contextos en que puedan aparecer dos palabras sinónimas, es posible que se sustituyan entre sí. Tomemos por caso las palabras *viejo* y *anciano*. Así, *Juan es un hombre viejo* y *Juan es un hombre anciano*. En estos ejemplos, cualquier hablante puede entender que el significado es el mismo, pero en este otro contexto: *Juan es un viejo amigo mío* y *Juan es un anciano amigo mío*, los significados de una y otra oración difieren. En el primer caso se hace referencia a una amistad de muchos años, mientras que el segundo se dice únicamente que un hombre de avanzada edad es amigo de otra persona. Como muestra este ejemplo, *viejo* tiene, al menos, un sentido que no comparte con *anciano*, por ello no podemos decir que ambos términos sean sinónimos absolutos.

Es por casos como éste que la gran mayoría de los lingüistas opinan que una sinonimia de esta clase es prácticamente imposible, y entre dos palabras diferentes, en la gran mayoría de los casos, es posible encontrar una distinción, por difícil que sea demostrarla.

Podemos resumir, entonces, que la sinonimia se produce en una determinada lectura, pero no en todos los contextos. En una serie de sinónimos, cada unidad presenta unos rasgos característicos que la separan del resto. En relación con ello, una cuestión interesante es la posibilidad efectiva que posee el hablante o escritor de elegir entre varios sinónimos en virtud de su personalidad, lo que hará según las condiciones contextuales en que se encuentre. Por ejemplo, para aludir a la muerte encontramos los términos *morir, fallecer, dormir, extinguirse, expirar, acabar* o *entregar el alma*, todos ellos con un significado sinónimo, siendo difícil explicar por qué se opta por uno de ellos desestimando los demás.

Esta característica influye poderosamente en la confección de un estilo entre los escritores, y son conocidos casos, entre ellos el mismo Juan Ramón Jiménez, que corregían una y otra vez sus obras buscando una mayor expresividad.

LA COMBINACION DE SINONIMOS

En muchas ocasiones, cuando hablamos o escribimos, para evitar la repetición de una misma palabra en un intervalo corto dentro del mismo enunciado, recurrimos al empleo de un sinónimo. Esta práctica puede traer consigo el riesgo de crear posibles ambigüedades, pues, como hemos visto, no

es tarea fácil hallar sinónimos absolutos, y también, lo que resulta de mayor gravedad, caer en el defecto de la falsa elegancia y artificiosidad en la expresión, por lo que se ha de poner el máximo cuidado para evitarlo.

En el caso de la poesía podemos encontrar numerosos ejemplos en los que una acertada combinación de sinónimos contribuye a crear una escala emocional de una gran calidad expresiva, como, por ejemplo, estos versos de San Juan de la Cruz: *Estaba tan embebido, tan absorto y ajenado...*, donde la sinonimia de *embebido, absorto* y *ajenado* da lugar a una emotiva descripción de un estado. Otro ejemplo de este procedimiento sería esta reiteración: *te quiero, te amo, te deseo...*

Por último, queremos señalar que por medio de una combinación de sinónimos se puede conseguir un efecto irónico, o también paradójico. Ejemplo: *Hay que saber mirar lo que se ve.*

LA ANTONIMIA

Denominamos palabras antónimas a aquellas que poseen significados contrarios. Es, por tanto, la antonimia el fenómeno opuesto a la sinonimia.

Podemos distinguir dos tipos de antonimia: la que se realiza por medios gramaticales y la que tiene un origen léxico.

Las antonimias gramaticales se forman por la adición de un prefijo con sentido negativo a una palabra. Estos prefijos dan a la palabra un valor contrario al suyo original. Entre los prefijos más utilizados distinguimos: *a-, des-, dis-, in-* y *no.*

Ejemplos:

moral	— *amoral*
enchufar	— *desenchufar*
gustar	— *disgustar*
dependencia	— *independencia*
realista	— *no realista*

Las antonimias léxicas no afectan a la estructura gramatical de la palabra. Se producirá una antonimia absoluta cuando las palabras sean monosémicas, es decir, que únicamente presenten un significado posible.

Ejemplo:

> siempre — nunca
> bondad — maldad
> antes — después

Si una o las dos palabras son polisémicas, la antonimia entonces sólo existirá parcialmente.

Ejemplo:

> *Libre se opone a ocupado en un sentido muy diferente a como se opone a preso.*

LA HOMONIMIA

La homonimia afecta a las palabras que, teniendo la misma estructura fonética, poseen diferentes significados. Por ejemplo, *bello* y *vello* son dos palabra homónimas, pues, pronunciándose igual, la primera tiene un significado cercano a hermoso, bonito, mientras la segunda se refiere al pelo que aparece en algunas partes del cuerpo.

Este fenómeno nos conduce, en muchos casos, a la ambigüedad, por lo que es preciso situar a la palabra dentro de un contexto en el que se pueda diferenciar a cuál de ellas se está haciendo mención.

La homonimia se produce en el lenguaje oral con mayor frecuencia, pues, al hablar, el grupo fónico es pronunciado sin interrupción, mientras que en la escritura la ortografía nos permite, en algunos casos, diferenciar los homónimos con mayor claridad. En su aspecto fonético precisamente se basan muchos juegos de palabras; por ejemplo, el conocido *oro parece, plata no es* (= plátano es). Este recurso también ha sido aprovechado en la poesía, como en este verso de Góngora: *con dados ganan condados*.

El origen de la homoninia se encuentra en la coincidencia fonética de dos palabras en su evolución histórica. Por ejemplo, *asta*, procedente del latín *hasta*, en un mo-

mento de su historia se cruzó con *hasta*, en latín *usque*, pasando ambas formas a pronunciarse de igual manera.

CLASES DE HOMONIMIA

La homonimia se puede dividir en cuatro apartados, atendiendo a su significado, forma y ortografía. Así:

Hablaremos de homonimia parcial cuando la diferencia entre dos palabras homónimas es tanto semántica como de categoría gramatical.

Ejemplos:

> *tubo* (pieza cilíndrica hueca)
> *tuvo* (del verbo «tener»).

Homónimos absolutos son los que presentan únicamente una diferencia en el plano semántico.

Ejemplos:

> *ablando* (del verbo «ablandar»)
> *hablando* (del verbo «hablar»).

Homónimos gráficos son los que tienen la misma ortografía. A su vez, éstos pueden ser parciales cuando presentan una diferencia semántica y de categoría gramatical.

Ejemplos:

> *bote* (del verbo «botar»)
> *bote* (pequeña vasija).

Y absolutos, en los que la única diferencia es semántica, coincidiendo su ortografía y categoría gramatical.

Ejemplos:

> *bala* (de algodón)
> *bala* (de fusil).

Por último, la homonimia paradigmática, presente sólo en la conjunción verbal. Esta clase se subdivide en homónimos que presentan una diferencia de persona.

Ejemplos:

> *leía* (primera persona del pretérito imper. de ind.)
> *leía* (tercera persona del pretérito imper. de ind.).

y homónimos que poseen una diferencia de aspecto.

Ejemplos:

> *partimos* (aspecto imperfectivo. Presente)
> *partimos* (aspecto perfectivo. Pretérito).

Esta clasificación se resume en el esquema 6.2.

CIRCUNSTANCIAS QUE INFLUYEN EN LA APARICION DE HOMONIMOS

La gran mayoría de autores que han tratado el tema señalan tres causas como las principales en la formación de homónimos: por una concurrencia fonética, lo que da lugar a los homófonos; por una divergencia semántica, o por la adopción de palabras de otras lenguas. Pasemos a analizar cada una de ellas en mayor profundidad.

Homonimia por concurrencia fonética

La concurrencia fonética en un momento dado de la evolución histórica de dos palabras diferentes en una misma forma es la causa principal de la homonimia. Por ejemplo, la forma del latín *dominus,* «señor», dio paso en español a *don*, fórmula de tratamiento antepuesta al nombre, palabra que coincide con don, dádiva, presente, que desciende de la palabra latina *donare*, «regalar».

Una de las circunstancias que favorecen, en gran medida, esta concurrencia es la apócope de consonantes finales, sobre todo si se trata de un sonido sonoro, más proclive a su desaparición que uno sordo.

Se dan, en el español, varios fenómenos fonéticos que favorecen la creación de homónimos. Entre ellos destacaremos, en primer lugar, el seseo. En efecto, la evolución de los antiguos fonemas del castellano que se representaban por las grafías *ç* y *z*, en determinadas zonas dieron por resultado una *s* en las áreas de seseo, mientras en otras evolucionaron a *z* en aquellos lugares en los que se produce el ceceo. Por ello podemos encontrar pares como *siervo* y *ciervo*, *sima* y *cima*, *segar* y *cegar* o *sebo* y *cebo*. Estos casos no suelen dar lugar a muchas confusiones, ya que difícilmente podrían aparecer en un mismo contexto, considerando que, además, cada una conserva su identidad gráfica.

El yeísmo, es decir, la concurrencia de los fonemas /l̦/ e /y/ en uno solo, también ha dado lugar a un buen número de homónimos fonéticos, tanto en España como en América Latina. Por ejemplo: *valla* y *vaya*, *pollo* y *poyo*, *malla* y *maya*, *arrollo* y *arroyo*. Por igual motivo que en el caso del seseo, son escasas las posibilidades de confusión, pues los rasgos semánticos de cada término son muy diferentes a los del resto, a lo que también contribuye su distinción ortográfica.

La aspiración de la *s*, en zonas de América, Andalucía y Extremadura, es otro factor a tener en cuenta en la homonimia fonética. Por ejemplo, la aspiración de la *s* en la palabra *rasgar* favorece el paso de la *g* a *j*, por lo que esta palabra puede llegar a presentar una coincidencia fonética con *rajar*.

La aspiración de la *f*, en Andalucía y grandes áreas de Hispanoamérica, es un fenómeno que también puede dar lugar a homonimias. Así, su aspiración en la palabra *fuego* acerca su articulación a la del fonema /x/, provocando una homonimia con *juego*.

Homonimia por divergencia semántica

Esta homonimia consiste en la separación de dos o más significados a partir de una raíz común. Por ejemplo, en el español de hoy se ha perdido toda conexión entre *banda*, con la acepción de *cinta*, que se coloca cruzada sobre el pecho, y *banda*, para designar a un conjunto de músicos, procedentes ambas de la misma palabra latina.

Esta clase de homonimias son tratadas fundamentalmente por los lexicógrafos, quienes han de decidir si en el diccionario se deben registrar ambas acepciones en una sola entrada o si, por el contrario, se le dedica a cada palabra una independiente.

Homonimia por la adopción de palabras de otras lenguas

Surgen estos homónimos a raíz de la adopción de una palabra extranjera que presenta una coincidencia fonética con otra ya existente en la lengua. La nueva palabra adquirida se adapta a las leyes fonéticas propias de esta lengua.

Este proceso es característico del español hablado en América Latina, al tomar muchas voces originarias de las lenguas indígenas. Así, por ejemplo, la palabra *barata*, que se emplea para aludir a una cosa que se vende a bajo precio, en Chile es homónimo de *barata*, donde toma el significado de «cucaracha».

Carpa, como designación usual de un determinado tipo de pescado, coincide con la palabra *carpa*, procedente del quechua, usado para denominar a un «toldo».

Pilón, con el significado de «abrevadero», «fuente», frente a *pilón*, con la que se designa, en Chile y Argentina, al que carece de una o de las dos orejas, cuyo origen se documenta en el término mapuche *pilun*, que significa «oreja».

PROCEDIMIENTOS PARA EVITAR LA HOMONIMIA

La homonimia es un fenómeno que puede dar lugar a confusiones y contrasentidos en el uso cotidiano de la lengua. Es, por ello, que los hablantes, para evitar estas situaciones, utilizan una serie de mecanismos que reducen al mínimo, e incluso eliminan totalmente sus efectos. Entre ellos, el más importante es el que nos proporciona el contexto en el que se introduce el homónimo. Por ejemplo, si nos encontramos con el término *corbeta*, es más que probable que siempre ocurra en enunciados relacionados con la navegación, al ser esta palabra la denominación de una clase de buque, y si el término empleado es *corveta*, el tema del discurso tendrá que ver con la equitación, pues hace alusión a un movimiento que realizan los caballos.

Esta solución resulta más problemática en los casos en que ambos términos pertenecen a una misma esfera de la realidad. En pares como, por ejemplo, *cocer* y *coser*, donde las dos palabras se incluyen en el campo de las actividades domésticas, lo que puede dar lugar a equívocos, los hablantes de buena parte de Hispanoamérica han optado por sustituir el término *cocer* por *cocinar*, apareciendo este último en los contextos que lo hacía el primero.

Una solución diferente ofrece la lengua en el caso de aquellos homónimos que pertenecen a diferentes clases de palabras. Por ejemplo, la distinción entre *el orden* y *la orden* nos viene dada por la oposición de género, pues el primero es masculino y el segundo, femenino. El número también nos puede servir, en ocasiones, para evitar la homonimia, como en el caso de *esposa*, «mujer casada», frente a *esposas*, «anillas metálicas para sujetar las manos a un preso».

El lingüista francés Gillièron enunció una especie de ley general que, en su opinión, frecuentemente es aplicada en aquellos casos en que la homonimia da lugar a confusiones. Para Gillièron, entre dos homónimos, será sustituido por un nuevo término el que disponga de mayores posibilidades de ser reemplazado; esta norma no siempre se ha seguido estrictamente, pudiéndose encontrar numerosos ejemplos que lo confirman.

Esquema 6.2
Clasificación de los homónimos

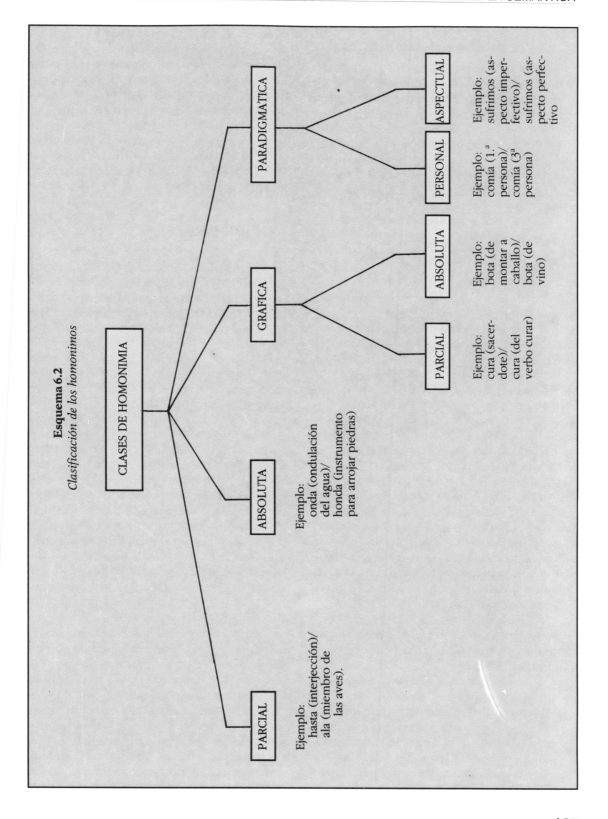

CLASES DE HOMONIMIA

PARCIAL
Ejemplo: hasta (interjección)/ ala (miembro de las aves).

ABSOLUTA
Ejemplo: onda (ondulación del agua)/ honda (instrumento para arrojar piedras)

GRAFICA

PARCIAL
Ejemplo: cura (sacerdote)/ cura (del verbo curar)

ABSOLUTA
Ejemplo: bota (de montar a caballo)/ bota (de vino)

PARADIGMATICA

PERSONAL
Ejemplo: comía (1.ª persona)/ comía (3ª persona)

ASPECTUAL
Ejemplo: sufrimos (aspecto imperfectivo)/ sufrimos (aspecto perfectivo)

LA POLISEMIA

Decimos que una palabra es polisémica cuando presenta dos o más significados distintos. Se diferencia de la homonimia en que en ésta se establece una relación entre dos o más palabras de origen diverso, mientras que la polisemia es propiedad de una sola. Ahora bien, es un hecho demostrado que para el hablante medio de una lengua la frontera entre la polisemia y la homonimia es bastante difusa, por lo que se muestra vacilante a la hora de decidir si una palabra es de un tipo o de otro. Para distinguirlo, los criterios que por lo común son empleados se basan en la etimología y en la afinidad de significados.

Por ejemplo, la palabra *cola* presenta dos acepciones; una como apéndice posterior de algunos animales, y otra como pasta para pegar. Cada una de ellas, sin embargo, posee una etimología propia; así, la primera acepción proviene del latín *cauda*, haciéndolo la segunda del latín vulgar *colla*. Se trata, por tanto, de dos homónimos.

Los significados polisémicos, por su parte, no presentan ningún fundamento etimológico, sino que son creados por connotación. El hablante, basándose en una cierta similitud que advierte entre dos significados, elige uno de sus significantes para referirse a ambos. Por ejemplo, la palabra *pie*, históricamente, se ha empleado para designar a la parte terminal de la pierna. Este sentido ha sugerido a los hablantes un parecido con la parte más baja de una montaña, por lo que a ésta se pasó a denominarla *pie* de la montaña.

No se ha de confundir la polisemia con la propiedad que poseen algunas palabras para aludir a un buen número de conceptos. El empleo de estas últimas denota una gran pobreza léxica en aquellos hablantes muy dados a utilizarlas, en la mayor parte de los casos apremiados por una escasa formación. Este comportamiento se encuentra cada vez más extendido por nuestras ciudades, y es algo de lo que se debe huir apoyándose en la lectura. Nos referimos aquí a palabras como, por ejemplo, *bicho*, que se aplica para clasificar tanto a un elefante como a una mosca.

Frente a este uso, el empleo consciente de la polisemia demuestra un conocimiento del idioma y un deseo de explorar todas las posibilidades que éste ofrece.

FUNDAMENTOS DE LA SIGNIFICACION POLISEMICA

Es el propio contexto en el que se incluye una palabra el que escoge muchas veces la acepción más apropiada de las varias que puede ofrecer ésta. Esta propiedad resalta en los adjetivos por encima de las demás categorías, ya que éstos manifiestan una clara tendencia a cambiar su significado dependiendo del nombre al que acompañan. Por ejemplo, *honesto* presenta una serie de acepciones tales como «digno», «decente», «justo», «recatado», «honrado», «modesto», «razonable», «circunspecto», «prudente», «decoroso», «cuerdo», «pudoroso». La interpretación de cada una de estas acepciones dependerá de aquello a lo que vaya referido. Muchos de estos sentidos surgieron por un empleo figurado que, con el tiempo, enriqueció el significado de la palabra al sentirse como propio.

La polisemia también puede aparecer en los verbos, muchos de los cuales presentan múltiples acepciones, como, por ejemplo, *mandar*, que puede coincidir en determinados contextos con «obligar», «enviar», «encargar», «competer» o «recomendar».

Entre todas las posibles acepciones de una palabra es de resaltar que se contradicen unas a otras. Esto es a causa de que las palabras se incluyen en una situación determinada, en la que los hablantes reconocen de una manera implícita a cuál de ellos se está haciendo alusión. Por ejemplo, *pirata* no tendrá el mismo contenido si estamos viendo una película ambientada en el mar de las Antillas que si aparece en un artículo periodístico que trate el tema de las grabaciones ilegales de discos. De igual forma, la palabra *parroquiano* no significará lo mismo para un sacerdote que para un tabernero, o *diente* para un dentista y para un vendedor de ajos.

Una palabra puede recibir varios sentidos figurados sin que, por ello, se pierda su significado original, coexistiendo todos ellos siempre que no den lugar a posibles confusiones. Por ejemplo, la palabra *brazo* puede abarcar los siguientes usos (véase esquema 6.3).

En este ejemplo, *brazo* presenta un uso primario, etimológico, como extremidad del cuerpo humano. A continuación aparecen tres niveles de figuración o metafóricos. Un primer nivel que está representado por acepciones que se basan en una mera similitud formal o física. El brazo de un sillón, de una balanza, de un árbol o de una lámpara son partes de determinados objetos a los que se atribuye las mismas propiedades del sentido originario. El segundo nivel ofrece un mayor grado de abstracción. En estos ejemplos, la relación ya no se establece por semejanza formal como en el nivel anterior, sino que requiere un mayor esfuerzo figurativo por parte del hablante. Por último, el tercer nivel presenta locuciones en las que entra a formar parte la palabra *brazo* como núcleo fundamental. En este punto no se trata ya a la palabra *brazo* como fuente de una comparación estática; es a partir de su capacidad de movimiento, de su dinamismo, desde donde se parte en el establecimiento de la relación.

Como vemos, la metáfora no es un mecanismo exclusivamente utilizado en la creación artística, sino que está presente en el habla en todo momento. Y no es la metáfora el único recurso estilístico que puede dar lugar a la polisemia. Otros procedimientos, como la metonimia o la sinécdoque, que analizaremos más adelante, están capacitadas para producirla.

Procedimientos para evitar la polisemia

Como es fácil deducir, cuantos más significados asuma una palabra, más pro-

blemas puede crear a la hora de su identificación. En la elección del sentido apropiado, el contexto en el que se encuentra nos proporciona una información de capital importancia. Aparte del contexto verbal, que ya hemos señalado, podemos distinguir, siguiendo la clasificación de E. Coseriu, los siguientes:

- *Contexto físico*, el que incluye todos aquellos objetos o cosas que se encuentran a la vista de los hablantes.
- *Contexto empírico*, en el que se encuentran los objetos conocidos por los hablantes en un espacio y tiempo determinados, sin que sea preciso que estén a la vista.
- *Contexto natural*, que abarca la totalidad de los contextos empíricos de los hablantes.
- *Contexto ocasional*, que hace referencia a la particular actitud de los hablantes en una determinada comunicación.
- *Contexto histórico*, incluye el conjunto de circunstancias históricas conocidas por los hablantes.
- *Contexto cultural*, con lo que nos queremos referir a aquellas condiciones culturales propias de una sociedad determinada.

Cuando un enunciado se incluye en un contexto concreto, el hablante escoge el significado apropiado automáticamente, siendo rechazados los demás sin necesidad de efectuar ningún análisis pormenorizado. Por ejemplo, si encontramos la palabra *inquisición* dentro de un contexto histórico, tomará un sentido muy diferente a si la escuchamos en el desarrollo de una conversación en nuestros días. Una ilustración más clara de esto nos la puede proporcionar el verbo *hacer*, el cual posee una carga semántica tal, que posibilita su empleo en un gran número de contextos, y, sin embargo, como hablantes somos capaces de distinguir en cada momento en cuál de sus acepciones es empleado.

En el caso de que aparezca en el lenguaje un verdadero caso de oposición semántica, es decir, que una palabra dé lugar a una situación de ambigüedad en todos los contextos en los que pueda emplearse, por lo general se tiende a limitar su polisemia eliminando uno de sus sentidos.

LOS CAMBIOS DE SENTIDO

Una vez creada una palabra, el sentido de ésta puede evolucionar de manera natural por el uso de los hablantes y por las circunstancias que la rodean. En su interior se desarrollán una serie de asociaciones que, sin variar su significado básico, lo hacen más expresivo, añadiendo nuevos valores. En estas asociaciones la palabra se carga de matices tomados al contactar con un contexto determinado.

No obstante, puede ocurrir que, al desarrollarse estos nuevos sentidos, a los que llamaremos secundarios, se anule progresivamente el sentido básico, primario, hasta llegar a ser eliminado. Por ejemplo, la palabra *toga* se utilizaba en latín para denominar el vestido usado en la época clásica. Este sentido se asoció, por semejanza, con la prenda que visten los magistrados, perdiéndose paulatinamente su significado originario, para pasar a ser reconocida por su nueva acepción exclusivamente.

Podemos resumir que el sentido de una palabra es el resultado de dos procesos. En primer lugar se desarrolla un proceso de denominación, que consiste en la acuñación de una nueva palabra para señalar una realidad. Este acto será individual y consciente, y no tendrá plena validez hasta que esa palabra sea aceptada por la comunidad, es decir, que los hablantes la recojan y empleen.

Un segundo momento viene dado por el proceso evolutivo de la palabra. En éste, la palabra cobra nuevos sentidos, espontánea y progresivamente, de manera colectiva e inconsciente, pues, al tratarse ya de un término de dominio social, es toda la colectividad la que la emplea y la que la aplica a diversas realidades, llegando su aceptación cuando ya es un hecho consumado.

El tema de los cambios de sentido llamó la atención a los primeros estudiosos del lenguaje, y ya en la época de la Grecia clásica, circunscribiéndose a la creación literaria, los denominaron *tropos*. Fue Aristóteles el primero que se refirió a ellos en la *Poética*. Posteriormente, las diferentes escuelas lingüísticas establecieron diferentes clasificaciones, pero no será hasta una época muy reciente cuando se investigue su incidencia en el lenguaje hablado.

Así, se establecieron como tipos básicos de los cambios de sentido la metáfora, la metonimia y la sinécdoque, en los cuales se fundamentan los demás.

LA MOTIVACION DE LOS CAMBIOS DE SENTIDO

Los cambios de sentido son motivados por una serie de factores de muy compleja naturaleza. Estos factores fueron recogidos y sistematizados por Albert Meillet de la siguiente forma:

En primer lugar señala a la polisemia como el más importante y decisivo, pues su actuación especializa los significados de la palabra según una serie de condicionamientos externos a lo largo de la historia. Por ejemplo, el verbo *mandar*, hoy utilizado con las acepciones de «gobernar», «ordenar», «enviar», en el pasado también era empleado con el sentido de «ofrecer», «otorgar», que hoy día están perdidos. De igual forma, *mecer*, en los orígenes del español presentaba el sentido de «menear», «agitar», tomando posteriormente la acepción actual de «menear al niño», «mover», el cual es exclusivo.

Otro factor es el olvido de la etimología de una palabra concreta, lo que se traduce en una pérdida de motivación que lleva al abandono de la palabra en cuestión.

También las palabras que poseen un amplio abanico de posibilidades significativas, a las que precisamente esa multi-

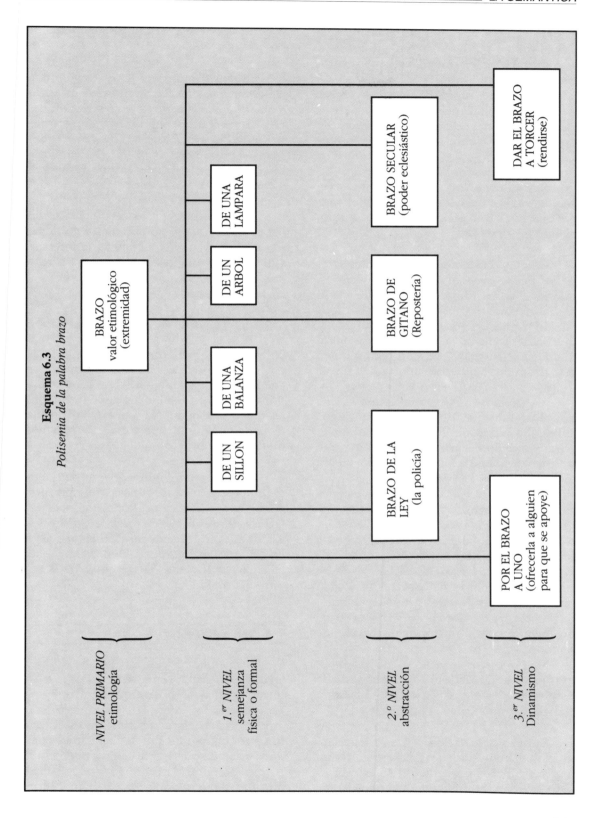

Esquema 6.3
Polisemia de la palabra brazo

BRAZO
valor etimológico
(extremidad)

DE UN
SILLON

DE UNA
BALANZA

DE UN
ARBOL

DE UNA
LAMPARA

BRAZO DE LA
LEY
(la policía)

BRAZO DE
GITANO
(Repostería)

BRAZO SECULAR
(poder eclesiástico)

POR EL BRAZO
A UNO
(ofrecerla a alguien
para que se apoye)

DAR EL BRAZO
A TORCER
(rendirse)

NIVEL PRIMARIO
etimología

1.er NIVEL
semejanza
física o formal

2.º NIVEL
abstracción

3.er NIVEL
Dinamismo

plicacidad de acepciones las ha hecho perder su validez por la vaguedad que conlleva su significado, son afectadas por los cambios de sentido.

Por último, señala Meillet los errores en la transmisión de los significados, refiriéndose a los producidos en la etapa de aprendizaje durante la infancia. Sin embargo, en la práctica este factor muestra una escasa o casi nula incidencia.

Basándose en esta relación de factores, Meillet realizó una clasificación de las causas que dan lugar a los cambios de sentido, siendo la siguiente:

Causas históricas. Están determinadas por la evolución de las costumbres, las ciencias, la cultura, etc. En estos casos se ha producido una pérdida de la motivación primaria al desaparecer el objeto al que alude, pasando la palabra a designar al que lo ha sustituido. Ullman distingue en este grupo los siguientes apartados:

- *Objetos.* Por ejemplo, *caballero* era el animal que tiraba de los antiguos carruajes, y por similitud funcional se ha pasado a denominar caballo de vapor a la unidad de medida de la potencia de un automóvil.
- *Instituciones.* La palabra *congreso* ha evolucionado desde su sentido primario de encuentro o reunión a las acepciones actuales de asamblea política o de profesionales de un ramo.
- *Ideas.* La palabra *humor*, desde su sentido primario de carácter biológico para aludir a los líquidos de un organismo, ha pasado por un largo proceso hasta el que hoy recibe como alusión a un estado de ánimo.
- *Conceptos científicos.* Con *geometría*, en la antigüedad se designaba al arte de medir terrenos, siendo en la actualidad una ciencia con múltiples aplicaciones.

Causas lingüísticas. La fonética, la morfología o la sintaxis, en ocasiones, dan lugar a cambios semánticos. En este apartado, Ullman también incluye los cambios provocados por la etimología popular, la homonimia y la elipsis.

Causas psicológicas. Se denominan así las causas que dan lugar a las palabras *tabú*, aquellas palabras que son evitadas por los hablantes por miedo, entre otras razones. Por ejemplo, los judíos no se atrevían a pronunciar, por miedo, el nombre de Dios, por lo que siempre se refieren a él con la palabra «Señor».

En conexión con esto se encuentran los eufemismos, giros que da un hablante para evitar el uso de palabras que son consideradas de mal gusto o groseras. Términos como *trasero, posaderas*, etc., pertenecerían a esta clase.

Los préstamos extranjeros. Como ya hemos señalado, la adquisición de una palabra procedente de otra lengua influye en los cambios de sentido de las que se encuentran en su misma esfera semántica. Por ejemplo, en español antiguo la palabra *testa*, para designar a la «cabeza», proviene de la italiana *testa*, a partir de una relación metafórica con «tiesto».

Causas tecnológicas. Continuamente son precisos vocablos para designar nuevos objetos o conceptos. Por ejemplo, la palabra *satélite*, empleada para designar a los astros que giran alrededor de un planeta, se ha tomado también para denominar a las cápsulas artificiales que se envían a la órbita de un planeta.

LA METAFORA

La *metáfora* es el tropo que, basándose en una relación de semejanza, identifica un término, al que se denomina «propio» o «metaforizado», con otro, «impropio» o «metafórico». Esta relación se establece fundamentalmente por la capacidad connotadora que posee este segundo término.

Atendiendo al tratamiento que se da al término metaforizado, se distingue entre metáforas *in praesantia*, en las que éste aparece, y metáforas *in absentia*, cuando no se encuentra explícito. Un ejemplo del primer tipo sería:

«*La luna* (A) *es, estre las nubes, una pastora de plata...*»

(JUAN RAMON JIMENEZ)

Donde *la luna* (A) = *una pastora de plata* (B). Como muestra de metáfora *in absentia:*

«coged de vuestra *alegre primavera* (B) el dulce fruto...»
(GARCILASO DE LA VEGA)

En este caso, *alegre primavera* (B) = [juventud (A)], término no presente.

Una metáfora puede construirse según diferentes fórmulas, entre éstas las más frecuentes son:

— A es B

Ejemplo:

«Nuestras *vidas* son los ríos...»

(JORGE MANRIQUE)

— B de A

Ejemplo:

«... la sonora *copla* (B) borbollante *del agua* (A) cantora»

(ANTONIO MACHADO)

— A : B

Ejemplo:

«*Juventud* (A), *divino tesoro* (B) te vas para no volver...»

(RUBEN DARIO)

— B en lugar de A, llamada metáfora pura

Ejemplo:

«... antes que lo que hoy es *rubio tesoro* (B) venza a la blanca nieve su blancura»

(LUIS DE GONGORA)

La metáfora es un fenómeno inherente al lenguaje, no de uso exlcusivo de la creación poética. Expresiones como *pluma estilográfica, hoja de papel*, etc., son originariamente metáforas que el uso ha incorporado a la lengua, por lo que han dejado de sentirse como tales.

Una clase muy común de metáfora es la utilización de nombres de animales para referirse a personas de manera metafórica; por ejemplo, en *Juan es un burro, burro* alude la torpeza del sujeto.

En muchas ocasiones se confunde a la metáfora con la imagen, diferenciándose ambas en que mientras esta última es una comparación explícita, la metáfora parte de la propia imaginación del hablante o del escritor. Así, un ejemplo de imagen sería *sus dientes son perlas*, donde la relación entre los términos comparados resulta evidente.

Por su parte, el símil es una comparación que pretende realzar la naturaleza del término comparado. Por ejemplo, *Juan es un tigre*, con lo que se quiere atribuir al sujeto aquellas propiedades más representativas de dicho animal.

En relación con la sinestesia, ésta consiste en la transposición de una sensación propia de un sentido a otra. Por ejemplo, en *voz dulce* se califica con un adjetivo relativo al gusto una facultad que se mide con el oído.

LA METONIMIA

La metonimia consiste en aludir a un objeto o concepto con un término que no es el suyo propio, pero que mantiene con éste una relación que puede ser, entre otros, de los siguientes tipos:

De continente a contenido. El término empleado es el del objeto que se utiliza para servir o conservar aquello a lo que se hace referencia.

Ejemplo:

Yo suelo comer todos los días dos platos y luego algo de postre.

193

Dos platos aparece en lugar de la comida que contienen, pues nadie suele comer platos.

De causa a efecto. Se emplea para referirse a un determinado efecto el término que designa a aquello que lo provoca.

Ejemplo:

Vive de su trabajo

Vive gracias al efecto de su trabajo, el sueldo que gana, pero no por lo que lo causa, el trabajo.

De lugar de procedencia a cosa que de allí procede. Es la relación que se establece cuando se emplea el término que denomina a la zona o región donde se elabora un producto para aludir a dicho producto.

Ejemplo:

A todo el mundo le gusta saborear un buen Rioja.

Aquí, *Rioja* aparece sustituyendo al producto que da fama a la región, el *vino*.

De materia a objeto. Cuando para referirse a un determinado objeto se hace por medio del término que denomina a la materia de la cual está hecho.

Ejemplo:

Me regaló una porcelana china.

Porcelana es el material con el que se ha fabricado el regalo, que bien puede ser un plato, un jarrón, etc.

De signo a cosa significada. El término que se emplea es el que denomina a un emblema o distintivo que simboliza aquello a lo que se hace referencia.

Ejemplo:

Aquellos soldados traicionaron su bandera.

Bandera aparece en lugar de *país* o *nación*; una bandera, por sí sola, no significa nada.

De abstracto a concreto. Es la relación existente entre el sujeto que realiza una acción y el término genérico que designa tal acción.

Ejemplo:

El preso burló la vigilancia.

La vigilancia ha de ser llevada a cabo por alguien, aquella persona que ha sido burlada.

La importancia de la metonimia radica en su capacidad de abastecer a la lengua de palabras de las que ésta adolece, pues, al igual que en el caso de la metáfora, una expresión de origen metonímico, tras un período de empleo frecuente, queda incorporada a la lengua, diluyéndose esa relación que la motivó.

LA SINECDOQUE

Está en estrecha relación con la metonimia, y muchos autores agrupan ambos conceptos bajo un mismo epígrafe. Sin embargo, las relaciones que se establecen por medio de la sinécdoque poseen una naturaleza bien distinta, como muestra su definición latina: *pars pro toto* o *totum pro parte*. Así podemos señalar como sinécdoque las relaciones:

De la parte por el todo. En las que se emplea el término que designa a un elemento o fracción incluido en una totalidad para referirse a ésta.

Ejemplos:

Posee un rebaño de más de diez mil cabezas

donde *cabezas* aparece por *reses*.

Del todo por la parte. Es la relación contraria a la anterior. Se emplea la alusión al conjunto para aludir a una fracción de éste.

Ejemplo:

No todos los mortales alcanzarán el reino de los cielos.

$\mathcal{I}$ndice

GRAMATICA Y ORTOGRAFIA

1. EL LENGUAJE

Las funciones del lenguaje_____ 5
   La función referencial
   La función emotiva
   La función conativa
   La función fática
   La función metalingüística
   La función poética
El signo lingüístico_____ 7
   El plano de la expresión y el plano
     del contenido
   La doble articulación
   Características del signo lingüístico
El sistema lingüístico_____ 9
   El plano sintagmático
   El plano paradigmático
Las disciplinas lingüísticas y sus
unidades_____ 11
Lengua y dialecto_____ 13
La Real Academia Española_____ 13
Las lenguas hispánicas_____ 14
   El catalán
   El gallego
   El euskera
Las variedades lingüísticas
hispánicas_____ 15
   El mozárabe
   El leonés
   El aragonés

   El andaluz
   El extremeño
   El riojano
   El murciano
   El canario
El español de América_____ 18
   El arahuaco
   El náhuatl
   El quechua
   El guaraní
   El araucano o mapuche

2. FONOLOGIA Y FONETICA

Distinción entre fonología
y fonética_____ 22
El fonema_____ 22
Rasgo pertinente y rasgo
no pertinente_____ 23
Neutralización_____ 23
Alófonos_____ 23
El aparato fonador_____ 24
Cavidades infraglóticas u órganos
de la respiración_____ 24
La laringe_____ 25
Cavidades supraglóticas u órganos
de la articulación_____ 25
   Diferenciación de los sonidos por
     el punto de articulación

*Diferenciación de los sonidos por
   el modo de articulación*
Los fonemas vocálicos_____ 28
   /i/
   /e/
   /a/
   /o/
   /u/
   Semiconsonantes
   Semivocales
Los fonemas consonánticos_____ 29
   /b/
   /d/
   /g/
   /p/
   /t/
   /k/
   /f/
   /θ/
   /x/
   /s/
   /y/
   /ĉ/
   /m/
   /n/
   /ṇ/
   /l/
   /ḽ/
   /r/
   /r̄/
Diptongos y triptongos_____ 34
Sinalefa e hiato_____ 36
La sílaba_____ 36
El grupo fónico_____ 37
El acento_____ 38
La entonación_____ 38

3. ORTOGRAFIA

Ortografía_____ 39
Las vocales_____ 40
   Contracción de vocales
Las consonantes_____ 41
   La b *y* v
   La w
   Distinción de las grafías c *y* z
   c, qu, k, *tres grafías para un mismo
      fonema*

El empleo de g *y* j
La x
La h
La y
La m
Simplificación de consonantes
El empleo de letras mayúsculas_____ 54
El acento en ortografía_____ 56
   *Acentuación de diptongos y
      triptongos*
   Acentuación de los hiatos
   *El acento de las palabras
      compuestas*
Los clíticos_____ 58
   *El acento de los verbos cuando
      presentan pronombres clíticos*
Los adverbios en -*mente*_____ 59
Homónimos que se distinguen por
el acento diacrítico_____ 60
   aun/aún
   como/cómo
   cual/cuál
   cuanto/cuánto
   cuando/cuándo
   donde/dónde
   mas/más
   porque/porqué
   que/qué
   quien/quién
   si/sí
   solo/sólo
Los numerales_____ 62
   Numerales cardinales
   Numerales ordinales
Números romanos_____ 64
La afijación_____ 65
   Principales prefijos latinos
   Principales prefijos griegos
   Principales sufijos latinos
   Principales sufijos griegos
Locuciones latinas_____ 67
Adopción de palabras
extranjeras_____ 69
Abreviatura de palabras_____ 70
Signos de puntuación_____ 72
   El punto
   Los dos puntos
   El punto y coma
   La coma

Los puntos suspensivos
Signos de interrogación
 y admiración
Las comillas
El paréntesis
El guión_____ 75
La diéresis

4. MORFOLOGIA

Morfología y gramática_____ 77
El sustantivo_____ 77
 Configuración morfológica del
  sustantivo
 Funciones que puede desempeñar
  un nombre en la oración
 Clasificación del sustantivo
  por su significado
 Clasificación de los sustantivos
  por su forma
El artículo_____ 82
 Clasificación del artículo
 Valores de sustantivador
 Las contracciones
 Usos del artículo
 Propios
 Impropios
El adjetivo_____ 85
 Morfológica
 Sintáctica
 Semántica
 Configuración morfológica
Clasificación de los adjetivos_____ 88
 Adjetivos calificativos
 Adjetivos numerales
El pronombre_____ 92
 Clasificación de los pronombres
 Pronombres personales
 Pronombres posesivos
 Los pronombres demostrativos
 Pronombres indefinidos
 Pronombres relativos
  e interrogativos
El verbo_____ 104
Clasificación de los verbos_____ 105
Categorías gramaticales_____ 108
 El modo
 El aspecto

El tiempo
La voz
El número y la persona
La conjugación en español_____ 112
 Formas no personales
 Usos de las formas no personales
 Formas personales
Conjugación irregular_____ 117
 Irregularidad vocálica
 Irregularidad consonántica
 Irregularidad mixta
 Verbos con más de una raíz
 Perfectos fuertes
 Verbos defectivos
 Gerundios irregulares
 Participios irregulares
Usos y valores de los tiempos
de la conjugación_____ 119
 Indicativo
 Condicional
 Subjuntivo
 Imperativo
El adverbio_____ 123
 Clasificación de los adverbios
  por su significado
La preposición_____ 125
 Clases de preposiciones
 Funciones de las preposiciones
La conjunción_____ 126
La interjección_____ 127
 Clasificación de las interjecciones

5. LA SINTAXIS

Introducción_____ 129
El concepto de «estructura»_____ 129
 Las categorías léxicas
 Las categorías sintagmáticas
 Las funciones sintácticas
La estructura del sintagma nominal __ 135
 El núcleo del SN: nombres
  y pronombres
 Los complementos del nombre
El sintagma nominal con núcleo
elíptico_____ 139
El sintagma verbal_____ 140
Atribución y predicación_____ 140
 Estructura de la atribución

Los complementos predicativos
Estructura de la predicación
Las relaciones entre el verbo
y sus complementos_____ 143
    Los complementos subcategorizados
    Los complementos no
      subcategorizados
La pasividad_____ 148
    La pasiva con ser
    La pasiva refleja
La reflexividad_____ 150
    La reflexividad directa
    La reflexividad indirecta
La reciprocidad_____ 151
La impersonalidad _____ 151
    Las oraciones impersonales
      y las de pasiva refleja
    La construcción impersonal con se
    Las oraciones unipersonales
La oración_____ 153
    La problemática definición de
      oración
    Los componentes de la oración
    La concordancia
    El orden básico de palabras
      en español
    Clasificación de las oraciones
    La oración compuesta

6. *LA SEMANTICA*

Introducción_____ 174
La lexicología_____ 175
La lexicografía_____ 175
El artículo lexicográfico_____ 175
El análisis del significado_____ 176

Los rasgos de sentido_____ 177
Tipos de relaciones de sentido_____ 177
    Relaciones sustitutivas
    Relaciones combinatorias
La motivación de las palabras _____ 178
Tipos de motivación de palabras _____ 178
    Motivación fonética
    Motivación morfológica
    Motivación semántica
El poder sugestivo de la palabra_____ 181
El significado semántico_____ 182
La sinonimia_____ 182
La combinación de sinónimos _____ 183
La antonimia_____ 183
La homonimia_____ 184
Clases de homonimia_____ 184
Circunstancias que influyen
en la aparición de homónimos_____ 185
    Homonimia por concurrencia
      fonética
    Homonimia por divergencia
      semántica
    Homonimia por la adopción de
      palabras de otras lenguas
Procedimientos para evitar
la homonimia_____ 186
La polisemia_____ 188
Fundamentos de la significación
polisémica_____ 188
    Procedimientos para evitar
      la polisemia
Los cambios de sentido _____ 190
La motivación de los cambios
de sentido_____ 190
La metáfora_____ 192
La metonimia_____ 193
La sinécdoque_____ 194